中国中药资源大典

资源大典

新疆卷

②

黄璐琦 / 总主编

李晓瑾　贾晓光　徐建国　朱　军　王果平 / 主　编

北京科学技术出版社

图书在版编目（CIP）数据

中国中药资源大典. 新疆卷. 2 / 李晓瑾等主编. --
北京：北京科学技术出版社, 2024. 6. -- ISBN 978-7
-5714-4017-6

Ⅰ. R281.4

中国国家版本馆CIP数据核字第20248SM097号

责任编辑：吕　慧　王治华　吴　丹　李兆弟　侍　伟
责任校对：贾　荣
图文制作：樊润琴
责任印制：李　茗
出 版 人：曾庆宇
出版发行：北京科学技术出版社
社　　　址：北京西直门南大街16号
邮政编码：100035
电　　　话：0086-10-66135495（总编室）　　0086-10-66113227（发行部）
网　　　址：www.bkydw.cn
印　　　刷：北京博海升彩色印刷有限公司
开　　　本：889 mm×1 194 mm　　1/16
字　　　数：1 125千字
印　　　张：50.75
版　　　次：2024年6月第1版
印　　　次：2024年6月第1次印刷
审 图 号：GS京（2023）1758号
ISBN 978-7-5714-4017-6

定　　价：490.00元

《中国中药资源大典·新疆卷》

编写委员会

总 主 编 黄璐琦

主　　编 李晓瑾　贾晓光　徐建国　朱　军　王果平

副 主 编 樊丛照　邱远金　赵亚琴　张际昭　石磊岭　宋海龙

阿依别克·热合木都拉　　姜　林　贾月梅

编　　委 丁文欢　力瓦衣丁·买合苏提　　马　宁　马占仓　王　超　王　茜

王　烨　王东东　王应林　王果平　王喜勇　尹林克

巴哈尔古丽·黄尔汗　艾比拜罕·麦提如则　石书兵　石明辉　石磊岭

田树革　史银基　兰　卫　地力努尔·吐尔逊江　　朱　军　朱　君

任杉杉　伊永进　刘　冲　刘旭丽　刘宏炳　闫素雅　关永强　祁志勇

杜珍珠　李　洁　李晓瑾　杨美琳　杨淑萍　轩辕欢　邱远金　何　权

何　江　辛禄德　宋　骏　宋海龙　张　欢　张丽君　张际昭　张金汕

张雪佳　阿依别克·热合木都拉　　陈向南　努尔巴依·阿布都沙力克

罗四维　金晓艳　孟　岩　赵　丽　赵亚琴　赵翡翠　段燕燕　侯翼国

姜　林　贾月梅　贾晓光　徐文斌　徐建国　徐倞倞　徐海燕　郭雄飞

黄　刚　黄红雨　曹　佩　曹红梅　康定明　阎　平　梁凤丽　逯永满

葛　亮　董俊俊　程　波　鲁　疆　童加强　满尔哈巴·海如拉

谭治刚　樊丛照　黎耀东　潘　兰　燕雪花　魏青宇

序言

　　新疆地处亚欧大陆腹地，地理环境、气候条件和生物资源多样，中药资源丰富、特色鲜明。在新疆阿尔泰山区、天山山脉、阿尔金山－昆仑山区以及伊犁河谷、准噶尔盆地、塔里木河流域等区域分布着大量特色中药资源，形成具有地域特色的中药资源宝库。

　　中药资源是中医药事业发展的物质基础，是国家重要的战略资源，在经济社会发展中具有重要作用。新疆作为首批启动实施第四次全国中药资源普查工作的省份之一，在各级政府部门的大力支持下、在全体普查伙计的共同努力下，出色地完成了新疆的中药资源普查工作。还对新中国成立后才被收回祖国的夏尔希里进行了专题调查，为新疆建设工作做出贡献。

　　《中国中药资源大典·新疆卷》以第四次全国中药资源普查工作成果为基础，全面展示了新疆的中药资源现状。该书内容丰富、图文并茂，专业性、科普性、实用性并存，是一部较为权威的具有参考价值的中药资源学著作。该书的出版可为中药专业的人士提供参考，也可为政府部门制定中药产业政策提供支撑，亦可为乡村振兴和推动新疆区域经济社会发展发挥积极作用，为助力新疆中医药事业发展贡献力量。

在该书付梓面世之际，仅书片言，乐为之序！

中国工程院院士

中国中医科学院院长

第四次全国中药资源普查技术指导专家组组长

2024 年 4 月

前　言

　　中药资源是国家战略性资源，是中医药传承、创新、发展的物质基础。新疆地处亚欧大陆腹地，其独特的地理位置和自然条件，孕育了独具特色的中药资源，诸如"峭壁悬崖绽雪莲，天山峰脉育芙娟"的天山雪莲，以及阿魏、紫草、伊贝母、一枝蒿等药材均为新疆特有的道地优势资源。

　　新疆第四次中药资源普查工作历时10年，完成了新疆（含新疆生产建设兵团在内）166万 km² 的中药资源普查，累计实地调查样地3 502个样方套17 652个，采集腊叶标本15.1万份、药材标本2 710份、种质资源1 784份，拍摄照片322 116张，调查蕴藏量150种；调查到药用植物3 107种，全面摸清了自第三次中药资源普查以来新疆30余年来的中药资源变迁情况；首次建立了新疆中药资源数据库管理系统，建立了种质资源保存体系（低温保存库、超低温保存库）、标本库、种子种苗繁育基地，开展了中药材生产区划和30种重点药材的生产适宜性分析，为新疆中药产业发展提供了最新的基础数据和系统的技术服务。

　　本书以新疆第四次中药资源普查成果为基础，收载新疆中药资源（含维吾尔医药、哈萨克医药等新疆少数民族医药）1 362种。本书分为上篇、中篇、下篇，上篇为新疆中药资源概论，介绍了新疆的自然环境、第四次中药资源普查情况、中药资源发展现状，中篇介绍了新疆道地、大宗中药资源，下篇为新疆中药资源各论。该书首次系统、全面、客观地反映了新疆现有的中药资源情况，并配以高清彩图，增强了本书的可读性、科学性、实用性，可供中医药领域的研究者及爱好者参考。

宝剑锋从磨砺出，梅花香自苦寒来。新疆第四次中药资源普查工作克服了调查区域广、环境类型多样、物种差异大、学科领域多、技术人员断层严重等诸多困难，取得了丰硕的成果。《中国中药资源大典·新疆卷》的最终付梓亦非易事，本书的出版无不凝聚着新疆所有普查工作者的汗水。希望本书能为政府部门制定中药产业政策提供支撑，为推动新疆道地药材体系建设进程、加速现代中药产业转型、助力乡村振兴、推动新疆经济高质量发展贡献一份力量。

本书对于读者全面了解新疆中药资源现状具有重要的参考价值，但由于编者水平有限，书中难免有不妥之处，敬请广大读者批评指正，以便后期再版时修改、补充与完善。

编　者

2024 年 4 月

凡 例

（1）本书共 4 册，分为上、中、下篇。上篇综述了新疆自然环境、第四次中药资源普查情况、中药资源发展现状；中篇论述了 60 种新疆道地、大宗中药资源；下篇共收录药用植物资源 1 362 种。

（2）本书下篇以中药资源名为条目名，下设药材名、形态特征、生境分布、资源情况、采收加工、功能主治、用法用量及附注等，其中资源情况、采收加工、用法用量、附注为非必要项，资料不详者项目从略。各项目编写原则简述如下。

1）条目名。该项记述中药资源物种及其科属的中文名、拉丁学名。其中蕨类植物、裸子植物、被子植物的名称主要参考《中国植物志》和《新疆植物志》。

2）药材名。该项记述中药资源的药材名、药用部位。凡《中华人民共和国药典》等法定标准收载者，原则上采用法定药材名；法定标准未收载者，主要参考《中华本草》《全国中草药名鉴》《中国中药资源志要》。

3）形态特征。该项简要描述中药资源的形态特征，突出鉴别特征。主要参考《中国植物志》和《新疆植物志》，并结合普查实际所获取的信息进行描述。

4）生境分布。该项记述中药资源在新疆的生存环境与分布区域。生存环境主要源于普查实际获取的生境信息，并参考相关志书的描述。分布区域主要介绍野生资源的分布情况，源于植物标本采集地，以"分布于新疆地市级行政区划（县级行政区划）/地市级行政区划/县级行政区划"的形式进行描述；栽培资源的分布区域以"地市级行政区划（县级行政区划）/地市级行政区划/县级行政区划有栽培"的形式进行描述。在新疆各地皆有野生者，记述为"新疆各地均有分布"；在新疆各地皆有栽培者，记述为"新疆各地均有栽培"。

5）资源情况。该项记述中药资源的蕴藏量情况，用丰富、一般、稀少来表示；并用"野生"或"栽培"记述药材的主要来源。

6）采收加工。该项记述药材的采收时间与加工方法。

7）功能主治。该项主要记述药材的功能和主治。

8）用法用量。该项主要记述药材的用法和用量。

9）附注。该项描述物种的濒危等级、其他医药相关用途等。

（3）附录。以名录形式收载中篇、下篇没有收载的新疆药用植物资源。

目录

被子植物

蓼科 Polygonaceae 木蓼属 Atraphaxis

拳木蓼

Atraphaxis compacta Ledeb.

| 药 材 名 | 拳木蓼（药用部位：全株）。

| 形态特征 | 小灌木。自基部分枝，分枝开展，枝干较粗，常弯折，树皮纵裂；老枝先端无叶，成棘刺，淡黄灰色，无毛，一年生枝短缩，先端有叶。叶近簇生；叶片圆形、宽椭圆形或倒卵形，先端钝、微凹且无小尖头或具钝齿，基部楔形，全缘或具钝齿，上部白色，具2锐齿。总状花序短，花2～6簇生于去年生老枝先端的叶腋，稀生于当年生枝的先端；花淡红色，具白色边缘，或白色，花被片4，排成2轮，外轮2小，反折，内轮2果期增大，圆肾形；花梗细长，上部具关节。瘦果扁平，宽卵形，淡褐黄色，有光泽。花果期6～8月。

| 生境分布 | 生于海拔 500 ～ 1 150 m 的荒漠戈壁、冲沟边、沙地、前山干山坡。分布于新疆富蕴县、布尔津县、乌鲁木齐县、沙湾市、博乐市、若羌县等。新疆哈密市及温泉县等有栽培。

| 功能主治 | 清热祛湿,健胃,杀虫。

蓼科 Polygonaceae 木蓼属 Atraphaxis

细枝木蓼 *Atraphaxis decipiens* Jaub. et Spach

| 药 材 名 | 木蓼（药用部位：全株）。

| 形态特征 | 小灌木。老枝短而弯拐，木质化，树皮灰白色，呈条状开裂；当年生枝草质，淡褐色，无毛，先端具叶或花，无刺。叶近无柄，叶片线形，绿色，边缘稍下卷，先端渐尖，基部渐狭成短柄，两面无毛，表面光滑，背面中脉凸起，侧脉稍明显；托叶鞘筒状，膜质，先端2裂，具2锐齿。总状花序生于当年生枝的先端；花少，稀疏；花被片5，外轮2较小，呈近圆形，果期反折，内轮3果期增大；花梗细，中部或稍上部具关节。瘦果长卵形，具3棱，暗褐色，光滑，有光泽。花果期5～8月。

| **生境分布** | 生于海拔 540 m 的荒漠砾石戈壁、沙地、戈壁边缘的田边和干山坡。分布于新疆托里县、裕民县、福海县、阿勒泰市、塔城市等。

| **功能主治** | 清热祛湿，健胃，杀虫。

蓼科 Polygonaceae 木蓼属 Atraphaxis

木蓼

Atraphaxis frutescens (L.) Eversm.

| 药 材 名 | 木蓼（药用部位：全株）。

| 形态特征 | 灌木。分枝开展或向上，树皮淡灰色；枝先端具叶或花，无刺，当年生枝短缩，稍从株丛中露出，无毛或被短柔毛。叶无柄或有短柄，叶片淡灰蓝色或浅灰绿色，窄披针形至倒卵形，先端渐尖，具软骨质锐尖，基部渐狭成短柄，全缘或稍有牙齿，两面无毛，背面网状脉凸起；托叶鞘筒状，膜质，下部淡褐色，上部白色，具2渐尖的齿。总状花序生于当年生枝的先端，通常不分枝；花稀疏，每苞片有2~6，花淡红色，具白色边缘，或白色；花被片5，排成2轮，外轮2较小，近圆形，果期反折，内轮3果期增大，宽椭圆形；花梗细长，中部具关节。瘦果卵形，具3棱，暗褐色，无毛，有光泽。花果期6~8月。

| 生境分布 | 生于海拔 500 ～ 1 900 m 的荒漠沙地、戈壁、荒地，山地河谷的河漫滩及石质山坡。分布于新疆布尔津县、哈巴河县、吉木乃县、乌鲁木齐县、塔城市、裕民县、托里县、奎屯市、乌苏市、博乐市、温泉县、察布查尔锡伯自治县、拜城县、阿克苏市等。

| 功能主治 | 清热祛湿，健胃，杀虫。

蓼科 Polygonaceae 木蓼属 Atraphaxis

绿叶木蓼 *Atraphaxis laetevirens* (Ledeb.) Jaub. et Spach

| 药 材 名 | 木蓼（药用部位：全株）。

| 形态特征 | 小灌木。全株被短乳头状毛，分枝开展；老枝皮灰色，新枝皮淡黄绿色，枝先端具叶或花，无刺。叶鲜绿色，近无柄，叶片革质，宽椭圆形，先端圆形，微凹，具小尖头，基部宽楔形，表面无毛，背面网状脉凸起，被乳头状毛，特别在中脉基部明显，全缘或微波状；托叶鞘筒状，膜质，先端2裂成锐齿。总状花序短，近头状，主要侧生于当年生木质枝的先端；花淡红色，具白色边缘，或白色；花被片5，排成2轮，外轮2较小，圆状卵形，果期反折，内轮3果期增大，肾形或圆心形；花梗细，中下部具关节。瘦果宽卵形，具3棱，黑褐色，光滑，有光泽。花果期5～7月。

| 生境分布 | 生于海拔 1 200 m 的砾石质或石质山坡。分布于新疆青河县、富蕴县、阿勒泰市、塔城市、尼勒克县、新源县、巩留县、特克斯县等。新疆策勒县等有栽培。

| 功能主治 | 清热祛湿，健胃，杀虫。

蓼科 Polygonaceae 木蓼属 Atraphaxis

扁果木蓼 *Atraphaxis replicata* Lam.

| 药 材 名 | 木蓼（药用部位：全株）。

| 形态特征 | 灌木。分枝开展；老枝先端具叶，无刺，淡黄褐色或淡红褐色；当年第二次的草质小枝细，直立，很快木质化，先端具叶和花。叶圆形、卵形或倒卵形，蓝绿色或淡灰绿色，先端圆钝，具短尖头或渐尖，有时微凹，基部楔形，渐狭成短柄，全缘，两面无毛，背面的网状脉稍凸起；托叶鞘淡褐色，膜质，上部裂为2齿。总状花序短，间断，2～5生于短缩的一年生枝上；花淡红色，具白色边缘，或白色；花被片4，排成2轮，外轮2较小，卵形，反折，内轮2果期增大，圆心形；花梗细长，中部以下具关节。瘦果扁平，卵形，淡褐色，无毛，有光泽。花果期5～7月。

| **生境分布** | 生于海拔 400 ~ 620 m 的荒漠沙丘、冲沟、砾石戈壁。分布于新疆奇台县、乌鲁木齐县、精河县、博乐市、霍城县等。新疆哈密市等有栽培。

| **功能主治** | 清热祛湿，健胃，杀虫。

蓼科 Polygonaceae 木蓼属 *Atraphaxis*

刺木蓼
Atraphaxis spinosa L.

| 药 材 名 | 木蓼（药用部位：全株或根及根茎）。

| 形态特征 | 灌木。主干细弱，树皮灰色而粗糙；木质枝细长，弯拐，先端无叶，呈刺状；当年生枝条细而直立或稍弯拐，无毛。托叶鞘圆筒状，基部褐色，上部偏斜，膜质，透明，具不明显的脉纹，先端具 2 尖锐的牙齿；叶灰绿色或蓝绿色，革质，圆形、椭圆形或宽卵形，稀倒卵形，先端圆或钝，具短尖，基部圆形或楔形，渐狭成短柄，全缘或稍呈波状，两面均无毛，下面具凸起的网状脉。花 2 ~ 6 簇生于当年生枝的叶腋；花梗关节位于中部或稍低于中部；花被片 4，粉红色，内轮花被片 2，圆心形，外轮花被片长圆状卵形或卵形，果时向下反折。瘦果卵形或宽卵形，双凸镜状，先端尖或钝，基部圆，淡褐色，平滑，光亮。花果期 5 ~ 9 月。

| 生境分布 | 生于海拔 400 ~ 1 800 m 的盐渍化干旱山坡、荒漠沙地、戈壁滩。分布于新疆北部、南部。新疆巴里坤哈萨克自治县等有栽培。

| 功能主治 | 祛痰止咳，清热解毒，祛湿，杀虫。

蓼科 Polygonaceae 木蓼属 Atraphaxis

长枝木蓼
Atraphaxis virgata (Regel) Krasn.

| 药 材 名 |　木蓼（药用部位：全株）。

| 形态特征 |　灌木。多分枝。木质枝通常具刺或无刺；当年生枝具条纹或肋棱。叶互生，稀簇生，革质，通常灰绿色，稀绿色，近无柄，具叶褥；托叶鞘基部褐色，通常具 2 脉纹，先端膜质，2 裂。花序为由腋生花簇组成的紧密或疏松的总状花序，顶生及侧生；花梗纤细，具关节，果时下垂；单被花，两性；花被片 4 ~ 5，排为 2 轮，花冠状，开展，内轮花被片 2 ~ 3，直立，通常具网状脉，果时增大，包被果实，外轮花被片 2，较小，果时反折；雄蕊 6 或 8，着生于花被片基部，花丝钻形，基部结合成环状，花药背着，卵形或宽椭圆形；子房卵形，双凸镜状或具 3 棱，基部具直生胚珠，花柱 2 或 3，短，近分离，先端各具 1 头状柱头。瘦果卵形，双凸镜状或具 3 棱；种皮薄膜质；

胚位于种子侧方，弯曲或近直立，胚乳粉状，子叶线形，胚根向上，直立。

| **生境分布** | 生于海拔 600～1 000 m 的干草原和石质沙漠山坡。分布于新疆温泉县等。

| **功能主治** | 清热祛湿，健胃，杀虫。

蓼科 Polygonaceae 拳参属 Bistorta

拳蓼

Bistorta oficinalis Delarbre

| 药 材 名 |

拳蓼（药用部位：根茎）。

| 形态特征 |

多年生草本。根茎肥大，盘曲或球形，黑褐色，近地面具残存的叶柄和枯叶鞘。茎通常2～3，直立，不分枝，无毛。基生叶有长柄；叶片长圆状披针形或长圆形，先端锐尖或渐尖，基部截形或近心形，稀宽楔形，沿叶柄下延成窄翅，边缘波状，通常外卷，两面无毛，稀背面被短卷毛；茎生叶向上渐小，披针形或线形，具短柄或无柄；托叶鞘筒状，先端斜形，褐色，无毛或被毛。总状花序呈穗状，圆柱形，顶生，花密集；苞片卵形，膜质，淡褐色，具暗褐色的中肋，每苞片内含4花；花梗细，长于苞片，先端具关节；花白色或粉红色；花被5深裂，几达基部，裂片椭圆形。瘦果椭圆形，具3棱，栗褐色或黑色，有光泽，长于花被。花期6～9月，果期9月。

| 生境分布 |

生于海拔1700～3100m的林间草甸、亚高山和高山草甸、林下和林缘。分布于新疆布尔津县、哈巴河县、吉木乃县、察布查尔锡伯自治县、尼勒克县、特克斯县等。新疆尼勒克县、特克斯县、察布查尔锡伯自治县等有栽培。

| **采收加工** | 春、秋季采挖，晒干或切片晒干，亦可鲜用。

| **功能主治** | 滋补肝肾，益精明目，清热凉血，降血压。

蓼科 Polygonaceae 拳参属 *Bistorta*

珠芽蓼
Bistorta vivipara (L.) Delarbre

| 药 材 名 | 拳参（药用部位：根茎）。

| 形态特征 | 多年生草本。根茎短，粗糙，肥厚，有时呈钩状弯曲，紫褐色，多须根，近地面处具残存的叶柄和枯叶鞘。茎直立，通常 2 ~ 3，具棱槽，不分枝。叶片长椭圆形或卵状披针形，少有线形，革质，先端渐尖或锐尖，基部楔形、圆形或浅心形，不下延，全缘，外卷，具明显凸起的脉端，两面无毛或背面被短毛；基生叶、茎下部叶具长柄，茎上部叶有短柄至无柄；托叶鞘筒状，棕色，膜质，先端斜形，无毛。总状花序呈穗状，顶生，狭圆柱形，花在上部密集，在中下部较稀疏，生珠芽；珠芽为未脱离母株而能发芽的成熟瘦果，卵形；苞片卵形，膜质，淡褐色，先端急尖，内含 1 珠芽或 1 ~ 2 花；花梗细，比苞片短或长；花淡红色或白色，稀红色；花被 5 深裂，

裂片椭圆形。瘦果卵形，具 3 棱，深褐色，有光泽。花期 6 ～ 9 月，果期 9 月。

| **生境分布** | 生于海拔 1 600 ～ 4 630 m 的云杉林林下、森林草甸、高山和亚高山草甸、苔藓和岩石的冻土带。分布于新疆吐鲁番市及富蕴县、福海县、阿勒泰市、布尔津县、哈巴河县、奇台县、乌鲁木齐县、和布克赛尔蒙古自治县、塔城市、裕民县、托里县、沙湾市、温泉县、霍城县、察布查尔锡伯自治县、尼勒克县、巩留县、昭苏县、巴里坤哈萨克自治县、和静县、若羌县、库车市等。新疆天山区及阿尔泰山、昆仑山等有栽培。

| **采收加工** | 春、秋季采挖，晒干或切片晒干，亦可鲜用。

| **功能主治** | 活血，止血，清热解毒，祛痰止咳。

蓼科 Polygonaceae 沙拐枣属 Calligonum

无叶沙拐枣

Calligonum aphyllum (Pall.) Gürke

| 药 材 名 | 沙拐枣（药用部位：带果全株或根）。

| 形态特征 | 灌木。老枝拐曲，灰褐色或带紫褐色；幼枝绿色。叶条形，易脱落。花 1 ~ 3，生叶腋；花梗红色，关节在中下部；5 片花被片白色，背部中央绿色或红色。果实（包括翅）近球形或宽卵形，幼果黄色或红色，熟果黄褐色或暗紫色；瘦果椭圆形，有 4 条钝肋，微扭转或不扭转，每肋有 2 翅；翅近膜质，通常表面平滑，全缘或有齿。果期 6 月。

| 生境分布 | 生于半固定沙丘和流动沙丘及沙地。分布于新疆霍城县等。新疆伊犁哈萨克自治州等有栽培。

| **采收加工** | 果熟期采收带果全株，夏、秋季采挖根，晒干。

| **功能主治** | 收敛止泻，利便通淋。带果全株用于皮肤皲裂。

蓼科 Polygonaceae 沙拐枣属 *Calligonum*

头状沙拐枣

Calligonum caput-medusae Schrenk

| 药 材 名 | 沙拐枣（药用部位：带果全株或根）。

| 形态特征 | 灌木。自基部分枝。茎和木质老枝淡灰色或黄灰色，常有纵裂纹。花被片紫红色，有淡色宽边，果期反折。果实近球形，幼果黄绿色、红黄色或红色，熟果淡黄色、黄褐色或红褐色；瘦果椭圆形，扭转，肋凸起；刺每肋2行，中下部或近基部2～3分叉，每叉又2～3次2～3分叉，末叉硬或较软，极密或较密，伸展交织，掩藏瘦果。花期4～5月，果期5～6月。

| 生境分布 | 栽培种。新疆吐鲁番市等有栽培。

| **采收加工** | 果熟期采收带果全株，夏、秋季采挖根，晒干。

| **功能主治** | 收敛止泻，利便通淋。带果全株用于皮肤皲裂。

蓼科 Polygonaceae 沙拐枣属 *Calligonum*

艾比湖沙拐枣

Calligonum ebinuricum N. A. Ivanova ex Soskov

| **药 材 名** | 沙拐枣（药用部位：带果全株或根）。

| **形态特征** | 灌木。分枝较少，开展，幼株灌丛近球形，老株中央枝直立，侧枝伸展或平卧而呈塔形。花梗关节在下部；花被片淡红色，果期反折。果实宽卵形或卵圆形；瘦果卵圆形或长圆形，极扭转，肋通常不明显，少钝圆，近无沟槽或具浅沟；每肋生2行刺，刺极稀疏或较稀疏，纤细，刺毛状或为细刺，柔软，中上部2次2～3分叉，末叉直展，瘦果先端长喙的刺较粗，成束状。花期4～5月，果期5～7月。

| **生境分布** | 生于海拔500～600 m的半固定沙丘和砂砾质荒漠。分布于新疆天山北麓等。新疆精河县等有栽培。

| **采收加工** | 果熟期采收带果全株，夏、秋季采挖根，晒干。

| **功能主治** | 利便通淋。带果全株用于皮肤皲裂。

蓼科 Polygonaceae 沙拐枣属 *Calligonum*

淡枝沙拐枣

Calligonum leucocladum (Schrenk) Bunge

| 药 材 名 | 沙拐枣（药用部位：带果全株或根）。

| 形态特征 | 灌木。老枝黄灰色或灰色，拐曲；当年生幼枝灰绿色。叶条形，易脱落；膜质叶鞘淡黄褐色。花较稠密，2 ～ 4 生于叶腋；花梗近基部或中下部有关节；花被片宽椭圆形，白色，背面中央绿色。果实（包括翅）宽椭圆形；瘦果窄椭圆形，不扭转或微扭转，4 肋各具 2 翅；翅近膜质，较软，淡黄色或黄褐色，有细脉纹，近全缘、微缺或有锯齿。花期 4 ～ 5 月，果期 5 ～ 6 月。

| 生境分布 | 生于固定沙丘、半固定沙丘及沙地。分布于新疆吐鲁番市及青河县、奇台县、吉木萨尔县、玛纳斯县、沙湾市、精河县等。新疆伊犁哈萨克自治州，以及准噶尔盆地等有栽培。

| 采收加工 |　果熟期采收带果全株，夏、秋季采挖根，晒干。

| 功能主治 |　收敛止泻，利便通淋。带果全株用于皮肤皲裂。

蓼科 Polygonaceae 沙拐枣属 Calligonum

沙拐枣

Calligonum mongolicum Turcz.

| **药 材 名** | 沙拐枣（药用部位：带果全株或根）。

| **形态特征** | 灌木。老枝灰白色或淡黄灰色，开展，拐曲；当年生幼枝草质，灰绿色，有关节。叶线形。花白色或淡红色，通常2～3簇生于叶腋；花梗细弱，下部有关节；花被片卵圆形，果时水平伸展。果实（包括刺）宽椭圆形；瘦果不扭转、微扭转或极扭转，条形、窄椭圆形至宽椭圆形；果肋凸起或凸起不明显，沟槽稍宽或狭窄，每肋有刺2～3行；刺长与瘦果相等或更长，细弱，毛发状，质脆，易折断，较密或较稀疏，基部不扩大或稍扩大，中部2～3次2～3分叉。花期5～7月，果期6～8月，在新疆东部，8月出现第二次花果。

| **生境分布** | 生于海拔500～1 800 m的流动沙丘、半固定沙丘、固定沙丘、沙地、

砂砾质荒漠和砾质荒漠的粗沙积聚处。分布于新疆东部等。新疆各地均有栽培。

| 采收加工 | 果熟期采收带果全株，夏、秋季采挖根，晒干。

| 功能主治 | 收敛止泻，利便通淋。带果全株用于皮肤皲裂。

蓼科 Polygonaceae 沙拐枣属 Calligonum

小沙拐枣 *Calligonum pumilum* A. Los.

| 药 材 名 | 沙拐枣（药用部位：带果全株或根）。

| 形 态 特 征 | 小灌木。通常基部分枝，老枝淡灰色或淡黄灰色。花被片淡红色，果期反折。果实宽椭圆形；瘦果长卵形，扭转，肋突出，沟槽深；刺每肋上1行，纤细，毛发状，质脆，易折断，基部分离，中下部2 ~ 3次2 ~ 3分叉，顶叉交织。果期5 ~ 6月。

| 生 境 分 布 | 生于流动沙丘。分布于新疆若羌县等。新疆和静县等有栽培。

| 采 收 加 工 | 果熟期采收带果全株，夏、秋季采挖根，晒干。

| 功能主治 | 收敛止泻，利便通淋。带果全株用于皮肤皲裂。

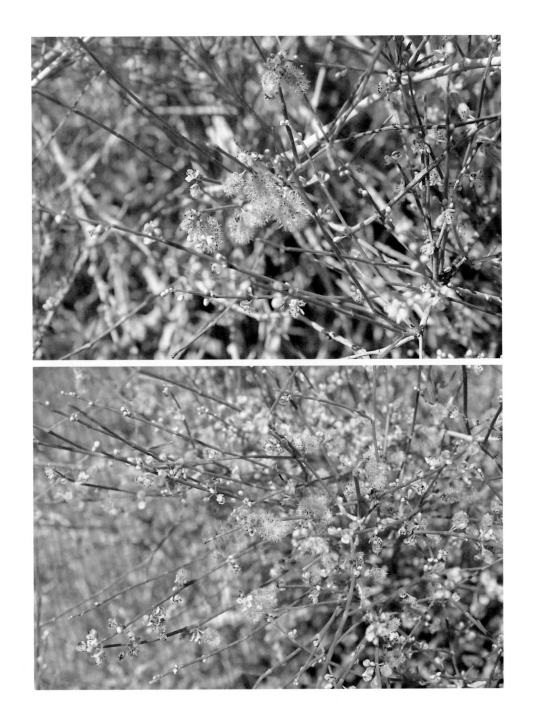

蓼科 Polygonaceae 沙拐枣属 *Calligonum*

塔里木沙拐枣

Calligonum roborowskii Losinsk.

| 药 材 名 | 沙拐枣（药用部位：带果全株或根）。

| 形态特征 | 灌木。老枝灰白色或淡灰色。花较稀疏，1～2生于叶腋；花梗基部具关节；花被片淡红色或近白色，果期反折。果实宽卵形或宽椭圆形，黄色或黄褐色；瘦果长卵形，极扭转，果肋凸起，沟槽深；刺每肋2行，较密或较疏，粗壮，坚硬，基部扩大，分离或稍连合，中部或中上部2～3次2～3分叉，末叉短，刺状。花期5～6月，果期6～7月。

| 生境分布 | 生于海拔940～2100 m的洪积扇砂砾质荒漠、砾质荒漠中的沙地上及冲积平原和干河谷。分布于新疆托克逊县、和硕县、和静县、

焉耆回族自治县、库尔勒市、若羌县、且末县、轮台县、新和县、拜城县等。

| 采收加工 | 果熟期采收带果全株，夏、秋季采挖根，晒干。

| 功能主治 | 收敛止泻，利便通淋。带果全株用于皮肤皲裂。

蓼科 Polygonaceae 沙拐枣属 *Calligonum*

粗糙沙拐枣 *Calligonum squarrosum* N. Pavlov

| 药 材 名 | 沙拐枣（药用部位：带果全株或根）。

| 形态特征 | 灌木。分枝多，开展，老枝污灰色或淡灰色；幼枝节间较长。叶条形，弯曲；托叶淡褐色。花 1～3 生于叶腋，花被片宽椭圆形，果期平展。果实宽卵形；瘦果宽椭圆形或宽卵形，先端圆锥形，微扭转；肋钝，肋间沟槽不明显，仅瘦果基部的肋上生翅；翅硬，近革质，边缘不整齐，过渡为刺，瘦果先端或中上部光裸无刺；刺稀疏，坚硬，扁而宽，长为翅宽的 3～5 倍，呈开展的不规则叉状分枝，末枝极短，呈星状。花期 6 月，果期 6～7 月。

| 生境分布 | 生于固定沙丘及砾石荒漠。分布于新疆奇台县、木垒哈萨克自治县、阜康市等。新疆哈巴河县等有栽培。

| **采收加工** | 果熟期采收带果全株，夏、秋季采挖根，晒干。

| **功能主治** | 利便通淋，润滑皮肤。带果全株用于皮肤皲裂。

蓼科 Polygonaceae 荞麦属 *Fagopyrum*

荞麦
Fagopyrum esculentum Moench

| **药 材 名** | 荞麦草（药用部位：种子）。

| **形态特征** | 一年生草本。茎直立，具棱槽，分枝，淡绿色或红褐色，无毛，有时沿棱和在茎节处被稀疏的乳状突起。叶片三角形或卵状三角形，先端渐尖，基部心形，全缘，两面沿叶脉和叶缘被乳头状突起；茎下部叶有长柄，上部叶渐至无柄；托叶鞘短筒状，先端斜形，膜质。总状或圆锥花序顶生或腋生；花淡红色或白色；花被5深裂，裂片卵形或椭圆形；花梗细，中部或中上部具关节。瘦果卵形，具3棱，表面平滑，黄褐色至黑褐色。花期7～9月，果期9月。

| **生境分布** | 生于平原。分布于新疆奇台县、阜康市、乌鲁木齐县、石河子市等。

新疆各地均有栽培。

| 采收加工 | 霜降前后种子成熟时采收地上部分，打下种子，除去杂质，晒干。

| 功能主治 | 止血消炎，降血压。

蓼科 Polygonaceae 荞麦属 *Fagopyrum*

苦荞麦
Fagopyrum tataricum (L.) Gaertn.

| 药 材 名 | 荞麦草（药用部位：种子）。

| 形态特征 | 一年生草本。茎直立，有细棱槽，分枝，绿色或微带紫红色，被乳头状突起（幼时尤明显）。叶宽三角形，全缘或微波状，两面沿叶脉和叶缘具乳头状毛；茎下部叶的叶柄长与叶片近相等或超出叶片的2倍，茎上部的叶稍小，具短柄；托叶鞘短筒状，先端偏斜，膜质。总状花序顶生和腋生，组成圆锥状；花被淡绿色，5深裂几达基部，裂片椭圆形；花梗细，在中部稍上具关节。瘦果长卵形，具3棱，下部圆钝，有时沿棱具波状齿，3面中间均具1纵沟，黑褐色。花期6～8月，果期8月。

| 生境分布 | 生于海拔500～3900 m的田边、路旁、山坡、河谷。新疆吐鲁番

市等有栽培。

| **采收加工** | 霜降前后种子成熟时采收地上部分，打下种子，除去杂质，晒干。

| **功能主治** | 化食消积，活血化瘀。

蓼科 Polygonaceae 藤蓼属 Fallopia

卷茎蓼
Fallopia convolvulus (L.) A. Löve

| 药 材 名 |

卷茎蓼（药用部位：根茎、茎叶）。

| 形态特征 |

一年生草本。茎缠绕，光滑或稍粗糙，有棱，分枝。叶卵形，先端渐尖，基部心形或箭形，无毛或沿脉及叶缘粗糙；叶柄长等于或小于叶片；托叶鞘短，斜形，膜质，褐色或淡褐色，无毛或沿脉稍粗糙。花 3 ~ 6 簇生于叶腋，在茎枝上部组成间断的总状花序；花被淡绿色，沿边缘和里面的白色，5 深裂，裂片在果期稍增大，外面 3 背部沿中脉具脊，稀稍有翅；花梗短于花被，在靠近花被处具关节。瘦果卵形，具 3 棱，黑色，表面具小点，无光泽，先端突出花被之外。花期 7 ~ 9 月，果期 9 月。

| 生境分布 |

生于海拔 1 100 ~ 2 400 m 的山地，以及山前丘陵至中山带的田边、田间、荒地、水边、山地灌丛、草坡、林下。分布于新疆布尔津县、哈巴河县、奇台县、乌鲁木齐县、玛纳斯县、塔城市、托里县、沙湾市、博乐市、温泉县、新源县、和静县等。

|**采收加工**| 夏、秋季采收，洗净，晒干。

|**功能主治**| 清热解毒。

蓼科 Polygonaceae 西伯利亚蓼属 *Knorringia*

西伯利亚蓼 *Knorringia sibirica* (Laxm.) Tzvelev

| 药 材 名 | 北地蓼（药用部位：全草）。

| 形态特征 | 多年生草本。茎直立或斜升，通常从基部分枝。叶稍肥厚，近肉质，长椭圆形或披针形，先端锐尖或圆钝，基部多少呈戟形，有时宽楔形，全缘，两面无毛；叶柄短；托叶鞘筒状，膜质，斜形，易破裂。圆锥花序顶生，其中穗状的总状花序，下部花簇间断，向上密集；苞片漏斗状，无毛，内含 5 ~ 6 花；花梗短，中部以上具关节；花被淡绿色、白色或粉红色，5 深裂，裂片宽椭圆形。瘦果卵形，具 3 钝棱，黑色，有光泽，藏于花被内。花期 6 ~ 9 月，果期 9 月。

| 生境分布 | 生于海拔 740 ~ 2 600 m 的沙地、沙质盐碱地。分布于新疆阿勒泰市、哈巴河县、托里县、和静县等。新疆巴里坤哈萨克自治县、布

尔津县、哈巴河县，吉木乃县等有栽培。

| **采收加工** | 秋季采收。

| **功能主治** | 清热解毒。用于目赤肿痛。

蓼科 Polygonaceae 冰岛蓼属 Koenigia

白花蓼
Koenigia coriaria (Grig.) T. M. Schust. & Reveal

| 药 材 名 |

白花蓼（药用部位：根茎、茎叶）。

| 形 态 特 征 |

多年生草本。茎直立，分枝开展，无毛。叶卵形或卵状披针形，先端渐尖，基部宽楔形或圆形，全缘，两面或背面被疏柔毛，稀无毛，沿缘被毛；叶柄短或上部近无柄；托叶鞘膜质，褐色或淡褐色，撕裂，被短毛。圆锥花序顶生或腋生，具密集的花枝，开展，小枝上的花序果期俯垂；花梗细，几与花被等长，顶部具关节；花被白色，5 深裂，裂片长圆形，果期增大。瘦果卵形，具 3 棱，棱角锐，淡褐色，稍长于花被，稀与花被等长。花期 6 ~ 8 月，果期 8 月。

| 生 境 分 布 |

生于海拔 1 500 ~ 2 900 m 的高山和亚高山的山坡草甸。分布于新疆额敏县、塔城市、裕民县、托里县、霍城县、察布查尔锡伯自治县等。新疆和静县、和布克赛尔蒙古自治县、布尔津县、库车市等有栽培。

|**功能主治**|　　清热解毒。

蓼科 Polygonaceae 冰岛蓼属 Koenigia

叉分蓼
Koenigia divaricata (L.) T. M. Schust. & Reveal

| 药 材 名 |　酸不溜（药用部位：根）。

| 形态特征 |　多年生草本。茎直立或斜升，具细棱槽，分枝开展，常呈叉状，疏生柔毛或无毛。叶披针形或椭圆形，先端锐尖，基部狭楔形，全缘或微波状，两面无毛或被疏柔毛，沿缘具毛或无毛；叶柄短或上部叶近无柄；托叶鞘膜质，淡褐色或褐色，开裂，被柔毛或无毛。圆锥花序顶生和腋生，大型，疏松开展；苞片卵形，膜质，褐色，内含 2～3 花；花梗无毛，上端有关节；花被白色或淡黄色，5 深裂，裂片椭圆形，果期增大。瘦果卵状菱形或椭圆状菱形，具 3 棱，棱角锐，黄褐色，有光泽，颇多的从花被中露出。花期 6～8 月，果期 8 月。

生境分布	生于海拔 1 000 ～ 2 100 m 的河谷滩地、山地灌丛、林间空地的混交林和针叶林林下。分布于新疆青河县、富蕴县、布尔津县、哈巴河县等。新疆和布克赛尔蒙古自治县等有栽培。
采收加工	夏、秋季间采收，晾干。
功能主治	祛寒温肾。

蓼科 Polygonaceae 冰岛蓼属 Koenigia

准噶尔蓼 Koenigia songarica (Schrenk) T. M. Schust. & Reveal

| 药 材 名 | 准噶尔蓼（药用部位：根及根茎）。

| 形态特征 | 多年生草本。茎直立或斜升，上部分枝，常在下部叶腋具短缩枝，被柔毛或无毛。叶卵形或宽卵形，先端长渐尖，基部宽楔形、圆形或心形，全缘或微波状，两面或仅背面和叶缘被毛；叶柄被毛；托叶鞘褐色，被疏毛或无毛。圆锥花序顶生或腋生，窄，不密集；花梗细，在中部稍上具关节；花被红色，常具白色或淡绿色的边缘，5深裂，裂片椭圆形。瘦果卵形，具3锐棱，淡褐色，有光泽，稍长于花被。花期6～8月，果期8月。

| 生境分布 | 生于海拔1900～3100 m的山谷水边、山坡、林间空地和林下。分布于新疆吐鲁番市及奇台县、阜康市、乌鲁木齐县、沙湾市、霍城县、

尼勒克县、新源县、特克斯县、昭苏县、和静县、巩留县、乌恰县等。

| **功能主治** | 用于梅毒，钩端螺旋体病。

蓼科 Polygonaceae 山蓼属 Oxyria

山蓼 *Oxyria digyna* (L.) Hill.

| 药 材 名 | 山蓼（药用部位：全草或种子）。

| 形态特征 | 多年生草本。茎单一，直立，具棱槽，无毛，在上部花序中分枝。基生叶肾形或圆肾形，先端圆钝，基部宽心形，两面无毛或背面沿脉具乳头状突起，全缘或微波状，具长柄，几乎全部叶基生，稀 1 ~ 2 叶茎生；托叶鞘筒状，膜质。花序圆锥状，分枝稀疏；花 2 ~ 6 着生在膜质苞片内；花梗细弱，中部具关节；花被片 4，淡红色，边缘白色，外轮花被片较小，通常反折，内轮花被片果期增大，倒卵形，直立，紧贴果实。瘦果宽卵形，两侧压扁，连翅成圆形，两端凹陷；膜质翅淡紫红色。花果期 6 ~ 8 月。

| 生境分布 | 生于海拔 2 000 ~ 4 530 m 的高山和亚高山的河滩、水边、石质坡地

和石缝中。分布于新疆青河县、哈巴河县、奇台县、乌鲁木齐县、玛纳斯县、塔城市、沙湾市、察布查尔锡伯自治县、尼勒克县、和硕县、乌恰县、塔什库尔干塔吉克自治县等。新疆叶城县等有栽培。

| **采收加工** | 夏季采收，晾干。

| **功能主治** | 清热祛湿，杀虫。

蓼科 Polygonaceae 蓼属 Polygonum

酸蓼

Polygonum acetosum M. Bieb.

| 药 材 名 | 酸蓼（药用部位：全草或种子）。

| 形态特征 | 一年生草本。全株带蓝色。茎直立或斜升，被白色小瘤状突起，从基部分枝。叶片稍肉质，长圆状线形，先端圆钝，稀急尖，基部狭楔形，全缘，被白色小瘤状突起，背面中脉凸起，无柄，关节明显；托叶鞘膜质，银白色，2深裂，裂片卵状披针形，先端全缘，不撕裂。花3～7簇生于叶腋，几遍布全株；花梗果时俯垂或直立；花被5深裂，里面的2较小，外面的3较大，背面呈龙骨状凸起，蓝绿色，边缘白色或粉红色。瘦果狭卵形，具3棱，淡棕黄色，具小点，稍有光泽。花期5～7月，果期7月。

| 生境分布 | 生于海拔 700 m 的裸露丘陵、山坡、蒿属荒漠、沙地、水沟边、田埂。分布于新疆木垒哈萨克自治县、玛纳斯县、塔城市、沙湾市、霍城县等。新疆木垒哈萨克自治县等有栽培。

| 功能主治 | 清热利水，杀虫。

蓼科 Polygonaceae 蓼属 Polygonum

高山蓼

Polygonum alpinum All. Auct. Syn.

| **药 材 名** | 高山蓼（药用部位：全草或种子）。

| **形态特征** | 多年生草本。茎直立，具棱槽，从中上部向上分枝，枝短，通常被毛，稀无毛。叶披针形或卵状披针形，先端渐尖，基部楔形，稀近圆形，两面或背面被短柔毛，全缘或微波状，沿边缘被毛；叶柄短或近无柄；托叶鞘膜质，褐色，基部抱茎，先端撕裂，被毛。圆锥花序顶生，具稀疏的花枝，花枝短；苞片卵状披针形，背面呈龙骨状凸起，褐色，内含 2 ~ 4 花；花梗短，顶部具关节；花被白色，5 深裂，裂片卵状椭圆形。瘦果椭圆形，具 3 棱，淡褐色，有光泽，稍长于花被。花期 6 ~ 9 月，果期 9 月。

| **生境分布** | 生于海拔 1 100 ~ 2 200 m 的山坡草地、林缘、林间草甸和河谷草甸。

分布于新疆青河县、富蕴县、阿勒泰市、和布克赛尔蒙古自治县、塔城市、裕民县、托里县、霍城县、昭苏县等。新疆哈密市及查布查尔锡伯自治县、博乐市、阿勒泰市等有栽培。

| 功能主治 |　　清热祛湿，杀虫。

蓼科 Polygonaceae 蓼属 Polygonum

两栖蓼

Polygonum amphibium L.

| **药 材 名** | 两栖蓼（药用部位：全草或种子）。 |

| **形态特征** | 多年生水陆两生草本。具根茎。水生型茎横走，节部生根，无毛；叶长椭圆形或宽披针形，先端钝或稍尖，基部心形或圆形，全缘，两面无毛，表面有光泽，背面多数侧脉与主脉近垂直，具长柄，漂浮于水面；托叶鞘筒状，无毛，先端截形。陆生型茎直立或斜升，分枝或不分枝，被长硬毛；叶宽披针形，先端急尖，基部近圆形，全缘，两面及叶缘被短硬毛，表面中间常有一深色的斑，侧脉与主脉成锐角，具短柄；托叶鞘外面被硬毛。穗状花序紧密，椭圆形，顶生或腋生；花3～4簇生；苞片三角形；花梗极短；花被5深裂，裂片微钝，粉红色或白色。瘦果近圆形，两面凸起，黑色，有光泽。花期6～9月，果期9月。 |

| 生境分布 | 生于海拔 300 ～ 1 100 m 的湖泊、沿河岸静水、河滩、渠边。分布于新疆福海县、沙湾市、察布查尔锡伯自治县、托克逊县、焉耆回族自治县、博湖县、库尔勒市、巴楚县等。新疆塔城市、福海县、喀什市、和布克赛尔蒙古自治县等有栽培。

| 采收加工 | 夏、秋季采收，晒干。

| 功能主治 | 清热祛湿，消肿，排毒生肌，杀虫。

蓼科 Polygonaceae 蓼属 *Polygonum*

银鞘蓼 *Polygonum argyrocoleon* Steud. ex Kunze

| **药 材 名** | 银鞘蓼（药用部位：全草或种子）。

| **形态特征** | 一年生草本。茎直立，具棱槽，无毛，强烈分枝，枝斜升，呈帚状。叶披针形或线状针形，先端锐尖，基部楔形，全缘，早落；叶柄短，具明显的关节；托叶鞘杯状，基部暗褐色，上部银白色，具明显的脉纹，先端沿缘截形，后期流苏状，茎下部的托叶鞘通常破裂至基部。花 1 ~ 3 簇生于叶腋，在茎枝先端生于无叶的托叶鞘腋，组成稀疏的穗状总状花序；花梗细，上部具关节，与花被等长；花被钟状，5 深裂几达基部，裂片长圆形，粉红色或绿色，具白色的边缘。瘦果卵形，具 3 棱，褐色，光滑，有光泽，藏于花被内。花期 6 ~ 9 月，果期 9 月。

| **生境分布** | 生于潮湿的盐碱地。分布于新疆青河县等。新疆阜康市等有栽培。

| **功能主治** | 清热利水，杀虫。

蓼科 Polygonaceae 蓼属 Polygonum

地皮蓼

Polygonum cognatum Meissn.

| 药 材 名 | 地皮蓼（药用部位：根及根茎）。

| 形态特征 | 多年生草本。根粗壮；根颈分叉，多头。茎多数，斜升或平卧地面，无毛，通常不分枝。叶椭圆形或卵形，先端圆钝或具短尖，基部狭楔形，两面无毛，背面中脉凸起，稀侧脉稍明显，全缘；叶柄有关节；托叶鞘卵状渐尖，基部抱茎，白色，膜质，有褐色脉纹，先端2深裂，通常短于节间。花3～7簇生于叶腋，几遍布于全株；花梗不等长，有时向下钩状弯曲；花被5裂，开裂至中部，裂片卵形，绿色，边缘粉红色。瘦果卵形，具3棱，近黑色，有光泽，短于花被。花期6～9月，果期9月。

| 生境分布 | 生于海拔1 400～3 500 m的山地河谷草坡、河漫滩砂砾地、草原和

高山草甸次生裸露地、林下。分布于新疆吐鲁番市及奇台县、乌鲁木齐县、塔城市、托里县、沙湾市、霍城县、察布查尔锡伯自治县、尼勒克县、昭苏县、和静县、乌恰县等。新疆和静县等有栽培。

| **功能主治** | 活血，止血，清热解毒。

蓼科 Polygonaceae 蓼属 Polygonum

水蓼
Polygonum hydropiper L.

药材名

辣蓼（药用部位：地上部分）。

形态特征

一年生草本。茎直立或斜升，通常带红色，分枝，无毛。叶披针形，先端近锐尖，基部楔形，两面无毛或背面沿中脉和叶缘生短刺毛，常有腺点；叶柄短或近无柄；托叶鞘筒状，膜质，光滑或疏生短刺毛，先端截形，有稀疏的粗缘毛。总状花序穗状，顶生和腋生；花穗细弱；花稀疏，下部间断，俯垂；苞片漏斗状，先端斜形，边缘疏生缘毛；花梗细，伸出苞片外；花被5深裂，淡绿色或淡红色，被黄褐色腺点。瘦果卵形，两侧扁平，两面凸起，少有3棱，暗褐色，密生小点，无光泽，藏于花被内。花期7～9月，果期9月。

生境分布

生于海拔350～1 400 m的水边、河滩草地、沼泽草甸。分布于新疆吐鲁番市及奇台县、阜康市、乌鲁木齐县、塔城市、温泉县、霍城县、新源县、巩留县、焉耆回族自治县、阿克苏市等。新疆塔城市、阿勒泰市、阜康市、和布克赛尔蒙古自治县、布尔津县等有栽培。

| 采收加工 | 夏、秋季采收，晒干。

| 功能主治 | 消炎解毒，杀虫，止泻。

蓼科 Polygonaceae 蓼属 Polygonum

酸模叶蓼 *Polygonum lapathifolium* L.

| 药 材 名 | 水红花子（药用部位：果实）。

| 形态特征 | 一年生草本。茎直立，粗壮，具红色斑点，不分枝或分枝，节部膨大。叶披针形或卵状披针形，大小变化很大，先端渐尖，有时锐尖，基部楔形，表面绿色，通常具黑褐色斑点，背面无毛或被灰白色绒毛，中脉和叶缘斜生粗硬毛；叶柄短，基部扩大，被斜生短硬毛；托叶鞘筒状，膜质，淡褐色，脉纹明显，无毛或稍被毛，先端截形，边缘无毛或有稀疏的短毛。总状花序穗状，顶生或腋生，有多花，密集，通常先端下垂；苞片漏斗状，边缘斜形，膜质，边缘有稀疏的短毛；花被淡红色或白色，4深裂，有时5裂，裂片椭圆形，具腺点；花梗和花序梗疏生黄褐色的腺点。瘦果卵形，两侧扁平，两面微凹，黑色，有光泽，藏于花被内。花期5～8月，果期8月。

| 生境分布 | 生于海拔 170 ～ 2 000 m 的河湖及灌渠边、低湿地、田边、山地河谷草甸、山坡草地。分布于新疆吐鲁番市及青河县、富蕴县、福海县、阿勒泰市、奇台县、阜康市、乌鲁木齐县、玛纳斯县、塔城市、乌苏市、察布查尔锡伯自治县、新源县、巩留县、特克斯县、昭苏县、和静县、焉耆回族自治县、库尔勒市等。新疆乌鲁木齐县、新源县、察布查尔锡伯自治县、奇台县、福海县等有栽培。

| 采收加工 | 果实成熟时采收果穗，晒干，打下果实。

| 功能主治 | 活血破瘀，健脾利湿，清热明目。

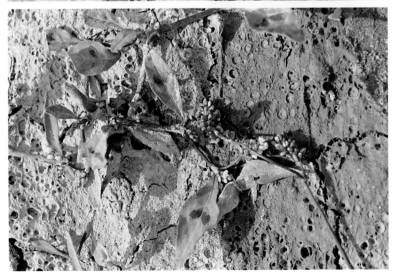

蓼科 Polygonaceae 蓼属 Polygonum

红蓼
Polygonum orientale L.

| 药 材 名 | 水红花子（药用部位：果实）。

| 形态特征 | 一年生草本。茎直立，粗壮，上部多分枝，密被开展的长柔毛。叶宽卵形、宽椭圆形或卵状披针形，先端渐尖，基部圆形或近心形，微下延，全缘，密生缘毛，两面密生短柔毛，叶脉上密生长柔毛；叶柄具开展的长柔毛；托叶鞘筒状，膜质，被长柔毛，具长缘毛，通常沿先端具草质、绿色的翅。总状花序呈穗状，顶生或腋生；花紧密，微下垂，通常数个再组成圆锥状；苞片宽漏斗状，草质，绿色，被短柔毛，边缘具长毛，每苞内具 3 ~ 5 花；花梗比苞片长；花被5 深裂，淡红色或白色，花被片椭圆形；雄蕊 7，比花被长；花盘明显；花柱 2，中下部合生，比花被长，柱头头状。瘦果近圆形，双面凹，黑褐色，有光泽，包于宿存花被内。花期 6 ~ 9 月，果期 8 ~ 10 月。

| 生境分布 | 生于海拔 30 ～ 2 700 m 的沟边湿地、村边路旁。新疆乌什县、喀什市等有栽培。

| 采收加工 | 果实成熟时采收果穗，晒干，打下果实。

| 功能主治 | 活血破瘀，健脾利湿，清热明目。

蓼科 Polygonaceae 蓼属 Polygonum

展枝蓼 *Polygonum patulum* M. Bieb.

| 药 材 名 | 新疆蓼（药用部位：全草或种子）。

| 形态特征 | 一年生草本。茎直立，通常多分枝，枝条向上斜伸，具纵沟。叶披针形或狭披针形，先端急尖，基部狭窄，下面主脉微凸出，侧脉不明显；叶柄短或近无柄；托叶鞘筒状，膜质，下部褐色，上部白色，具 6 ~ 7 脉，通常开裂。花着生于枝条上部的叶腋，组成细长的穗状花序；花梗细弱；花被 5 深裂，绿色，边缘淡红色，花被片椭圆形；雄蕊 8，花丝基部扩展；花柱 3，较短，柱头头状。瘦果卵形，具 3 锐棱，褐色，密被小点，无光泽或微有光泽，与宿存花被近等长或长超过宿存花被。花期 6 ~ 8 月，果期 8 ~ 9 月。

| 生境分布 | 生于海拔 400 ~ 1 800 m 的水旁、沟边湿地。新疆吉木萨尔县、额敏县、

精河县等有栽培。

| **功能主治** | 活血破瘀，健脾祛湿，清热明目。

蓼科 Polygonaceae 大黄属 Rheum

阿尔泰大黄 *Rheum altaicum* Losinsk.

| 药 材 名 | 大黄（药用部位：根及根茎）。

| 形态特征 | 多年生草本。茎直立，具细棱槽，在中上部分枝。基生叶卵状三角形，先端渐狭，基部心形，边缘微波状或具折皱，两面无毛或背面具稀疏的乳头状小突起；叶柄粗壮，明显长于叶片。圆锥花序窄椭圆形，密集；花小，淡黄色，4～7簇生于苞片内；花梗细，与果实等长，在上部具关节。瘦果卵形，具折皱，有光泽；翅窄，淡褐色，翅脉靠近边缘。花果期6～8月。

| 生境分布 | 生于海拔2 400 m的草原的砾石质山坡。分布于新疆布尔津县、青河县等。

| **采收加工** | 秋末冬初茎叶枯萎时采挖，除去粗皮，切片晒干或烘干。

| **功能主治** | 泻热毒，破积滞，行瘀血。

蓼科 Polygonaceae 大黄属 Rheum

密序大黄

Rheum compactum L.

| 药 材 名 | 大黄（药用部位：根及根茎）。

| 形态特征 | 多年生大型草本。根茎粗壮。茎直立，无毛，稍具棱槽，分枝。基生叶圆卵形，先端钝，基部心形，全缘或微波状，表面无毛，背面沿脉和边缘稍粗糙，具稀疏的乳头状突起，有5掌状脉，叶柄粗壮，明显长于叶片；茎生叶圆形，较小，具短柄。花序圆锥状，开展；花白色，5～8簇生于苞片内；花梗细，中下部具关节。瘦果连翅呈宽椭圆形，两端凹陷，瘦果暗褐色，翅淡红褐色，二者宽度近相等，翅脉在中间。花期6～7月，果期8月。

| 生境分布 | 生于山地森林河谷岸边及草原灌丛的山坡上。分布于新疆和静县、

昭苏县、塔城市、富蕴县、布尔津县、哈巴河县等。

| 采收加工 | 秋末冬初茎叶枯萎时采挖，除去粗皮，切片晒干或烘干。

| 功能主治 | 泻热毒，破积滞，行瘀血。

蓼科 Polygonaceae 大黄属 Rheum

矮大黄
Rheum nanum Siev. ex Pall.

| 药 材 名 | 大黄（药用部位：根及根茎）。

| 形态特征 | 多年生草本。根垂直，根茎被暗褐色残存托叶鞘。茎直立，具棱槽，无叶。基生叶近圆形，通常宽大于长，表面多疣突，背面具星状的乳头状毛，3 主脉凸起，边缘微波状，具短于叶片的柄；叶柄腹面具沟槽。圆锥花序近金字塔形，稀疏；花黄色；花梗短粗，基部具关节。瘦果连翅呈宽卵形，宽与长近相等，先端凹陷，基部心形；瘦果广椭圆形，暗褐色，无光泽；翅宽，淡蔷薇色，翅脉靠近边缘，并与瘦果之间具 2 ～ 3 横脉。花果期 5 ～ 7 月。

| 生境分布 | 生于海拔 700 ～ 1 400 m 的荒漠戈壁，砂质黏土平地及石质山坡。分布于新疆北部等。

| **采收加工** | 秋末冬初茎叶枯萎时采挖，除去粗皮，切片晒干或烘干。

| **功能主治** | 泻热毒，破积滞，行瘀血。

蓼科 Polygonaceae 大黄属 Rheum

网脉大黄
Rheum reticulatum Losinsk.

| **药 材 名** | 大黄（药用部位：根茎）。

| **形态特征** | 多年生草本。根粗壮，根茎密被褐色、残存的托叶鞘。无茎。叶卵形，先端渐狭，急尖，基部圆形或心形，两面被白色小乳头状突起，背面红紫色，5基出脉和侧脉显著凸起，具短柄；叶柄紫色或红色，明显短于叶片。花葶多条，短于叶或与叶等长；花序为穗状的总状花序，不分枝；花小；花梗稍长于花，中部具关节。瘦果连翅呈宽卵形，先端渐狭，圆钝，基部心形；瘦果卵形，褐色；翅窄，淡褐色，翅脉在中间。花果期6～8月。

| **生境分布** | 生于海拔2 900～4 500 m的高山砾石质山坡、洪积扇碎石间、河滩。分布于新疆塔什库尔干塔吉克自治县、乌什县、福海县、若羌县、

且末县、拜城县、乌恰县、叶城县、塔什库尔干塔吉克自治县等。

| **采收加工** | 秋末冬初茎叶枯萎时采挖，除去粗皮，切片晒干或烘干。

| **功能主治** | 泻热毒，破积滞，行瘀血。

蓼科 Polygonaceae 大黄属 Rheum

枝穗大黄
Rheum rhizostachyum Schrenk

| 药 材 名 | 大黄（药用部位：根及根茎）。

| 形态特征 | 矮壮草本。根粗壮，根茎先端具宽大的托叶鞘。叶基生；叶片革质，宽卵形或卵圆形，稀更大，先端钝或圆钝，基部常窄缩，浅心形或圆形，全缘或稍具弱波，基出脉5～7，中脉与大侧脉非常粗壮，并于叶下面明显凸起，紫红色，叶上面脉上具乳突或近光滑，下面密被长乳突毛；叶柄短粗，扁或近圆柱状，被长乳突毛。花葶2～5，自根茎先端抽出，中空，下部无或具1～3小枝，被长乳突毛或下部近光滑；花黄白色；花梗关节位于中部偏下或下部；花被片窄椭圆形至线状椭圆形，外轮3较小；雄蕊9，花药宽椭圆形；花盘薄。果实卵形或椭圆状卵形，先端钝，基部浅心形；种子卵形。花期6月，果期8～9月。

| 生境分布 | 生于海拔 2 600 ～ 4 200 m 的高山草地或石缝中。分布于新疆温泉县、新源县、巩留县、特克斯县、昭苏县等。

| 资源情况 | 野生资源较丰富，栽培资源较丰富。药材来源于野生和栽培。

| 采收加工 | 一般于种子成熟后采挖，先把地上部分割去，然后挖开四周泥土，把根从根茎上割下，分别加工。北大黄挖起后不用水洗，将外皮刮去，大的对半切开，小团型的修成蛋形，自然阴干或用火熏干。南大黄先洗净根茎泥沙，晒干，刮去粗皮，横切成厚 7 ～ 10 cm 的大块，然后炕干或晒干，由于根茎中心干后收缩陷凹成马蹄形，故称"马蹄大黄"。粗根刮皮后，切长 10 ～ 13 cm 的小段，晒干或炕干。

| 功能主治 | 苦，寒。归脾、胃、大肠、肝、心包经。泻下攻积，清热泻火，凉血解毒，逐瘀通经，利湿退黄。用于实热积滞便秘，血热吐衄，目赤咽肿，痈肿疔疮，肠痛腹痛，瘀血经闭，产后瘀阻，跌打损伤，湿热痢疾，黄疸尿赤，淋证，水肿；外用于烫火伤。

蓼科 Polygonaceae　大黄属 Rheum

圆叶大黄

Rheum tataricum L. f.

| 药 材 名 | 大黄（药用部位：根及根茎）。

| 形态特征 | 中型草本。根粗壮。茎直立，粗短，中空，无毛，具1基生叶或无。基生叶大型，平铺地上；叶片纸质，通常宽稍大于长，心状或圆形，先端圆钝，基部心形，不规则全缘，边缘具软骨质细齿，两面光滑无毛或叶下面脉上具乳突；叶柄短粗，半圆柱状，无毛；茎生叶小，近圆形。圆锥花序自中部分枝，通常具3次分枝，各级分枝扩展，形成阔圆球状，具细纵棱，光滑无毛或上部有小乳突，通常每簇有花1～2，小苞片鳞片状；花梗细长，关节在中上部；花被片黄白色，宽椭圆形或宽卵状椭圆形，外轮3稍窄小；雄蕊9，略短于花被，花药矩圆形，花丝上部渐宽，长1 mm或稍强；花盘与花被基部

合生；子房三角状卵形，花柱细长反曲，柱头阔扁盘状，表面不平整。果实紫红色，卵形，有时呈三角状卵形或卵状椭圆形，先端微凹，基部心形，翅窄，纵脉靠近翅的外缘，宿存花被稍增大；种子卵形，深褐色。花期5月，果期6~7月。

| 生境分布 | 生于500~1 000 m的荒漠草地。分布于新疆温宿县、阿克陶县等。

| 资源情况 | 野生资源较丰富，栽培资源较丰富。药材来源于野生和栽培。

| 采收加工 | 同"枝穗大黄"。

| 功能主治 | 同"枝穗大黄"。

蓼科 Polygonaceae 大黄属 Rheum

天山大黄
Rheum wittrockii Lundstr.

| 药 材 名 |　大黄（药用部位：根及根茎）。

| 形态特征 |　高大草本。根茎细长，黑棕色；茎中空，具细棱线，光滑或近节部被乳突状短毛。基生叶 2 ~ 4，叶片卵形至三角状卵形或卵心形，先端钝急尖，基部心形，边缘具弱皱波，基出脉 5 ~ 7，两侧最外一条在脉基部的外缘裸露，不被叶肉所包围，叶上面光滑无毛，下面被白短毛，毛多生于叶脉及边缘上，叶柄细，半圆柱状，与叶片近等长，被稀疏乳突状毛或毛不明显；茎生叶 2 ~ 4，上部 1 ~ 2 叶的叶腋具花序分枝，叶片较小，长明显大于宽，叶柄亦较短；托叶鞘抱茎，外面被短毛。大型圆锥花序分枝较疏；花小；花梗关节在中部以下；花被白绿色，外轮 3 稍小而窄长，内轮 3 稍大，倒卵圆形或宽椭圆形；雄蕊 9，与花被近等长；花柱 3，横展，

柱头大，表面粗糙。果实宽大于长，圆形或矩圆形，两端心形至深心形，翅幼时红色，纵脉位于翅的中间；种子卵形。花期 6 ~ 7 月，果期 8 ~ 9 月。

| 生境分布 | 生于海拔 1 200 ~ 2 600 m 的山坡草地、林下或沟谷。分布于新疆吐鲁番市、乌鲁木齐市及奇台县、玛纳斯县、阜康市、额敏县、托里县、沙湾市、乌苏市、霍城县、尼勒克县、新源县、特克斯县、昭苏县、和硕县、和静县、乌恰县等。

| 采收加工 | 同"枝穗大黄"。

| 功能主治 | 同"枝穗大黄"。

蓼科 Polygonaceae 酸模属 *Rumex*

酸模
Rumex acetosa L.

| 药 材 名 |　酸模（药用部位：根）。

| 形态特征 |　多年生草本。根为须根。茎直立，具深沟槽，通常不分枝。基生叶、茎下部叶箭形，先端急尖或圆钝，基部裂片急尖，全缘或微波状；茎上部叶较小，具短叶柄或无柄；托叶鞘膜质，易破裂。花序狭圆锥状，顶生，分枝稀疏；花单性，雌雄异株；花梗中部具关节；花被片 6，成 2 轮；雄花内花被片椭圆形，外花被片较小，雄蕊 6；雌花内花被片果时增大，近圆形，全缘，基部心形，网脉明显，基部具极小的小瘤，外花被片椭圆形，反折。瘦果椭圆形，具 3 锐棱，两端尖，黑褐色，有光泽。花期 5 ~ 7 月，果期 6 ~ 8 月。

| 生境分布 |　生于海拔 1 050 ~ 2 600 m 的高山草甸、亚高山草甸和森林带山坡，

林缘，林间，山谷河滩及水边。分布于新疆青河县、富蕴县、福海县、阿勒泰市、布尔津县、哈巴河县、乌鲁木齐县、额敏县、塔城市、托里县、温泉县、霍城县、伊宁县、察布查尔锡伯自治县、新源县、昭苏县等。

| **资源情况** | 野生资源较丰富，栽培资源稀少。药材来源于野生。

| **采收加工** | 夏季采收，洗净，晒干或鲜用。

| **功能主治** | 酸、微苦，寒。归肝、大肠经。凉血，解毒，通便，杀虫。用于内出血，痢疾，便秘，内痔出血；外用于疥癣，疔疮，神经性皮炎，湿疹。

蓼科 Polygonaceae 酸模属 Rumex

小酸模 *Rumex acetosella* L.

| 药 材 名 |

酸模（药用部位：根）。

| 形态特征 |

多年生草本。根茎横走，木质化；茎数条自根茎发出，直立或上升，细弱，具沟槽，通常自中上部分枝。茎下部叶戟形，中裂片披针形或线状披针形，先端急尖，基部两侧的裂片伸展或向上弯曲，全缘，两面无毛；茎上部叶较小，叶柄短或近无柄；托叶鞘膜质，白色，常破裂。花序圆锥状，顶生，疏松；花单性，雌雄异株；花梗无关节；花簇具 2 ～ 7 花；雄花内花被片椭圆形，外花被片披针形，较小，雄蕊 6；雌花内花被片果时不增大或稍增大，卵形，先端急尖，基部圆形，具网脉，无小瘤，外花被片披针形，果时不反折。瘦果宽卵形，具 3 棱，黄褐色，有光泽。花期 6 ～ 7 月，果期 7 ～ 8 月。

| 生境分布 |

生于海拔 400 ～ 3 200 m 的山坡草地、林缘、山谷路旁。分布于新疆布尔津县、阿勒泰市等。

| **资源情况** | 野生资源较丰富，栽培资源稀少。药材来源于野生。

| **采收加工** | 同"酸模"。

| **功能主治** | 同"酸模"。

蓼科 Polygonaceae 酸模属 *Rumex*

水生酸模 *Rumex aquaticus* L.

| 药 材 名 | 水生酸模（药用部位：根）。

| 形态特征 | 多年生草本。茎直立，具棱槽，被伏毛，上部分枝。基生叶、茎下部叶卵形或长圆状卵形，先端渐尖，基部心形，边缘波状或皱波状，两面无毛或背面沿脉被稀疏的乳头状突起，有与叶片等长的柄；茎上部叶渐窄小，长圆形或宽披针形，先端渐尖，基部心形，叶柄渐短。圆锥花序窄，具稍开展的花枝；花两性，数朵簇生成轮，花轮接近；花梗细，向下弯，中下部具关节；外轮花被片小，长圆形，内轮花被片果期增大，长圆状卵形或广卵形，先端渐尖，圆钝，基部截形，全缘或微波状，有网纹，全部无瘤。瘦果椭圆形，具3棱，棱角尖锐，两端尖，褐色，有光泽。花果期6~9月。

| 生境分布 | 生于海拔 760 ～ 1 700 m 的河、湖、渠岸边与沼泽草甸中。分布于新疆布尔津县、奇台县、焉耆回族自治县、库尔勒市等。

| 资源情况 | 野生资源丰富，栽培资源丰富。药材来源于野生和栽培。

| 采收加工 | 同 "酸模"。

| 功能主治 | 同 "酸模"。

蓼科 Polygonaceae 酸模属 *Rumex*

糙叶酸模 *Rumex confertus* Willd.

| 药 材 名 | 酸模（药用部位：根）。

| 形态特征 | 多年生草本。茎直立，具棱槽，被白色糙毛。基生叶、茎下部叶长圆状或卵状三角形，先端钝，基部心形，边缘波状，两面沿脉被白色糙毛，下部的毛较密；叶柄腹面具槽，密被白色糙毛，长超过叶片或与叶片等长；茎上部叶渐小，具短柄。圆锥花序窄，密集；花两性，簇生成轮，花轮在枝上部紧接；花梗细，长于花被，中下部具关节；外轮花被片小，卵形，内轮花被片果期增大，圆心形或圆肾形，通常宽超过长，先端钝或近尖，基部心形，边缘具齿，有网纹，其中 1 花被片常具多少发育的小瘤。花果期 5 ~ 7 月。

| 生境分布 | 生于海拔 550 m 的河岸边、河漫滩、林缘和林间空地。分布于新疆布尔津县、哈巴河县等。

| **资源情况** | 野生资源丰富，栽培资源较少。药材来源于野生。

| **采收加工** | 同"酸模"。

| **功能主治** | 同"酸模"。

蓼科 Polygonaceae 酸模属 Rumex

皱叶酸模 *Rumex crispus* L.

| 药 材 名 | 酸模（药用部位：根）。

| 形态特征 | 多年生草本。直根断面黄色。茎直立，具浅棱槽，无毛，仅在花序中分枝。叶披针形或长圆状披针形，先端渐尖，基部楔形，边缘皱波状，无毛，叶柄稍短于叶片；茎上部叶渐小，披针形或狭披针形，具短柄。圆锥花序狭长，长圆形，分枝紧密；花两性，多数，簇生成轮，花轮紧接；外轮花被片椭圆形，舟状凹陷，比内轮花被片窄小，内轮花被片果期增大，圆卵形或广圆卵形，先端渐尖，基部心形，全缘或稍具齿，全部或其中 1 片具 1 大瘤；瘤卵形；花梗细，几与花被片等长，下部具关节。瘦果椭圆形，具 3 棱，棱角尖锐，褐色，有光泽。花果期 6 ~ 8 月。

| **生境分布** | 生于海拔 350 ～ 2 800 m 的水边、河滩、河谷草甸、田边、田间。分布于新疆阿勒泰地区及乌鲁木齐县、玛纳斯县、察布查尔锡伯自治县、新源县、巩留县、特克斯县、鄯善县等。 |

| **资源情况** | 野生资源丰富，栽培资源丰富。药材来源于野生和栽培。 |

| **采收加工** | 夏季采收，洗净，晒干或鲜用。 |

| **功能主治** | 苦，寒。归心、肝、大肠经。清热解毒，凉血止血，通便杀虫。用于急、慢性肝炎，肠炎，痢疾，慢性支气管炎，吐血，衄血，便血，崩漏，热结便秘，痈疽肿毒，疥癣，白秃疮。 |

蓼科 Polygonaceae 酸模属 Rumex

矮酸模
Rumex halacsyi Rech.

| 药 材 名 |　酸模（药用部位：根）。

| 形态特征 |　一年生或二年生草本。直根或分叉。茎直立，具棱槽，无毛，通常从基部向上分枝。茎下部叶长圆状广椭圆形，蓝灰绿色，先端渐尖，基部心形或宽楔形，沿缘微波状，具与叶片近等长的柄；茎上部叶渐小，披针形或狭披针形，两端渐狭，有短柄至无柄。圆锥花序窄，具稍开展的花枝；花两性，多花簇生成轮，枝下部的花轮间断、稀疏，向上接近、密集；花梗与花被片几等长，下弯，近基部具关节；外轮花被片小，长圆形，先端稍钝，内轮花被片果期增大，三角形或广椭圆状三角形，先端渐狭，基部截形，有网纹，边缘每侧面具4～5尖锐的刺齿，刺齿长不超过花被片宽，每片都具1大瘤。瘦果椭圆形，具3棱，褐色，有光泽。花果期6～8月。

| 生境分布 | 生于海拔 400 ~ 800 m 的河、渠边，湿地，荒地，田间。分布于新疆乌鲁木齐县、沙湾市、轮台县等。 |

| 资源情况 | 野生资源较丰富，栽培资源较少。药材来源于野生。 |

| 采收加工 | 同"酸模"。 |

| 功能主治 | 同"酸模"。 |

蓼科 Polygonaceae 酸模属 Rumex

长叶酸模
Rumex longifolius DC.

| 药 材 名 | 酸模（药用部位：根）。

| 形态特征 | 多年生草本。根颈多头，稀单一。茎直立，具棱槽，分枝。叶较肥厚，边缘稍波状，具乳头状突起，基生叶、茎下部叶具柄，与叶片几等长；叶片长圆状卵形或卵状披针形，长超过宽的 2.5 ～ 4 倍，先端钝，渐尖或锐尖，基部圆形或稍心形，稀近截形；茎上部叶渐窄小，披针形，边缘波状，基部楔形，具短柄。圆锥花序广椭圆形，花枝密集；花两性，簇生成轮；外轮花被片窄小，反折并贴向花梗，内轮花被片果期增大，圆肾形，先端圆钝，基部心形，全缘或稍波状，有网纹，全部无瘤；花梗细，比花被长 1.5 ～ 2 倍。瘦果长圆状卵形，具 3 棱，棱角锐利，褐色，有光泽。花果期 7 ～ 8 月。

| 生境分布 | 生于海拔 1 200 ~ 2 000 m 的河谷草甸、山地林间和林缘。分布于新疆青河县、富蕴县、福海县、布尔津县、托里县等。

| 资源情况 | 野生资源较丰富，栽培资源稀少。药材来源于野生。

| 采收加工 | 同"酸模"。

| 功能主治 | 同"酸模"。

蓼科 Polygonaceae 酸模属 Rumex

单瘤酸模
Rumex marschallianus Reichb.

| 药 材 名 | 酸模（药用部位：根）。

| 形态特征 | 一年生草本。直根细。茎直立，带淡紫红色或淡红色，通常自基部分枝。茎下部叶披针形或长圆状广椭圆形，先端渐尖，基部楔形或圆形，边缘微波状，具短于叶片或与叶片等长的柄；茎上部叶窄小。圆锥花序具稀疏的花枝；花两性，多花簇生成轮，密集；花梗细，果时下弯，基部具关节；外轮花被片窄小，内轮花被片果期增大，卵状三角形，先端钻状渐尖，每侧具 2 ~ 3 刺毛状的齿，刺齿的长超过花被片宽的 2 ~ 6 倍，花被片中仅 1 片具大瘤。瘦果椭圆形，具 3 棱，褐色，有光泽。花果期 6 ~ 8 月。

| 生境分布 | 生于海拔 450 m 的河、湖边，盐碱地、荒地湿处。分布于新疆阿

勒泰地区及奇台县、塔城市、沙湾市、乌苏市等。

| **资源情况** | 野生资源较丰富，栽培资源较少。药材来源于野生。

| **采收加工** | 同"酸模"。

| **功能主治** | 同"酸模"。

蓼科 Polygonaceae 酸模属 Rumex

帕米尔酸模 *Rumex pamiricus* Rchb. f.

|药材名|

酸模（药用部位：根）。

|形态特征|

多年生草本。直根。茎单一，直立，具棱槽，通常淡紫红色。叶肥厚，长披针形或椭圆状披针形，淡红紫色或带淡红色的蓝灰色，先端渐尖，有时具小尖头，基部心形，两面无毛；叶柄粗，向下增宽，长比叶片短 2.5 ~ 4 倍；茎上部叶渐小，花序中的叶线状披针形。圆锥花序广椭圆形，几从茎基部有花枝；花两性；外轮花被片广椭圆形，窄小，内轮花被片果期增大，圆肾形，先端圆钝，稍渐狭，基部心形，有网纹，红紫色或橘黄色，全部无瘤；花梗细，比花被片长近 2 倍，近基部具关节。瘦果椭圆形，两端渐尖，具 3 棱，棱角尖锐，淡褐色。花果期 7 ~ 8 月。

|生境分布|

生于 2 000 ~ 3 100 m 的高山和亚高山草甸、山地河谷水边。分布于新疆乌鲁木齐县、托克逊县、和静县、乌恰县、塔什库尔干塔吉克自治县等。

| **资源情况** | 野生资源较丰富，栽培资源稀少。药材来源于野生。

| **采收加工** | 同"酸模"。

| **功能主治** | 同"酸模"。

蓼科 Polygonaceae 酸模属 *Rumex*

巴天酸模 *Rumex patientia* L.

| 药 材 名 |

酸模（药用部位：根）。

| 形态特征 |

多年生草本。茎直立，粗壮，具棱槽，无毛，分枝。基生叶、茎下部叶卵形或卵状披针形，先端急尖或圆钝，基部浅心形、圆形或楔形，边缘波状或全缘，两面近无毛；叶柄短于叶片，腹面具槽；茎上部叶渐小，长圆状披针形至披针形，具短柄。圆锥花序窄，紧密；花两性，多花簇生成轮，花轮靠近；花梗短，与内轮花被片近等长或稍长于内轮花被片，中下部具关节；外轮花被片小，长圆状卵形；内轮花被片果期增大，圆心形，先端圆钝或稍渐尖，基部心形，全缘或边缘具不明显的齿，具凸起的网纹，1～2或全部花被片具小瘤，通常不是每个瘤都能发育完全。瘦果卵形，具3棱，棱角尖锐，褐色，有光泽。

| 生境分布 |

生于海拔20～4000 m的山地河岸边、潮湿地。分布于新疆阿勒泰市、哈巴河县等。

| **资源情况** | 野生资源较丰富，栽培资源较丰富。药材来源于野生和栽培。

| **采收加工** | 同"酸模"。

| **功能主治** | 同"酸模"。

蓼科 Polygonaceae 酸模属 *Rumex*

欧酸模
Rumex pseudonatronatus Borb.

| 药 材 名 | 酸模（药用部位：根）。

| 形态特征 | 多年生草本。直根粗。茎直立，具浅棱槽，无毛，单一，仅在花序中分枝。基生叶、茎下部叶披针形或狭披针形，先端渐尖，基部楔形，边缘波状，叶片几与叶柄等长；茎上部叶渐小，窄披针形，具短柄。圆锥花序长圆形，窄，十分密集；花两性，有多花，成簇或轮，花轮接近；花梗细，长超过花被片；外轮花被片窄小，内轮花被片果期增大，圆卵形或广椭圆形，先端圆钝，基部心形，全缘，全部无瘤。花果期 6 ~ 8 月。

| 生境分布 | 生于海拔 700 ~ 2 100 m 的水边、田边、山地林缘和河谷草甸。分

布于新疆阿勒泰市、布尔津县、哈巴河县、奇台县、塔城市、霍城县、伊宁县、昭苏县等。

| **资源情况** | 野生资源较丰富，栽培资源稀少。药材来源于野生。

| **采收加工** | 同"酸模"。

| **功能主治** | 同"酸模"。

蓼科 Polygonaceae 酸模属 *Rumex*

红干酸模 *Rumex rechingerianus* A. Los.

| 药 材 名 | 酸模（药用部位：根）。

| 形态特征 | 多年生草本。茎直立，单一，具浅棱槽，通常带淡紫色，从中部分枝。基生叶、茎下部叶长圆状广椭圆形，先端渐狭，基部圆形、截形或稍心形，上面光滑，下面沿脉粗糙，边缘稍波状或全缘，具短柄，叶柄比叶片短一半或更短；茎上部叶渐小，披针形，渐尖，基部楔形，有短柄，稀近无柄。圆锥花序长圆状椭圆形，具稍开展的花枝；花两性，多花，12 ~ 20 簇生成轮；花梗细，与花被片等长或长过花被片长的 1.5 倍，中部以下具关节；外轮花被片窄小，内轮花被片果期增大，圆心形，与宽相等，褐色变火红色，先端稍渐尖，基部心形，全缘，具网纹和凸起的中脉，1 或全部花被片具瘤，瘤大。瘦果椭圆形，两端尖，淡褐色，有光泽。花果期 6 ~ 8 月。

| **生境分布** | 生于海拔 1 650 ~ 2 700 m 的山谷水边，山地田边、田间，山谷砾石质山坡。分布于新疆阜康市、玛纳斯县、乌鲁木齐县、石河子市、新源县、昭苏县、阿克苏市、阿合奇县、阿图什市等。

| **资源情况** | 野生资源较丰富，栽培资源稀少。药材来源于野生。

| **采收加工** | 同"酸模"。

| **功能主治** | 同"酸模"。

蓼科 Polygonaceae 酸模属 Rumex

狭叶酸模 *Rumex stenophyllus* Ledeb.

| 药 材 名 | 酸模（药用部位：根）。

| 形态特征 | 多年生草本。茎单一，直立，具棱槽，在上部分枝。基生叶、茎下部叶长圆形或披针形，先端具短尖，基部楔形，全缘或微波状，有稍短于叶片的柄；茎上部叶小，长圆形或线状披针形，先端渐尖，基部楔形，具短柄或近无柄。圆锥花序窄，花枝稍开展；花两性，多花簇生成轮，花轮在枝的下部间断，向上渐靠近，密集；花梗细，长于花被，下部具关节；外轮花被片窄小，长圆形，内轮花被片果期增大，三角状心形，先端近尖，基部截形，具网纹，边缘具细尖或仅在下部具锐齿，尖齿长短于花被片宽，全部花被片具长圆形的瘤。瘦果椭圆形，三棱形，棱角尖锐，淡褐色。花果期 6 ~ 8 月。

| 生境分布 | 生于海拔 200 ~ 1 100 m 的荒漠绿洲的水渠边、干水沟旁、田边、撂荒地及山谷河边。分布于新疆阜康市、玛纳斯县、哈巴河县、乌苏市等。

| 资源情况 | 野生资源较丰富，栽培资源稀少。药材来源于野生。

| 采收加工 | 同"酸模"。

| 功能主治 | 同"酸模"。

天山酸模 *Rumex thianschanicus* Losinsk.

| 药 材 名 | 酸模（药用部位：根）。

| 形态特征 | 多年生草本。茎直立，粗壮，具棱槽，中空，分枝。基生叶、茎下部叶宽卵形，先端渐尖，基部心形，边缘波状，两面无毛，下面叶脉凸起，蓝绿色或淡绿色，有短于叶片的柄。圆锥花序宽；花两性，少花簇生成轮，花轮稀疏；花梗细，向上增宽，长于果实长的 1.5 ~ 2 倍，近基部具关节；外轮花被片小，卵形，先端尖，基部心形，全缘或边缘稍波状，具网纹，1 花被片具广椭圆形的大瘤，其余 2 花被片具不发育的小瘤。瘦果椭圆形，具 3 棱，先端渐尖，淡褐色。花果期 5 ~ 8 月。

| 生境分布 | 生于海拔 1 750 ~ 1 900 m 的山坡林缘及河谷水边。分布于新疆尼勒

克县、新源县、昭苏县等。

| **资源情况** | 野生资源丰富，栽培资源稀少。药材来源于野生。

| **采收加工** | 同"酸模"。

| **功能主治** | 同"酸模"。

蓼科 Polygonaceae 酸模属 *Rumex*

长根酸模 *Rumex thyrsiflorus* Fingerh.

| 药 材 名 | 酸模（药用部位：根）。

| 形态特征 | 多年生草本。直根，长圆锥形，有时分叉。茎单一，直立，具棱槽，无毛或被稀疏的乳状突起。基生叶、茎下部叶具长柄，叶柄稀短于叶片；叶片卵状长圆形或披针形，先端渐尖，基部箭头状，具狭窄锐尖且向外的裂片，边缘稍波状，无毛或具稀疏的乳状突起；茎上部叶渐小，窄，有短柄或无柄抱茎。圆锥花序宽，金字塔形；花单性，数朵簇生成轮，淡紫红色或浅绿色；花梗细，几与内轮果被片等长，中部或近中部具关节；雌雄异株，雄花花被片直立，外轮花被片稍短；雌花外轮花被片小，反折，贴向花梗，内轮花被片果期增大，广椭圆形或圆形，边缘稍具齿，先端钝，基部心形，有网纹。

瘦果椭圆形，具 3 棱，暗褐色，有光泽。花果期 6 ~ 8 月。

| **生境分布** | 生于海拔 460 ~ 1 600 m 的河边草滩、河谷草甸、山地草甸和林间低洼湿地。分布于新疆阿勒泰市、青河县、福海县、布尔津县、哈巴河县、塔城市、托里县等。

| **资源情况** | 野生资源丰富，栽培资源稀少。药材来源于野生。

| **采收加工** | 同"酸模"。

| **功能主治** | 同"酸模"。

蓼科 Polygonaceae 酸模属 *Rumex*

乌克兰酸模 *Rumex ucranicus* Fisch. ex Spreng.

| **药 材 名** | 酸模（药用部位：根）。

| **形态特征** | 一年生草本。茎直立，从基部分枝。叶长圆状卵形或卵状披针形，先端渐狭，常具小的圆耳或宽楔形，具近与叶片等长的柄；茎上部叶渐小，披针形或线状披针形，先端渐尖，基部楔形，具短柄。花两性，多花簇生成轮，在枝上组成总状花序；花梗基部具关节；外轮花被片狭长，内轮花被片果期增大，卵状三角形，先端长渐尖，每侧具 3 刺齿，刺齿长与花被片宽相等或超过花被片宽的 1.5 倍，每花被片具 1 大瘤。花果期 6 ～ 8 月。

| **生境分布** | 生于海拔 480 m 的河、湖、渠岸边的沙地，盐碱地及沼泽地，荒地。分布于新疆哈巴河县、石河子市、沙湾市等。

| **资源情况** | 野生资源丰富，栽培资源稀少。药材来源于野生。

| **采收加工** | 夏季采收，洗净，晒干或鲜用。

| **功能主治** | 苦、微涩，凉。归肝、大肠经。清热解毒，凉血，杀虫，通便。用于肺结核咯血，急性肝炎，痢疾，便秘，功能失调性子宫出血，痔疮出血，腮腺炎，神经性皮炎，疥癣，乳痈，疮疡肿毒，烧伤，外伤出血。

藜科 Chenopodiaceae 沙蓬属 Agriophyllum

沙蓬
Agriophyllum pungens (Vahl) Link

| 药 材 名 |

沙蓬子（药用部位：种子、地上部分）。

| 形态特征 |

草本。株高 14 ～ 60 cm。茎直立，自基部分枝，最下部的分枝通常对生或 3 ～ 5 轮生，上部枝条互生，斜展，均具条棱，幼时密被分枝毛，后期毛逐渐脱落。叶披针形、披针状条形或条形，长 1.3 ～ 7 cm，宽 0.1 ～ 1 cm，先端渐尖，具刺状尖头，基部渐狭，无柄，叶脉 3 ～ 9，纵行。花无梗，通常单生于苞腋，形成稠密的短穗状花序；苞片宽卵形，先端渐尖成小尖头，背部密被分枝毛，后期反折；花被片 1 ～ 3，膜质；雄蕊 2 ～ 3。果实卵圆形或椭圆形，扁平或背部稍凸，幼时背部被毛，后期无毛，上部边缘具翅，翅缘具齿，果喙深裂成 2 扁平的条状小喙，小喙先端外侧各具 1 小齿；种子近圆形，光滑。花果期 7 ～ 10 月。

| 生境分布 |

生于流动沙丘背风坡、半固定沙丘和丘间沙地。分布于新疆福海县、哈巴河县、奇台县、阜康市、玛纳斯县、沙湾市、焉耆回族自治县、库尔勒市、策勒县等。

| 资源情况 | 野生资源丰富。药材来源于野生。

| 采收加工 | 夏、秋季采收，晒干。

| 功能主治 | 种子，甘，凉。发表解热。用于感冒发热，肾炎。地上部分，苦，平。祛疫，消渴，清热，解毒，利尿。

藜科 Chenopodiaceae 假木贼属 Anabasis

无叶假木贼 *Anabasis aphylla* L.

| 药 材 名 | 无叶毒藜（药用部位：枝）。

| 形态特征 | 半灌木。高 20 ～ 50 cm，少数可达 50 cm。木质茎分枝，小枝黄灰色或灰白色，幼枝绿色，分枝或不分枝，通常直立或斜升，圆柱状。叶极不明显，退化成宽三角形的鳞片状，先端钝或尖。花小，1 ～ 3 生于叶腋，在枝顶形成较疏散的穗状花序；外轮 3 花被片果时生翅；翅直立，膜质，肾形或圆形，淡黄色或粉红色；内轮 2 花被片无翅或具较小的翅；花盘裂片条形，先端篦齿状。胞果直立，近圆球形，暗红色。花期 8 ～ 9 月，果期 9 ～ 10 月。

| 生境分布 | 生于海拔 330 ～ 1 900 m 的平原地区、山麓洪积扇和低山干旱山坡的砾质荒漠及干旱盐化荒漠。分布于新疆奇台县、阜康市、玛纳斯县、

乌鲁木齐县、塔城市、托里县、乌苏市、和布克赛尔蒙古自治县、克拉玛依市、
奎屯市、伊宁县、精河县、博乐市、巴里坤哈萨克自治县、和硕县、焉耆回族
自治县、库尔勒市、轮台县、拜城县、阿克苏市、喀什地区等。

| 资源情况 | 野生资源丰富。药材来源于野生。

| 采收加工 | 夏季采收，晒干。

| 功能主治 | 辛、苦，寒。归心经。杀虫止痒。用于疥癣，疥疮，湿疹痒痛。

藜科 Chenopodiaceae 假木贼属 *Anabasis*

短叶假木贼 *Anabasis brevifolia* C. A. Mey.

| 药 材 名 | 短叶毒藜（药用部位：枝）。

| 形态特征 | 株高通常5～20 cm。根粗壮，黑褐色。木质茎多分枝，稠密，灰褐色；小枝灰白色或黄白色，常具环状裂隙；当年生枝黄绿色或灰绿色，不分枝或上部有少数分枝，近圆柱形，通常平滑，少数有稀疏乳头状突起。叶条形，肉质，半圆柱状，长3～8 mm，开展并向下呈弧形弯曲，先端通常有半透明的短刺尖；近基部的少数叶较短，贴生于枝。花单生于叶腋（有时叶腋内还具有含数花的短枝而类似簇生）；花被片5，果时具翅；翅膜质，杏黄色、紫红色或少数暗褐色，直立或稍开展。胞果卵形至宽卵形。花期7～8月，果期8～10月。

| 生境分布 | 生于海拔500～1 700 m的洪积扇和山间谷地的砾质荒漠、低山草

原化荒漠。分布于新疆青河县、阿勒泰市、布尔津县、哈巴河县、木垒哈萨克自治县、奇台县、吉木萨尔县、塔城市、托里县）、伊犁哈萨克自治州（奎屯市）、博尔塔拉蒙古自治州（精河县）、哈密市、吐鲁番市（鄯善县、吐鲁番市、托克逊县）、巴音郭楞蒙古自治州（和硕县、和静县、若羌县）、阿克苏地区（拜城县）等。

| **资源情况** | 野生资源丰富，栽培资源稀少。药材来源于野生。

| **功能主治** | 杀虫。

藜科 Chenopodiaceae 假木贼属 *Anabasis*

白垩假木贼 *Anabasis cretacea* Pall.

| 药 材 名 | 毒藜（药用部位：枝）。

| 形态特征 | 株高 5 ~ 10（~ 15）cm。根较粗，常微扭，暗褐色或褐色。木质茎退缩的肥大茎基褐色至暗褐色，有密绒毛。从茎基发出的幼枝有多条，黄绿色或灰绿色，直立，不分枝，具关节，节间 5 ~ 8，鲜时近圆柱状，干后钝四棱形，平滑。叶极退化，鳞片状，长 1 ~ 2 mm，边缘膜质，先端钝，无刺状尖头。花单生于叶腋；外轮 3 花被片宽椭圆形，果时具翅，内轮 2 花被片无翅；翅膜质，肾形或近圆形，鲜时粉红色，干后淡黄色；花盘裂片条形，先端篦齿状。胞果暗红色或橙黄色。花果期 8 ~ 10 月。

| 生境分布 | 生于海拔 580 ~ 1 540 m 的洪积扇及低山的砾质荒漠及半荒漠。分

布于新疆福海县、哈巴河县、木垒哈萨克自治县、托里县、沙湾市、精河县、博乐市、温泉县、霍城县等。

| **资源情况** | 野生资源丰富。药材来源于野生。

| **功能主治** | 清热祛湿，杀虫。

藜科 Chenopodiaceae 假木贼属 *Anabasis*

高枝假木贼 *Anabasis elatior* (C. A. Mey.) Schischk.

| 药 材 名 | 毒藜（药用部位：枝）。

| 形态特征 | 株高 15 ~ 20（~ 30）cm。基部木质茎多分枝，灰褐色至灰白色；当年生幼枝黄绿色，直立或稍斜伸，具 10 ~ 20 节间，多为圆柱状，具稠密的乳头状突起。叶通常钻形，长 1 ~ 1.5 cm，先端具长 1.5 ~ 3 mm 的半透明刺状尖；下部（和中部）的叶通常开展，少数外弯，上部（和中部）的叶较短，长约 2 mm，贴生于枝。花单生于叶腋，在枝顶形成较短的穗状花序，花序稠密，通常分枝；外轮 3 花被片宽卵形，果时背部具发达的翅，内轮 2 花被片较窄，果时通常无翅；翅肾形，直立，黄白色或粉红色；花盘裂片条形，先端篦齿状。胞果卵形至宽卵形，黄褐色或粉红色。花果期 7 ~ 10 月。

| **生境分布** | 生于海拔 500 ～ 1 200 m 的平原砾质荒地、撂荒地、干旱山坡。分布于新疆青河县、阿勒泰市、奇台县、吉木萨尔县、呼图壁县、玛纳斯县、米东区、乌鲁木齐县、伊宁市、塔城市、裕民县、沙湾市、乌苏市、精河县、察布查尔锡伯自治县、新源县等。

| **资源情况** | 野生资源丰富。药材来源于野生。

| **功能主治** | 清热祛湿，杀虫。

藜科 Chenopodiaceae 假木贼属 Anabasis

盐生假木贼

Anabasis salsa (C. A. Mey.) Benth. ex Volkens

| 药 材 名 | 毒藜（药用部位：枝）。

| 形态特征 | 株高 10 ~ 20 cm。老枝常分枝稠密，灰褐色或淡灰色；幼枝上部分枝。中部以下的叶条形，半圆柱状，长 2 ~ 3（~ 5）mm，开展并向外弧形弯曲，先端具脱落性的半透明刺状短尖头，上部叶三角形鳞片状，先端微钝，无刺状尖头。花单生于叶腋，于枝顶形成短穗状花穗；外轮 3 花被片圆形，内轮 2 花被片宽卵形，果时均无翅。胞果黄褐色或稍带红色。花果期 8 ~ 10 月。

| 生境分布 | 生于海拔 500 ~ 1 200 m 的山麓洪积扇、山间台地、河谷阶地、河间冲积平原的盐生荒漠。分布于新疆克拉玛依市及青河县、富蕴县、福海县、阿勒泰市、布尔津县、哈巴河县、木垒哈萨克自治县、奇台县、

乌鲁木齐县、托里县、奎屯市、沙湾市、乌苏市、精河县、博乐市等。

| **资源情况** | 野生资源丰富。药材来源于野生。

| **功能主治** | 清热祛湿，杀虫。

藜科 Chenopodiaceae 假木贼属 Anabasis

展枝假木贼

Anabasis truncata (Schrenk) Bunge

| 药 材 名 | 毒藜（药用部位：枝）。

| 形态特征 | 高 10 ~ 20 cm。茎基褐色至暗褐色，有密绒毛。根粗壮，圆柱状，直径达 3 cm。当年生枝多条，发自茎基，直立，平滑，具 8 ~ 12 节间，上部有分枝；枝对生，平展或先端向下弯曲，长 2 ~ 3 cm；节间圆柱状，直径 2 ~ 3 mm，有时具伤疤状斑痕。叶鳞片状，半圆形，先端钝或急尖，无刺状尖，长 1 ~ 2 mm，边缘稍膜质。花单生于叶腋，于枝端和分枝上排成短穗状花序；小苞片边缘膜质；外轮 3 花被片宽椭圆形至矩圆形，果时具翅，内轮 2 花被片较狭，无翅或有短的翅状突起；翅宽椭圆形至近圆形，稍开展；花盘裂片条形，先端近平截；子房横宽椭圆形，平滑；花柱短而直，黑色。胞果与子房同

形，果皮肉质，黄褐色，直径 2.5 ～ 3 mm。花果期 8 ～ 10 月。

| 生境分布 |　生于海拔 500 ～ 1 300 m 的山前冲积扇及低山干旱阳坡的砾石荒漠及草原化荒漠地带。分布于新疆青河县、阿勒泰市、布尔津县、哈巴河县、乌鲁木齐县、托里县等。

| 资源情况 |　野生资源丰富。药材来源于野生。

| 功能主治 |　杀虫。

藜科 Chenopodiaceae 滨藜属 Atriplex

中亚滨藜
Atriplex centralasiatica Iljin

| 药 材 名 | 软蒺藜（药用部位：果实）。

| 形态特征 | 一年生草本。高 15 ~ 50 cm。茎通常自基部多分枝；枝斜升或伸展，条棱不明显，无色条，有粉或下部近无粉。叶互生，具短柄，叶柄长 2 ~ 6 mm，上部的叶近无柄；叶片卵状三角形至菱状卵形，长 2 ~ 3 cm，宽 1 ~ 2.5 cm，先端钝，基部宽楔形至近圆形，边缘通常有缺裂状疏锯齿，近基部的 1 对锯齿较大而呈裂片状，或仅有 1 对浅裂片而其余全缘，上面无粉或稍有粉，灰绿色，下面有密粉，银灰色。团伞花序生于叶腋；雄花花被片 5，雄蕊 5；雌花具 2 苞片；苞片菱形至半圆形，果时长与宽均为 6 ~ 8 mm，近基部边缘合生，中心部鼓胀并木质化，通常背部密生疣状或肉棘状附属物（少数无），

上部边缘草质，有牙齿，苞柄长 1 ~ 3 mm。胞果扁平，宽卵形或圆形；种子直立，红褐色或黄褐色。花期 7 ~ 8 月，果期 8 ~ 9 月。

| 生境分布 | 生于海拔 700 ~ 2 100（~ 2 700）m 的农区田间、平原盐土荒漠、盐碱荒地、湖边、砾质荒漠及山坡阳处。分布于新疆奇台县、乌鲁木齐县、库尔勒市、尉犁县、轮台县、拜城县、阿克苏市、疏附县、叶城县、于田县、策勒县、和田县等。

| 资源情况 | 野生资源丰富。药材来源于野生。

| 采收加工 | 秋季果实成熟后割取地上部分，晒干，打下果实，去净杂质。

| 功能主治 | 苦，平。归肺、肝经。清肝明目，祛风止痒，活血消肿，通乳。用于目赤肿痛，头痛，头晕，咳逆，喉痹，风疹，皮肤瘙痒，肿毒，乳汁不畅。

藜科 Chenopodiaceae 滨藜属 Atriplex

犁苞滨藜 Atriplex dimorphostegia Kar. & Kir.

| 药 材 名 | 软蒺藜（药用部位：果实）。

| 形态特征 | 一年生草本。高 15 ~ 20 cm。茎从基部分枝，无粉，苍白色，具绢丝光泽。叶近无柄或具短柄，叶柄长 0.5 cm；叶片卵形至宽卵形，或心形，长 1 ~ 2.5 cm，先端浑圆，基部宽楔形至圆形，通常全缘，上面灰绿色，下面常有密粉而带灰白色。花数朵簇生于叶腋；雄花花被片 4 ~ 5；雌花无花被，有苞片；苞片果时心形或近圆形，基部边缘合生，凹下，先端钝或急尖，边缘有疏细牙齿，靠基部的中心有 3 隆起的附属物，缘部具清晰的绿色网状脉，苞柄长 2 ~ 3 mm，通常上端粗，下端细。胞果白色；种子褐色。花果期 5 ~ 6 月。

| 生境分布 | 生于流动和半固定沙丘。分布于新疆乌鲁木齐银行及奇台县、沙湾

市等。

| **资源情况** | 野生资源丰富。药材来源于野生。

| **采收加工** | 同"中亚滨藜"。

| **功能主治** | 同"中亚滨藜"。

藜科 Chenopodiaceae 滨藜属 Atriplex

榆钱菠菜 *Atriplex hortensis* L.

| 药 材 名 |

洋菠菜（药用部位：茎、叶）。

| 形态特征 |

一年生草本。植株高可达 2 m，通常无粉。茎直立，粗壮，多分枝；枝斜展，茎和枝具绿色色条。叶具柄，叶片卵状矩圆形至卵状三角形，上部的叶卵状披针形，长 2 ~ 25 cm，宽 3 ~ 18 cm，先端钝，基部戟形至宽楔形，全缘或具不整齐锯齿，两面均为绿色（下面稍有粉）。穗状花序腋生或顶生，再排成大型圆锥花序；雄花花被片 5，雄蕊 5；雌花二型；具花被的雌花有花被片 5，裂片矩圆形，无苞片；无花被的雌花有 2 苞片；苞片仅基部着生点合生，果时直径 1 ~ 1.5 cm，近球形，全缘，先端急尖，基部截形、宽楔形或微凹，表面无粉，有凸起的网状脉纹。有花被雌花中的种子横生，扁球形，较小，直径 1.5 ~ 2 mm，黑色，有光泽；无花被雌花中的种子直立，扁平，圆形，较大，直径 3 ~ 4 mm，黄褐色，无光泽。花果期 8 ~ 9 月。

| 生境分布 |

分布于新疆和田市等。

| **资源情况** | 野生资源丰富。药材来源于野生和栽培。

| **功能主治** | 用于咽喉痛，消化不良，黄疸。

藜科 Chenopodiaceae 滨藜属 Atriplex

异苞滨藜
Atriplex micrantha C. A. Mey.

| 药 材 名 | 软蒺藜（药用部位：果实）。

| 形态特征 | 一年生草本。高 50 ~ 120 cm。茎直立，有条棱，色条不明显，有粉，中部少数分枝，枝纤细。叶通常具短柄；叶片三角形至长卵形，长 2 ~ 6 cm，宽 1.5 ~ 5 cm，先端钝，基部截形至宽楔形，全缘或近基部有 1 对浅裂片，两面均淡绿色，或下面有密粉而呈银灰色。穗状圆锥花序顶生；雄花花被片 5，雄蕊 5；雌花无花被，具 2 苞片；苞片仅基部着生点合生，果时近圆形或宽卵形，全缘，近无粉，网纹明显，有大、小二型，小型苞片长 1.5 ~ 2 mm，种子双凸镜形，直径约 1.5 mm，黑色，有光泽；大型苞片长 3 ~ 4.5 mm，种子扁，圆形，直径 2 ~ 3 mm，黄褐色，无光泽。花果期 7 ~ 9 月。

| **生境分布** | 生于盐碱湿地、湖边及干旱荒漠。分布于新疆呼图壁县、玛纳斯县等。

| **资源情况** | 野生资源丰富。药材来源于野生。

| **采收加工** | 秋季果实成熟后割取地上部分，晒干，打下果实，除去杂质。

| **功能主治** | 清肝明目，祛风止痒，活血消肿，通乳。用于目赤肿痛，头痛，头晕，咳逆，喉痹，风疹，皮肤瘙痒，肿毒，乳汁不畅。

藜科 Chenopodiaceae 滨藜属 Atriplex

西伯利亚滨藜 *Atriplex sibirica* L.

| 药材名 |

软蒺藜（药用部位：果实）。

| 形态特征 |

一年生草本。高 20 ～ 50 cm。茎多分枝，基部分枝近对生；枝斜伸或近平展，有粉，灰绿色。叶互生，具短柄，叶柄长约 1 cm；叶片卵状三角形至菱状卵形，长 3 ～ 5 cm，宽 1.5 ～ 3 cm，先端微钝，基部宽楔形或圆形，边缘具疏锯齿，近基部的 1 对齿较大而呈裂片状，或全缘仅下部具 1 对浅裂片，上面粉少，灰绿色，下面有密粉，银灰色。团伞花序，几遍布叶腋；雄花花被片 5；雌花无花被，为 2 苞片所包围；苞片连合成筒状，仅先端分离，果时鼓胀，略呈倒卵形，木质化，表面具多数不规则的棘状突起，先端牙齿状，基部楔形。胞果扁平，卵形或近圆形；种子直立，红褐色或黄褐色。花期 6 ～ 7 月，果期 7 ～ 9 月。

| 生境分布 |

生于海拔 800 ～ 1 300 m（少数至 2 300 ～ 2 800 m）的农区撂荒地、平原荒漠、盐碱荒地、湖边、河岸、渠沿、沙地及固定沙丘等。分布于新疆乌鲁木齐县、玛纳斯县、和布克赛尔蒙古自治县、和静县、焉耆回族自治县、新和县、阿克苏市、巴楚县、乌恰县、喀什市等。

| **资源情况** | 野生资源丰富。药材来源于野生。

| **采收加工** | 同"中亚滨藜"。

| **功能主治** | 同"中亚滨藜"。

藜科 Chenopodiaceae 滨藜属 Atriplex

鞑靼滨藜 Atriplex tatarica L.

| 药 材 名 | 软蒺藜（药用部位：果实）。

| 形态特征 | 一年生草本。高 20 ~ 80 cm。茎多分枝，枝斜伸。叶通常具短柄；叶片宽卵形、三角状卵形、矩圆形至宽披针形，长 2 ~ 7 cm，宽 1 ~ 4 cm，先端急尖或短渐尖，基部宽楔形至楔形，边缘具不整齐缺裂状或浅裂状锯齿，上面无粉，绿色，下面有密粉，灰白色，有时两面均有粉而近同色。穗状花序生于叶腋，再于茎和枝的上部集成具稠密花的圆锥花序，花序轴有密粉和薄片状毛丛；雄花花被片 5，雄蕊 5；雌花的 2 苞片果时菱状卵形至卵形，下部的边缘合生，靠基部的中心部黄白色，具浮凸脉，有时有少数疣状附属物，缘部有绿色网脉，边缘多少有齿。种子直立，黄褐色或红褐色。花果期 7 ~ 9 月。

| **生境分布** | 生于海拔 400 ~ 1 750 m 的盐生荒漠、盐碱荒地、沼泽地、湖渠边、河岸阶地、砾质荒漠及草原化荒漠等。分布于新疆阿勒泰市、布尔津县、哈巴河县、乌鲁木齐县、呼图壁县、玛纳斯县、石河子市、额敏县、塔城市、托里县、沙湾市、乌苏市、克拉玛依区、伊宁市、奎屯市、霍城县、察布查尔锡伯自治县、昭苏县、精河县、博乐市等。

| **资源情况** | 野生资源丰富。药材来源于野生。

| **采收加工** | 同"中亚滨藜"。

| **功能主治** | 同"中亚滨藜"。

藜科 Chenopodiaceae 滨藜属 Atriplex

疣苞滨藜
Atriplex verrucifera Marsch. von Bieb.

| **药 材 名** | 软蒺藜（药用部位：果实）。

| **形态特征** | 半灌木。高 20 ~ 50 cm。木质茎矮，灰褐色，通常发出数个当年生枝；枝直立，通常不再分枝，具密粉，淡灰色，有条棱，无色条。叶具短柄，对生，仅花序下的数叶互生；叶片菱状卵形、椭圆形至卵状披针形，长 3 ~ 5 cm，宽 0.8 ~ 2.5 cm，先端钝或急尖，基部渐狭，全缘，两面有密粉，银灰色或灰绿色。花集生成顶生有间断的穗状圆锥花序；雄花花被裂片 5，雄蕊 5，不育子房柱状；雌花的苞片果时近球形，边缘近完全合生，肉质，表面具明显的疣状突起及泡状毛。胞果黄棕色或棕色；种子直立，扁圆形。花期 6 ~ 8 月，果期 8 ~ 9 月。

| **生境分布** | 生于海拔 440 ~ 700 m 的平原盐碱荒地、洪积扇冲沟、丘间沙地、

固定沙丘及芨芨草群落中。分布于新疆布尔津县、哈巴河县、额敏县、塔城市、裕民县、托里县、伊宁县、察布查尔锡伯自治县等。

| **资源情况** | 野生资源丰富。药材来源于野生。

| **功能主治** | 同"中亚滨藜"。

藜科 Chenopodiaceae 轴藜属 Axyris

平卧轴藜 Axyris prostrata L.

| **药 材 名** | 轴藜（药用部位：幼嫩全草）。

| **形态特征** | 一年生矮小草本。株高 2 ~ 8 cm。小枝平卧或稍上升，幼时密被星
状毛，后期毛稀少。叶柄长 0.5 ~ 1 cm；叶片宽矩圆形或卵圆形，
长 0.5 ~ 1 cm，先端圆形，具小尖头，基部近圆形或宽楔形，全缘，
背腹两面均被稀疏星状毛。花密被星状毛；雄花成头状花序，花被
片 3（~ 5），膜质；雌花花被片 3，膜质。果实灰黑色，倒卵形或
近圆形，侧扁，两侧面具同心圆状皱纹，先端附属物 2，小，乳头
状或不明显。花期 8 ~ 9 月，果期 9 月。

| **生境分布** | 生于山地河谷阶地及河漫滩砾石地。分布于新疆和静县等。

| **资源情况** | 野生资源丰富。药材来源于野生。

| **功能主治** | 祛风止痒。用于皮肤瘙痒。

藜科 Chenopodiaceae 樟味藜属 Camphorosma

樟味藜 *Camphorosma monspeliaca* L.

| 药 材 名 | 樟味藜（药用部位：幼嫩全草）。

| 形态特征 | 半灌木。营养枝和花枝均密被卷曲的白色茸毛和混生少数柔毛，后期毛部分脱落；老枝黑褐色或褐色，一年生营养枝灰绿色，较短，长 2 ~ 8（~ 12）cm，铺散或上升；花枝较长，长 10 ~ 30（~ 50）cm，直立或上升，通常不分枝。叶互生，钻形，长 3 ~ 10 mm，腋间成束的叶簇与叶片几等长，密被柔毛而呈灰绿色。花两性，单生于叶腋，在枝顶形成短而密的穗状花序；苞片窄披针形或披针形，先端钝，微反折，背部密被柔毛；花被筒状，矩圆形，扁平，被毛，长 3 ~ 3.5 mm，上部具 4 不等的长齿，两侧齿较中齿长且上部微向外弯；雄蕊 4，伸出花被外；子房卵形，花柱长，柱头 2，丝状，伸出花被外。

胞果椭圆形，果皮膜质，不与种皮连合；种子直立，黑褐色。花果期 7 ~ 9 月。

| **生境分布** | 生于沙丘、荒地、平原荒漠及干旱山坡。分布于新疆阿勒泰地区及奇台县、玛纳斯县、乌鲁木齐县、沙湾市、察布查尔锡伯自治县等。

| **资源情况** | 野生资源较丰富。药材来源于野生。

| **功能主治** | 利尿，发汗。

藜科 Chenopodiaceae 角果藜属 Ceratocarpus

角果藜 *Ceratocarpus arenarius* L.

| 药 材 名 | 角果藜（药用部位：幼嫩全草）。

| 形态特征 | 植株高 5 ~ 30 cm。叶长 0.5 ~ 3（~ 6）cm，宽 0.1 ~ 0.2（~ 0.5）cm，全缘，先端渐尖并具小尖头，基部渐狭，无柄。胞果楔形或倒卵形，先端平截或凹，基部渐狭，无柄，密被星状毛，两角的针状附属物长 0.2 ~ 0.8 cm，劲直或稍内弯；种子直立。花期 4 ~ 6 月，果期 6 ~ 10 月。

| 生境分布 | 生于海拔 540 ~ 1 100 m 的固定及半固定沙丘、沙地（含盐土沙地）、黏土质撂荒地和干旱荒地、前山丘陵、洪积扇砾质荒漠。分布于新疆吐鲁番市及富蕴县、阿勒泰市、哈巴河县、奇台县、阜康市、呼图壁县、玛纳斯县、乌鲁木齐县、石河子市、塔城市、裕民县、沙

湾市、乌苏市、奎屯市、霍城县、伊宁县、察布查尔锡伯自治县、巩留县、特克斯县、巴里坤哈萨克自治县等。

| **资源情况** | 野生资源丰富。药材来源于野生。

| **功能主治** | 用于肺癌。

藜科 Chenopodiaceae 麻叶藜属 Chenopodiastrum

杂配藜

Chenopodiastrum hybridum (L.) S. Fuentes, Uotila & Borsch

药材名

杂配藜（药用部位：带花、果全草）。

形态特征

一年生草本。高 40 ~ 120 cm。茎直立，具淡黄色或紫色条棱，基部通常不分枝或分枝极少，上部少量分枝，无粉或枝上稍有粉。叶柄长 2 ~ 7 cm；叶片宽卵形至卵状三角形，长 6 ~ 15 cm，宽 5 ~ 12 cm，无粉或稍有粉，两面均呈亮绿色，先端急尖或渐尖，基部圆形、截形或略呈心形，边缘不整齐掌状浅裂；上部叶小，叶片多呈三角状戟形，边缘有少数的裂片状锯齿或近全缘。花两性兼有雌性，数个团集于分枝上排列成疏散的圆锥花序；花被片 5，背面具纵隆脊；雄蕊 5；柱头 2。胞果双凸镜状；种子横生，较大，直径 2 ~ 3 mm，黑色，无光泽，表面有明显的深洼点或凹凸不平。花果期 7 ~ 9 月。

生境分布

生于海拔 1 400 ~ 1 700 m（少数达 2 100 ~ 2 600 m）的山地灌丛林缘、山地草甸。分布于新疆富蕴县、布尔津县、哈巴河县、乌鲁木齐县、玛纳斯县、沙湾市、尼勒克县、新源县、昭苏县、和静县、库车市等。

| **资源情况** | 野生资源丰富。药材来源于野生。

| **采收加工** | 7～9月采收，鲜用或切碎晒干。

| **功能主治** | 调经止血。用于月经不调，功能失调性子宫出血，吐血，咯血，尿血。

藜科 Chenopodiaceae 藜属 Chenopodium

尖头叶藜

Chenopodium acuminatum Willd.

| 药 材 名 | 尖头叶藜（药用部位：全草）。

| 形态特征 | 一年生草本。高 20 ~ 80 cm。茎直立，多分枝，具条棱及绿色或带
紫红色色条；枝斜升，通常较细弱。叶柄长 1 ~ 2.5 cm；茎上部叶
宽卵形或卵形，长 2 ~ 4 cm，宽 1 ~ 3 cm，先端急尖或短渐尖，有
极明显的短尖头，基部宽楔形，圆形或近截形，全缘并具半透明的
环边，上面无粉，浅绿色，下面有粉，灰白色。花两性，多朵集成
团伞花序，再于茎和枝上部排成紧密的或间断的长于叶的穗状花序
或穗状圆锥花序，花序轴（或仅在花间）具圆柱状粉粒；花被 5 深
裂，裂片宽卵形，边缘膜质，果时背部常常增厚并合成五角星形；
雄蕊 5，花丝极短，约 0.5 mm。胞果圆形或卵形，顶基扁；种子横生，

直径约 1 mm，黑色，有光泽，表面略具点纹。花期 6 ～ 7 月，果期 8 ～ 9 月。

| **生境分布** | 生于海拔 500 ～ 1 350 m 的沙丘、沙质荒漠、农田边、荒地、干山坡及荒漠草原。分布于新疆富蕴县、阿勒泰市、布尔津县、哈巴河县等。

| **资源情况** | 野生资源丰富。药材来源于野生。

| **功能主治** | 用于风寒头痛，四肢胀痛。

藜科 Chenopodiaceae 藜属 *Chenopodium*

藜 *Chenopodium album* L.

| 药 材 名 | 藜（药用部位：地上部分）。

| 形态特征 | 一年生草本。高 30 ~ 150 cm。茎直立，较粗壮，有条棱，具绿色或紫红色色条，多分枝；枝斜升或开展。叶有长叶柄；叶片变化较大，菱状卵形至宽披针形，长 3 ~ 6 cm，宽 2.5 ~ 5 cm，先端急尖或微钝，基部楔形至宽楔形，边缘常有不整齐的锯齿，上面通常无粉或嫩叶时有紫红色粉，下面多少有粉而呈灰绿色。花两性，数朵簇生，排列为腋生或顶生的穗状或圆锥花序；花被片 5，背面具纵隆脊，边缘膜质；雄蕊 5；柱头 2。胞果包于花被内，果皮与种皮紧贴；种子横生，双凸镜状，直径 1.2 ~ 1.5 mm，表面有浅沟纹，边缘钝。花果期 5 ~ 10 月。

| **生境分布** | 生于海拔 500 ～ 1 700 m（少数达 2 100 ～ 3 000 m）的农田边、水渠边、荒地、河漫滩、洪积扇冲沟、山间河谷、山地草原、山地草甸等。分布于新疆哈密市、吐鲁番市及富蕴县、哈巴河县、乌鲁木齐县、玛纳斯县、石河子市、托里县、沙湾市、精河县、霍城县、伊宁县等。 |

| **资源情况** | 野生资源丰富。药材来源于野生。 |

| **采收加工** | 夏季割取，切段，阴干或鲜用。 |

| **功能主治** | 止泻痢，止痒。用于痢疾腹泻；外用于皮肤湿毒，周身发痒。 |

藜科 Chenopodiaceae 藜属 Chenopodium

刺藜 *Chenopodium aristatum* L.

药材名

刺藜（药用部位：全草）。

形态特征

一年生草本。高 10 ～ 40 cm，后期常带紫红色。茎直立，多分枝，具色条，无毛或稍有毛。叶条形至狭披针形，长达 7 cm，宽 0.4 ～ 1 cm，全缘，先端渐尖，基部收缩成短柄，中脉明显，淡黄色。花小，极密，形成复二歧聚伞花序，生于枝顶及叶腋，最末端的分枝针刺状；花两性，几无柄；花被片 5，狭椭圆形，背面稍肥厚，边缘膜质，果时开展。胞果圆形，顶基扁，果皮与种子贴生；种子小，直径不超过 1 mm，横生，圆形，边缘平截或具棱。花期 8 ～ 9 月，果期 10 月。

生境分布

生于芨芨草滩、平原农田边、山地草原带的山谷及干旱阳坡。分布于新疆阜康市、乌鲁木齐县、精河县、温泉县、伊宁市、昭苏县等。

资源情况

野生资源丰富。药材来源于野生。

| **采收加工** | 夏、秋季采收，洗净，晒干。

| **功能主治** | 祛风止痒。用于荨麻疹，皮肤瘙痒。

藜科 Chenopodiaceae 藜属 Chenopodium

小藜

Chenopodium ficifolium Sm.

| 药 材 名 | 小藜、灰藋（药用部位：全草）。

| 形态特征 | 一年生草本。高 20 ～ 50 cm。茎直立，不分枝或上部少分枝，具条棱及绿色色条。叶片长卵形或卵状矩圆形，长 2.5 ～ 5 cm，宽 1 ～ 3.5 cm，先端钝或急尖，基部楔形，通常 3 浅裂；中裂片两边近平行，具深波状锯齿，侧裂片全缘或具浅齿。花两性，数个团集，排成穗状花序，生于叶腋或枝顶，或再形成顶生圆锥花序；花被近球形，花被片 5，裂片背部略有纵隆脊；雄蕊 5，长于花被。胞果包于花被内；种子双凸镜状，黑色，有光泽，直径约 1 mm，表面有蜂窝状洼点。花果期 5 ～ 9 月。

| 生境分布 | 生于荒地、宅旁、水边及山谷草地。分布于新疆乌鲁木齐县、沙湾市、

奎屯市、霍城县、伊宁县、焉耆回族自治县等。

| **资源情况** | 野生资源丰富。药材来源于野生。

| **采收加工** | 3～4月采收，鲜用或晒干。

| **功能主治** | 祛湿，解毒。用于疮疡肿毒，疥癣等。

藜科 Chenopodiaceae 藜属 Chenopodium

灰绿藜
Chenopodium glaucm L.

| 药 材 名 | 灰绿藜（药用部位：幼嫩全草）。

| 形态特征 | 一年生草本。高 10 ~ 40 cm，具粉。茎多分枝；枝外倾或平展，具条棱，有绿色或紫红色条纹。叶具柄；叶片矩圆状卵形至披针形，长 1 ~ 4 cm，宽 0.6 ~ 1.5（~ 2）cm，先端急尖或钝，基部渐狭，边缘具缺刻状牙齿，上面无粉，深绿色，平滑，下面有密粉而呈灰白色，或稍带紫红色。花两性兼有雌性，常数朵聚集成顶生或腋生的团伞花序，再排成间断的穗状或圆锥状花序；花被片 3 或 4，稍肥厚，基部合生；雄蕊 1 ~ 2；柱头 2。胞果先端露出花被外，果皮黄白色；种子扁球形，横生、斜生或直立，表面有细点纹。花果期 5 ~ 10 月。

| **生境分布** | 生于海拔 540 ~ 1 400 m 的农田边、水渠沟旁、平原荒地、山间谷地等。分布于新疆哈密市及乌鲁木齐县、玛纳斯县、塔城市、精河县、阿克苏市、柯坪县、疏勒县、于田县等。

| **资源情况** | 野生资源丰富，栽培资源稀少。药材来源于野生。

| **采收加工** | 春、夏季采收，除去杂质，鲜用或晒干。

| **功能主治** | 清热祛湿，解毒消肿，杀虫止痒。用于发热，咳嗽，痢疾，腹泻，腹痛，疝气，龋齿痛，湿疹，疥癣，白癜风，疮疡肿痛，毒虫咬伤。

藜科 Chenopodiaceae 藜属 Chenopodium

小白藜 *Chenopodium iljinii* Golosk.

| 药 材 名 | 小白藜（药用部位：全草）。

| 形态特征 | 一年生草本。高 10 ~ 30 cm，全株有粉。茎通常平卧或斜升，多分枝，有时自基部分枝而无主茎。叶片卵形至卵状三角形，长 0.5 ~ 1.5 cm，宽 0.4 ~ 1.2 cm。花两性，数朵簇生于枝顶及叶腋的小枝上，再排成短穗状花序；花被片 5，少 4，背面有密粉，无隆脊。胞果顶基扁；种子双凸镜状，有时为扁卵形，横生，少为斜生，表面近平滑或微有沟纹。花果期 8 ~ 10 月。

| 生境分布 | 生于海拔 2 000 ~ 4 000 m 的河谷阶地、山坡及较干旱的草地。分布于新疆天山等。

| **资源情况** | 野生资源丰富。药材来源于野生。

| **功能主治** | 清肝明目，祛风活血。

藜科 Chenopodiaceae 藜属 Chenopodium

圆头藜 *Chenopodium strictum* Roth.

| 药材名 |

圆头藜（药用部位：全草）。

| 形态特征 |

一年生草本。高 20 ~ 50 cm。茎直立，分枝；枝外倾，通常细瘦，茎枝具条棱及绿色色条。叶柄长 0.5 ~ 1.5 cm；叶片卵状矩圆形至矩圆形，通常长 1.5 ~ 3 cm，宽 8 ~ 18 cm，先端圆形或近圆形，有时有短突尖，基部宽楔形，边缘具锯齿，向先端锯齿逐渐变直至消失，上面近无粉，绿色，下面有密粉而带灰白色。花两性，数朵簇生，排列于枝上部，形成间断的穗状花序；花被片 5，背部稍有隆脊。胞果顶基扁；种子扁卵形，直径约 1 mm，黑色或黑红色，有光泽，表面略有浅沟纹，边缘具锐棱。花果期 6 ~ 9 月。

| 生境分布 |

生于平原荒地、河岸及山间谷地。分布于新疆库车市、阿克苏市等。

| 资源情况 |

野生资源较丰富。药材来源于野生。

| **功能主治** | 清热解毒，除湿杀虫。

藜科 Chenopodiaceae 虫实属 Corispermum

中亚虫实 *Corispermum heptapotamicum* Iljin

| **药 材 名** | 虫实（药用部位：全草）。

| **形态特征** | 植株高 9 ~ 40 cm。茎直径约 2.5 mm，被密毛，后期毛部分脱落。多分枝，上升或近平展。叶条形或倒披针形，先端急尖，具小尖头，基部渐狭，具 1 脉，被毛。花序顶生和侧生，通常长 4 ~ 18 cm；苞片条形至披针形或卵形，具狭膜质边缘，被毛，具 1 脉；花被片 1（~ 3），近轴花被片矩圆形，基部宽楔形，背部凸起，腹面凹入，无毛。果核倒卵形，光滑，灰绿色；喙短尖，直立；果翅窄，不透明，黄绿色，全缘或齿啮状。花果期 7 ~ 9 月。

| **生境分布** | 生于沙丘、沙地、河漫滩及沙质荒漠。分布于新疆和静县、库车市、民丰县等。

| **资源情况** | 野生资源丰富。药材来源于野生。

| **采收加工** | 夏、秋季采收，晒干。

| **功能主治** | 清湿热，利小便。用于小便不利，热淋，黄疸。

藜科 Chenopodiaceae 虫实属 *Corispermum*

倒披针叶虫实

Corispermum lehmannianum Bunge

| 药 材 名 | 虫实（药用部位：全草）。

| 形态特征 | 一年生草本。高 10 ~ 40 cm。茎直立，圆柱形，毛被部分脱落，多分枝，下部分枝长，上升，上部分枝较短，近直立。叶倒披针形或矩圆状倒披针形，长 1.5 ~ 3.5 cm，宽 3 ~ 8 mm，先端急尖或近圆形，具小尖头，基部渐狭，具 1 脉。顶生及侧生穗状花序纤细，稀疏，通常长 6 ~ 10 cm；苞片自花序基部向上逐渐由叶状过渡到披针形和卵形，比果实狭窄，长于果实，最上部几与果实长相等；花被片 1；雄蕊 1 ~ 3。果实广椭圆形，长 2 ~ 3 mm，宽 1.5 ~ 2 mm，先端圆形，基部圆楔形，背部凸起，中央压扁，腹部扁平，无毛，光滑，黄绿色；果核倒卵形；果喙粗短，三角状，喙尖直立；果翅明显，不透明，

边缘具不规则细齿。花果期 5 ~ 7 月。

| 生境分布 | 生于海拔 560 ~ 900 m 的半固定沙丘、沙地、干河床及沙质荒漠。分布于新疆阿勒泰市、乌鲁木齐县、玛纳斯县、沙湾市、乌苏市、霍城县、尉犁县、库车市、阿克苏市等。

| 资源情况 | 野生资源丰富。药材来源于野生。

| 采收加工 | 夏、秋季采收，晒干。

| 功能主治 | 清湿热，利小便。用于小便不利，热淋，黄疸。

藜科 Chenopodiaceae 腺毛藜属 Dysphania

香藜

Dysphania botrys (L.) Mosyakin & Clemants

| **药 材 名** | 香藜（药用部位：全草）。

| **形态特征** | 一年生草本。高 20 ～ 50 cm，黄绿色，全株有乳头状腺毛和强烈气味。茎直立，自基部多分枝，圆柱形或具棱，常有色条。叶互生，具长叶柄，叶片矩圆形，长 2 ～ 4 cm，宽 1 ～ 2 cm，羽状深裂；裂片钝，通常具钝齿；花序上部的叶较小，披针形，分裂不明显或全缘。花两性，复二歧聚伞花序生于枝条上部叶腋，再集成尖塔形圆锥花序；花被片 5，少为 4，矩圆形，背面有密腺毛，无纵隆脊，边缘膜质，果时直立；雄蕊 1 ～ 3；柱头 2。胞果扁球形，果皮膜质；种子横生，黑色，有光泽，直径小于 1 mm。花期 7 ～ 8 月，果期 8 ～ 9 月。

| **生境分布** | 生于海拔 400 ～ 1 900 m 的农田边、水渠旁、撂荒地、河岸、山间谷地、

沙质坡地、干旱山坡、砾质荒漠及荒漠草原。分布于新疆阿勒泰市、布尔津县、奇台县、阜康市、玛纳斯县、米东区、乌鲁木齐县、塔城市、裕民县、托里县、沙湾市、奎屯市、伊宁县、霍城县、精河县、托克逊县、和静县、疏勒县及石河子市等。

| **资源情况** | 野生资源丰富。药材来源于野生。

| **采收加工** | 秋季采收，阴干。

| **功能主治** | 杀虫。

藜科 Chenopodiaceae 腺毛藜属 *Dysphania*

菊叶香藜 *Dysphania schraderiana* (Roem. & Schult.) Mosyakin & Clemants

药材名

菊叶香藜（药用部位：全草）。

形态特征

一年生草本。高 20 ~ 60 cm，有强烈气味，全体有具节的疏生短柔毛。茎直立，具绿色色条，通常分枝。叶片矩圆形，长 2 ~ 6 cm，宽 1.5 ~ 3.5 cm，边缘羽状浅裂至羽状深裂，先端钝或渐尖，有时具短尖头，基部渐狭，上面无毛或幼嫩时稍有毛，下面有具节的短柔毛并兼有黄色无柄的颗粒状腺体，很少近无毛；叶柄长 2 ~ 10 mm。复二歧聚伞花序腋生；花两性；花被直径 1 ~ 1.5 mm，5 深裂；裂片卵形至狭卵形，有狭膜质边缘，背面通常有具刺状突起的纵隆脊并有短柔毛和颗粒状腺体，果时开展；雄蕊 5，花丝扁平，花药近球形。胞果扁球形，果皮膜质；种子横生，周边钝，直径 0.5 ~ 0.8 mm，红褐色或黑色，有光泽，具细网纹，胚半环形，围绕胚乳。花期 7 ~ 9 月，果期 9 ~ 10 月。

生境分布

生于林缘草地、沟岸、河沿、人家附近等。分布于新疆民丰县等。

| **资源情况** | 野生资源丰富。药材来源于野生。

| **功能主治** | 用于喘息，炎症，痉挛，偏头痛等。

藜科 Chenopodiaceae 雾冰藜属 *Grubovia*

雾冰藜
Grubovia dasyphylla (Fisch. & C. A. Mey.) Freitag & G. Kadereit

| 药 材 名 | 雾冰藜（药用部位：幼嫩全草）。

| 形态特征 | 植株高 3 ~ 30（~ 50）cm，外形近球形，密被水平伸展的长柔毛，灰黄色或灰绿色。茎直立，分枝极密，开展，展开角度常大于 45°或更大，有的几成直角。叶互生，无柄，因密被长柔毛而呈灰绿色或灰黄色，长 3 ~ 15 mm，宽 1 ~ 1.5 mm，先端钝，基部渐狭。花两性，单生或 2 花簇生于叶腋，但通常仅 1 花发育；花被筒状，5裂齿不内弯，密被长柔毛，果时背面中部生 5 钻状附属物，三棱状，平直，坚硬，形成五角星状，密被长柔毛；雄蕊 5，伸出花被；子房卵形，花柱短，柱头 2（~ 3）。胞果卵形；种子横生，近圆形，光滑。花期 7 ~ 9 月，果期 9 ~ 10 月。

| **生境分布** | 生于海拔 600 ～ 1 950（～ 2 300）m 的半固定沙丘、固定沙丘、丘间凹地、沙地、摞荒地、河漫滩、湖边盐生荒漠、洪积扇砾质荒漠及干旱山坡。分布于新疆布尔津县、哈巴河县、奇台县、呼图壁县、塔城市、焉耆回族自治县、博湖县、库尔勒市、轮台县、库车市、阿克苏市、柯坪县、喀什市、叶城县、于田县、策勒县等。

| **资源情况** | 野生资源丰富。药材来源于野生。

| **功能主治** | 清热祛湿。用于脂溢性皮炎。

藜科 Chenopodiaceae 盐生草属 Halogeton

白茎盐生草 *Halogeton arachnoideus* Moq.

| 药 材 名 | 盐穗木（药用部位：全草）。

| 形态特征 | 一年生草本。高 10 ～ 40 cm。茎直立，自基部分枝；枝互生，灰白色，幼时生蛛丝状毛（后期毛脱落）。叶肉质，圆柱形，长 3 ～ 10 mm，宽 1.5 ～ 2 mm，先端钝，有时有小短尖。花通常 2 ～ 3 聚生于叶腋；花被片膜质，背面有 1 粗壮脉，果时背面近先端生翅；翅半圆形，近等大，膜质，透明，具多数脉；雄蕊 5，花药先端无附属物；柱头 2。种子横生。花果期 7 ～ 8 月。

| 生境分布 | 生于海拔 400 ～ 1 700 m 的沙丘、沙地、荒地、砾质荒漠、河滩及河谷阶地等。分布于新疆阿勒泰地区（阿勒泰市、布尔津县、和布克赛尔蒙古自治县）、伊犁哈萨克自治州、哈密市、巴音郭楞蒙古

自治州（焉耆回族自治县、博湖县、库尔勒市、尉犁县、轮台县）、阿克苏地区（库车市、沙雅县、拜城县、阿克苏市）、和田地区（和田市）、喀什地区等。

| **资源情况** | 野生资源丰富。药材来源于野生。

| **采收加工** | 夏季采收，洗净，晒干或鲜用。

| **功能主治** | 清热祛湿，杀虫。

藜科 Chenopodiaceae 盐生草属 Halogeton

盐生草 *Halogeton glomeratus* (M. Bieb.) C. A. Mey.

| **药 材 名** | 盐生草（药用部位：全草）。

| **形态特征** | 一年生草本。高 5 ～ 30 cm。茎直立，自基部多分枝；枝互生，基部的枝近对生，灰绿色或淡黄绿色，光滑，无毛，无乳头状小突起。叶互生，圆柱形，长通常 4 ～ 12 mm，宽约 1.5 ～ 2 mm，先端钝，具长刺毛（有时毛脱落）。花腋生，通常 4 ～ 6 聚集成团伞花序，遍布全株；花被片膜质，背面有 1 粗脉，果时自背面近顶部生翅；翅半圆形，膜质，几等大，具多数明显的脉，有时翅不发育而花被增厚成革质；雄蕊通常 2。种子圆形，直立。花果期 7 ～ 9 月。

| **生境分布** | 生于海拔 700 ～ 1 000 m（在昆仑山可高达 2 300 m）的洪积扇及平原砾质荒漠。分布于新疆吐鲁番市及乌鲁木齐县、呼图壁县、和布

克赛尔蒙古自治县、精河县、和硕县、和静县、库尔勒市、若羌县、拜城县、阿克苏市、阿图什市、莎车县、策勒县、和田县等。

| **资源情况** | 野生资源丰富。药材来源于野生。

| **采收加工** | 夏季采收，除去杂质，晒干。

| **功能主治** | 清热祛湿，杀虫。

藜科 Chenopodiaceae 盐穗木属 *Halostachys*

盐穗木
Halostachys caspica (M. Bieb.) C. A. Mey.

| 药 材 名 | 盐穗木（药用部位：全草）。

| 形态特征 | 灌木。高 50 ~ 200 cm。茎直立，多分枝；一年生小枝蓝绿色，肉质多汁，圆柱状，有关节，密生小突起。叶鳞片状，对生，先端尖，基部连合，老枝上通常无叶。花序穗状，圆柱形，具有关节的花序梗，交互对生，长 1.5 ~ 3 cm，直径 2 ~ 3 mm。胞果卵形，果皮膜质；种子卵形或矩圆状卵形，红褐色。花果期 7 ~ 9 月。

| 生境分布 | 生于海拔 480 ~ 1 500 m 的冲积洪积扇扇缘地带、河流冲积平原及盐湖边的强盐渍化土、结皮盐土、龟裂盐土等。分布于新疆阿勒泰市、布尔津县、玛纳斯县、新源县、托克逊县、和硕县、焉耆回族自治县、

库尔勒市、若羌县、且末县、拜城县、阿克苏市、英吉沙县、莎车县、民丰县等。

| **资源情况** | 野生资源丰富。药材来源于野生。

| **采收加工** | 夏季采收，除去杂质，晒干。

| **功能主治** | 清热祛湿，杀虫。

藜科 Chenopodiaceae 梭梭属 Haloxylon

梭梭
Haloxylon ammodendron (C. A. Mey.) Bunge

| 药 材 名 |　梭梭（药用部位：全草）。

| 形态特征 |　小乔木。高 1 ～ 9 m，树冠通常近半球形。木材坚而脆；老枝淡黄褐色或灰褐色，通常具环状裂隙；幼枝通常较白梭梭稍粗，直径约 1.5 mm，往往斜升，具关节，节间长 4 ～ 12 mm，干后通常有皱纹或小点。叶退化为鳞片状，宽三角形，稍开展，基部连合，边缘膜质，先端钝或尖（但无芒尖），腋间具绵毛。花单生于叶腋，排列于当年生短枝上；小苞片舟状，宽卵形；花被片 5，矩圆形，背部生翅状附属物，在翅以上部分稍向内曲并围抱果实；翅膜质，褐色至淡黄褐色，肾形至近圆形，基部心形至楔形，通常平展，少数斜伸。胞果黄褐色；种子黑色，胚陀螺状。花期 6 ～ 8 月，果期 8 ～ 10 月。

| 生境分布 | 生于海拔 450 ～ 1 500 m 的广大山麓洪积扇和淤积平原、固定沙丘、沙地、砂砾质荒漠、砾质荒漠、轻度盐碱土荒漠。分布于新疆克拉玛依市、哈密市及青河县、富蕴县、福海县、布尔津县、吉木乃县、奇台县、阜康市、昌吉市、呼图壁县、玛纳斯县、乌鲁木齐县、和布克赛尔蒙古自治县、裕民县、沙湾市、托里县、乌苏市、奎屯市、霍城县、伊宁县、精河县、鄯善县、托克逊县、焉耆回族自治县、库尔勒市、若羌县、轮台县、库车市、拜城县、阿克苏市等。 |

| 资源情况 | 野生资源丰富。药材来源于野生和栽培。 |

| 采收加工 | 秋季或冬季初期采收。 |

| 功能主治 | 清肺化痰，降血脂，降血压，杀菌。 |

藜科 Chenopodiaceae 梭梭属 Haloxylon

白梭梭 *Haloxylon persicum* Bunge ex Boiss. & Buhse

| 药 材 名 | 梭梭（药用部位：全草）。

| 形态特征 | 小乔木。高 1 ~ 7 m。树皮灰白色，木材坚而脆；老枝淡黄褐色，少数灰褐色，常具环状裂隙；当年生枝淡绿色，具节，节间长 0.5 ~ 1.5 cm，纤细，直径 1 ~ 1.5 mm，通常弯垂。叶对生，退化成鳞片状，呈三角形，基部合生，边缘膜质，先端具芒尖，贴伏于枝。花单生于当年生枝条的短枝上；花被片倒卵形，果时背面具翅；翅扇形或近圆形，宽 4 ~ 7 mm，淡黄色，翅脉不明显；花盘不显著。胞果淡黄褐色；种子直立，胚螺旋成上面平下面凸的陀螺状。花期 5 ~ 7 月，果期 8 ~ 10 月。

| 生境分布 | 生于固定沙丘、半固定沙丘、流动沙丘及丘间厚层沙地。分布于新

疆富蕴县、福海县、布尔津县、哈巴河县、奇台县、阜康市、玛纳斯县、沙湾市、奎屯市、精河县等。

| **资源情况** | 野生资源丰富。药材来源于野生和栽培。

| **采收加工** | 秋季或冬季初期采收。

| **功能主治** | 清肺化痰，降血脂，降血压，杀菌。

藜科 Chenopodiaceae 盐爪爪属 Kalidium

里海盐爪爪 *Kalidium caspicum* (L.) Ung.-Sternb.

| 药 材 名 | 盐爪爪（药用部位：幼嫩全株）。

| 形态特征 | 小灌木。高 20～70 cm。茎近直立，通常自中部分枝。枝灰白色，有纵裂纹，通常在小枝的顶部生出花序。叶不发育，瘤状，长约 1 mm，先端钝，基部凸出，下延，与枝贴生，小枝上的叶片呈鞘状，抱茎，上、下两叶片彼此相接。花序为圆柱形的穗状花序，长 0.5～2.5 cm，直径 1.5～3 mm，每 3 花生于 1 苞片内；花被上部扁平，呈盾状，先端有 4 小齿。种子卵形或圆形，直径 1.2～1.5 mm，红褐色，有乳头状小突起。花果期 7～9 月。

| 生境分布 | 生于低洼盐碱滩地及盐湖边。分布于新疆乌鲁木齐市、伊犁哈萨克自治州及奇台县、玛纳斯县、新源县、和布克赛尔蒙古自治县等。

| **资源情况** | 野生资源较丰富。药材来源于野生。

| **采收加工** | 春、夏季采收，洗净，鲜用或晒干。

| **功能主治** | 清热祛湿，杀虫。

藜科 Chenopodiaceae 盐爪爪属 Kalidium

盐爪爪
Kalidium foliatum (Pall.) Moq.

| 药 材 名 | 盐爪爪（药用部位：幼嫩全株）。

| 形态特征 | 小灌木。高 20 ~ 50 cm。茎直立或平卧，多分枝。枝灰褐色，小枝上部近草质，黄绿色。叶片圆柱状，伸展或稍弯，灰绿色，长 4 ~ 10 mm，宽 2 ~ 3 mm，先端钝，基部下延，半抱茎。花序穗状，无梗，长 8 ~ 15 mm，直径 3 ~ 4 mm，每 3 花生于 1 鳞状苞片内；花被合生，上部扁平，呈盾状，盾片宽五角形，周围有狭窄的翅状边缘；雄蕊 2。种子直立，近圆形，直径约 1 mm，密生乳头状小突起。花果期 7 ~ 9 月。

| 生境分布 | 生于盐碱滩地、盐湖边。分布于新疆吐鲁番市、伊犁哈萨克自治州及清河县、精河县、博乐市、焉耆回族自治县、库尔勒市、轮台县、

尉犁县、阿克苏市等。

| **资源情况** | 野生资源较少。药材来源于野生。

| **采收加工** | 春、夏季采收，洗净，鲜用或晒干。

| **功能主治** | 清热祛湿，杀虫。

藜科 Chenopodiaceae 盐爪爪属 Kalidium

圆叶盐爪爪

Kalidium schrenkianum Bunge ex Ung.-Sternb.

| 药 材 名 | 盐爪爪（药用部位：幼嫩全株）。

| 形态特征 | 小灌木。高 10 ~ 25 cm。茎自基部分枝。枝外倾，灰褐色，有纵裂纹，小枝纤细，密集，带白色，易折断。叶片不发育，瘤状，先端圆钝，基部半抱茎，下延，小枝上的叶片基部狭窄，倒圆锥状。花序穗状，圆柱形，卵形或近球形，长 3 ~ 8 mm，直径 1.5 ~ 3 mm，每 3 花生于 1 苞片内；花被上部扁平，呈盾状，盾片五角形。种子近卵形，直径 0.7 ~ 1 mm；种皮红褐色，密生乳头状小突起。花果期 6 ~ 8 月。

| 生境分布 | 生于海拔 1 500 ~ 2 400 m 的山前倾斜平原上部、山涧盆地、盐碱地、盐湖、干旱山地及洪积扇砾石荒漠和砂砾石荒漠边。分布于新疆乌鲁木齐市及玛纳斯县、和硕县、焉耆回族自治县、阿克苏市、喀什

市等。

| **资源情况** | 野生资源较丰富。药材来源于野生。

| **采收加工** | 春、夏季采收，洗净，鲜用或晒干。

| **功能主治** | 清热祛湿，杀虫。

藜科 Chenopodiaceae 地肤属 *Kochia*

木地肤
Kochia prostrata (L.) Schrad.

| 药 材 名 | 地肤子（药用部位：种子）。

| 形态特征 | 半灌木。高 20 ～ 60（～ 80）cm。根粗壮。基部的木质茎灰褐色或带黑褐色，高不超过 10 cm，通常多分枝；当年生枝通常稠密，少数稀疏，分枝或不分枝，淡黄褐色或淡红色，无色条，有密柔毛、近无毛或上部无毛。叶互生，又常数片聚集于腋生短枝而呈簇生状，长 8 ～ 20 mm，宽 1 ～ 1.5 mm；叶片条形，全缘，无柄，两面有稀疏绢毛。花两性兼有雌性，通常 2 ～ 3 集生于叶腋，排列在当年生枝条的上部形成穗状花序；花被有密绢毛，花被片卵形或矩圆形，先端钝，内弯，果时变革质，背部具翅；翅膜质，具紫红色或黑褐色脉，边缘具不整齐的圆锯齿或为啮蚀状；花丝丝状，稍伸出花被

外；柱头 2，丝状。胞果扁球形；种子横生，近球形，黑褐色，直径 1.5 mm 左右。花期 7 ~ 8 月，果期 9 月。

| **生境分布** | 生于海拔 430 ~ 1 680 m（少数 900 ~ 2 700 m）的平原荒漠、洪积扇砾质荒漠、干旱山坡、荒漠草原、山地砾质山坡、前山丘陵。分布于新疆乌鲁木齐市及富蕴县、阿勒泰市、布尔津县、哈巴河县、额敏县、塔城市、裕民县、托里县、沙湾市、精河县、霍城县、伊宁县、新源县、巩留县、特克斯县、昭苏县、温宿县、阿克苏市等。

| **资源情况** | 野生资源丰富，栽培资源较少。药材来源于野生。

| **采收加工** | 秋季种子成熟时割取全草，晒干，打下种子，除净枝、叶等杂质。

| **功能主治** | 利小便，清湿热。用于小便不利，淋证，带下，疝气，风疹，疮毒，疥癣，阴部湿痒。

地肤 *Kochia scoparia* (L.) Schrad.

| 药 材 名 |

地肤子（药用部位：种子）。

| 形态特征 |

一年生草本。高 50 ~ 100 cm，近无毛。茎直立，淡黄绿色或带紫红色，有条棱，有稀疏短柔毛或无毛；分枝稀疏或稍密，斜升。叶扁平，针形或条状披针形，长 2 ~ 5 cm，宽 3 ~ 10 mm，通常两面有短柔毛，少数无毛，边缘常有疏生的锈色绢状缘毛。花两性或雌性，通常 1 ~ 3 生于上部叶腋，花下面有时有锈色长柔毛；花被近球形，淡绿色，无毛或先端稍有毛；翅三角形至倒卵形，或近扇形，膜质，边缘微波状或具缺刻；花柱极短，柱头 2，丝状。胞果扁球形；种子卵形，黑褐色。花期 6 ~ 9 月，果期 7 ~ 10 月。

| 生境分布 |

生于海拔 500 ~ 1 800 m 的农田边、渠边、荒地、冲积扇、林下及山地河谷。分布于新疆乌鲁木齐市、哈密市及奇台县、沙湾市、乌苏市、精河县、霍城县、伊宁县、察布查尔锡伯自治县、新源县、昭苏县、鄯善县、焉耆回族自治县、且末县、轮台县等。

| **资源情况** | 野生资源丰富，栽培资源丰富。药材来源于野生和栽培。

| **采收加工** | 秋季种子成熟时割取全草，晒干，打下种子，除净枝、叶等杂质。

| **功能主治** | 利小便，清湿热。用于小便不利，淋证，带下，疝气，风疹，疮毒，疥癣，阴部湿痒。

藜科 Chenopodiaceae 驼绒藜属 *Krascheninnikovia*

垫状驼绒藜 *Krascheninnikovia compacta* (Losinsk.) Grubov

| 药 材 名 | 优若藜（药用部位：花序）。

| 形态特征 | 矮小灌木。垫状，高10～25 cm。分枝短而密集。叶稠密，密被星状毛，叶片窄椭圆形或窄矩圆状倒卵形，长约1 cm，宽约3 mm；叶柄舟状，下部宿存。雄花花序短而密集，头状；雌花管上端具2宽大的兔耳状裂片；裂片几与管等长或较管稍长，平展，果时管外密被短毛。果实被毛。花果期6～8月。

| 生境分布 | 生于海拔3 500～5 000 m的高原地带的山间谷地、砾石山坡。分布于新疆若羌县、叶城县等。

| 资源情况 | 野生资源丰富，栽培资源较少。药材来源于野生。

| **采收加工** | 6 ~ 7 月采收，晾干。

| **功能主治** | 清肺化痰，止咳。用于气管炎，肺结核。

藜科 Chenopodiaceae 小蓬属 Nanophyton

小蓬
Nanophyton erinaceum (Pall.) Bunge

| 药 材 名 | 小蓬（药用部位：幼嫩全草）。

| 形态特征 | 植株高不超过 30 cm。茎粗糙，弯拐，扭曲，灰褐色至黑褐色；老枝繁密，具多数侧生的干枯短枝，当年生枝绿色，通常长 5 ~ 10 mm。叶长 1.5 ~ 5 mm，先端多少呈钻状，锐尖，背面有乳头状突起，基部半抱茎，腋内具绵毛。花单生于叶腋，通常 1 ~ 4（~ 7）集生于每当年生枝的先端；小苞片与苞片近同形，下部具膜质边缘；花被片排列成 2 轮，外轮 2 花被片，内轮 3 花被片，果时长 8 ~ 12 mm，麦秆黄色，互相包覆成扭曲的圆锥体，花药附属物稍带白色；花盘杯状，有 5 稍肥厚的半圆形裂片；花柱淡黄色，长约 1.25 mm，柱头 2，条形，外弯或直立，稍短于花柱。胞果卵形，长 2 ~ 2.25 mm，黄褐

色；种子直立；胚平面螺旋形，黄绿色。花果期 7 ～ 9 月。

| 生境分布 | 生于海拔 450 ～ 1 500 m 的山麓洪积扇、砾质荒漠、荒漠草原、戈壁、石质山坡及干燥的灰钙土地区。分布于新疆乌鲁木齐市、克拉玛依市、哈密市、昌吉回族自治州（阜康市、奇台县、玛纳斯县）、博尔塔拉蒙古自治州（温泉县）、伊犁哈萨克自治州（伊宁市、霍城县）、塔城地区（沙湾市、托里县、和布克赛尔蒙古自治县）、阿勒泰地区（布尔津县、富蕴县、哈巴河县、青河县、吉木乃县）等。

| 资源情况 | 野生资源较丰富。药材来源于野生。

| 采收加工 | 春、夏季采收，洗净，鲜用或晒干。

| 功能主治 | 清热杀虫。用于淋病，梅毒，淋巴结结核。

藜科 Chenopodiaceae 猪毛菜属 Salsola

白枝猪毛菜 *Salsola arbusculiformis* Drob.

| 药 材 名 | 猪毛菜（药用部位：幼嫩全草）。

| 形态特征 | 小灌木。高 40 ~ 100 cm。多分枝，老枝灰褐色或黑褐色，开裂；小枝乳白色，稍有光泽。叶互生，老枝上的叶簇生于短枝的先端，半圆柱形，长 1 ~ 1.5 cm，宽 1 ~ 1.5 mm，稍肥厚，灰绿色，先端钝，基部微扩展，不下延，在扩展处的上部缢缩成柄状，叶片自缢缩处脱落，基部残存。花序穗状；苞片基部不下延；小苞片近圆形，先端圆钝，边缘膜质；花被片长卵形，无毛，先端钝，背面黄绿色，边缘膜质，果时自背面中下部生翅，3 翅呈肾形，膜质，黄褐色或淡紫褐色，有多数细而密集的脉，2 翅较小，花被连同翅果时直径 8 ~ 14 mm；花被片在翅以上部分向中央聚集成圆锥体；花

药附属物先端钝；柱头钻状，与花柱近等长。种子横生。花期 6 ～ 8 月，果期 9 ～ 10 月。

| 生境分布 | 生于低山阳坡及砾石荒漠。分布于新疆温泉县等。

| 资源情况 | 野生资源稀少。药材来源于野生。

| 采收加工 | 春、夏季采收，洗净，鲜用或晒干。

| 功能主治 | 清热祛湿，杀虫。

| 附　　注 | 本种与松叶猪毛菜 *salsola laricifolia* (Litv. ex Drobow) Akhani 的区别在于松叶猪毛菜小苞片先端肉质，急尖，花药附属物先端急尖。

藜科 Chenopodiaceae 猪毛菜属 *Salsola*

猪毛菜 *Salsola collina* Pall.

| **药 材 名** | 猪毛菜（药用部位：幼嫩全草）。

| **形态特征** | 一年生草本。高 20 ～ 100 cm。茎自基部分枝。枝互生，伸展，茎、枝绿色，有白色或紫红色条纹，生短硬毛或近无毛。叶片丝状圆柱形，伸展或微弯曲，长 2 ～ 5 cm，宽 0.5 ～ 1.5 mm，生短硬毛，先端有刺状尖，基部边缘膜质，稍扩展而下延。花序穗状，生于枝条上部；苞片卵形，顶部延伸，有刺状尖，边缘膜质，背部有白色隆脊；小苞片狭披针形，先端有刺状尖，苞片及小苞片与花序轴紧贴；花被片卵状披针形，膜质，先端尖，果时变硬，自背面中上部生鸡冠状突起；花被片在突起以上部分近革质，先端为膜质，向中央折曲成平面，紧贴果实，有时在中央聚集成小圆锥体；花药长 1 ～ 1.5 mm；

柱头丝状，长为花柱的 1.5 ~ 2 倍。种子横生或斜生。花果期 7 ~ 10 月。

| **生境分布** | 生于海拔 400 ~ 2 100 m 的农田边、沙地、砾质荒漠。分布于新疆乌鲁木齐市、吐鲁番市、哈密市、昌吉回族自治州（阜康市、木垒哈萨克自治县、玛纳斯县）、克孜勒苏柯尔克孜自治州（乌恰县）、博尔塔拉蒙古自治州（精河县、温泉县）、巴音郭楞蒙古自治州（若羌县、和静县、和硕县）、喀什地区（叶城县）、和田地区（皮山县）、伊犁哈萨克自治州（奎屯市、霍城县、新源县、特克斯县）、塔城地区（裕民县、和布克赛尔蒙古自治县）、阿勒泰地区（富蕴县、哈巴河县、青河县、吉木乃县）及石河子市等。

| **资源情况** | 野生资源丰富。药材来源于野生。

| **采收加工** | 夏、秋季开花时采收，晒干，除去泥沙，打成捆。

| **功能主治** | 平肝潜阳，润肠通便。用于高血压，头痛，眩晕，失眠。

| **用法用量** | 内服煎汤，15 ~ 30 g；或开水泡后代茶饮。

藜科 Chenopodiaceae 猪毛菜属 Salsola

费尔干猪毛菜 *Salsola ferganica* Drob.

| 药 材 名 |　猪毛菜（药用部位：幼嫩全草）。

| 形态特征 |　一年生草本。高 10 ~ 20（~ 30）cm。茎自基部分枝。枝多而密，灰黄色或灰绿色。植株往往呈球形，茎、枝密生短柔毛，并混生卷曲的脱落性长毛。叶互生，近肉质，半圆柱形，灰绿色，长 1 ~ 1.5 cm，宽 1 ~ 2 mm，先端钝，基部沿茎下延，密生短柔毛并混生卷曲的长毛，长毛有时脱落。花生于叶腋；花序穗状；苞片长卵形；小苞片卵形，都密生短柔毛；花被片披针形，生短柔毛，果时自背部的中下部生翅，翅膜质，紫红色或深褐色，有细密的脉纹，3 翅较大，半圆形或肾形，2 翅狭窄，翅以上的花被片披针形，生短柔毛，向中央聚集成直立的矮圆锥体；花药的泡状附属物极小，长为花药的 1/10 ~ 1/8；

柱头长为花柱的 3 ~ 4 倍。果翅直径 10 ~ 15 mm；种子横生。花期7 ~ 8 月，果期 8 ~ 10 月。

| 生境分布 | 生于海拔 500 m 左右的盐碱撂荒地、盐生荒漠、沙质荒漠。分布于新疆乌鲁木齐市、呼图壁县、沙湾市、乌苏市、奎屯市、精河县、博乐市等。

| 资源情况 | 野生资源一般。药材来源于野生。

| 采收加工 | 春、夏季采收，洗净，鲜用或晒干。

| 功能主治 | 清热祛湿，杀虫。

藜科 Chenopodiaceae 猪毛菜属 Salsola

钝叶猪毛菜 *Salsola heptapotamica* Iljin

| 药 材 名 |

猪毛菜（药用部位：幼嫩全草）。

| 形态特征 |

一年生草本。高 15 ~ 40 cm。茎直立，枝斜伸，茎、枝下部有后期脱落的卷曲长毛，上部生稀疏短柔毛或近无毛。叶肉质，半圆柱形，长 1 ~ 1.5 cm，宽 1 ~ 2 mm，先端钝圆，基部扩展，边缘近膜质，稍下延，下部的叶密生脱落性的卷曲长毛，上部的叶无毛。花小，在枝条上部稀疏排列，形成穗状花序；苞片长卵形，与小苞片等长或稍长；小苞片宽披针形，先端急尖，背面有一凸起的脉；花被片披针形，膜质，无毛，果时自背面中下部生翅，翅膜质，黄褐色、淡红色或紫红色，有细密的脉纹，3 翅较大，半圆形，2 翅甚窄，在翅以上部分的花被片先端尖，无毛，上部近膜质，聚集成直立的圆锥体；花药先端有卵圆形泡状的附属物；花柱短，柱头丝状，长为花柱的 2 ~ 3 倍。种子横生。花期 7 ~ 8 月，果期 8 ~ 10 月。

| 生境分布 |

生于平原盐土荒漠及盐化沙地、盐湖边。分布于布尔津县、呼图壁县、玛纳斯县、沙湾市、博乐市、察布查尔锡伯自治县等。

| **资源情况** |　野生资源一般。药材来源于野生。

| **采收加工** |　春、夏季采收，洗净，鲜用或晒干。

| **功能主治** |　清热祛湿，杀虫。

藜科 Chenopodiaceae **猪毛菜属** *Salsola*

天山猪毛菜 *Salsola junatovii* Botsch.

| 药 材 名 | 猪毛菜（药用部位：幼嫩全株）。

| 形态特征 | 半灌木。高 20 ~ 50 cm。多分枝，老枝木质，灰褐色，有纵裂纹；小枝草质，下部乳白色，上部绿色，平滑或密生小突起。叶互生，叶片半圆柱状，长 1 ~ 2.5 cm，宽 1.5 ~ 2.5 mm，平滑或有小突起，微内弯，先端钝或有小尖，稍膨大，基部扩展，微下延，扩展处的上部缢缩成柄状，叶片自缢缩处脱落。花序穗状，再由数个穗状花序形成圆锥状花序；苞片叶状；小苞片宽三角形，背面肉质，稍隆起，边缘膜质，先端尖；花被片长卵形，先端钝，果时变硬，自背面中下部生翅，3 翅较大，半圆形，膜质，棕褐色，具多数细而明显的脉，2 翅较小，矩圆形，花被连同翅果时直径 8 ~ 9 mm；花被片在翅以

上部分聚集成钝的圆锥体；花药附属物先端钝；柱头钻状，扁平，长为花柱的 2 ～ 3 倍，花柱稍粗壮。种子横生。花期 8 ～ 9 月，果期 9 ～ 10 月。

| **生境分布** | 生于海拔 1 700 ～ 2 200 m 的砾石洪积扇、山间盆地及干旱山坡。分布于新疆克拉玛依市及和硕县、温宿县、库车市、拜城县、柯坪县、阿图什市、乌恰县等。

| **资源情况** | 野生资源一般。药材来源于野生。

| **采收加工** | 春、夏季采收，洗净，鲜用或晒干。

| **功能主治** | 平肝潜阳，润肠通便。用于高血压，头痛，牙痛，眩晕，肠燥便秘等。

| **用法用量** | 内服适量，榨汁或煲汤。

松叶猪毛菜 *Salsola laricifolia* Turcz. ex Litv.

| 药 材 名 | 猪毛菜（药用部位：幼嫩全株）。

| 形态特征 | 小灌木。高 40 ~ 90 cm。多分枝，老枝黑褐色或棕褐色，有浅裂纹；小枝乳白色，4 小枝无毛，有时具小突起。叶互生，老枝上的叶簇生于短枝的先端；叶片半圆柱状，长 1 ~ 2 cm，宽 1 ~ 2 mm，肥厚，黄绿色，先端钝或尖，基部扩展而稍隆起，不下延，扩展，扩展处的上部缢缩成柄状，叶片自缢缩处脱落，基部残留于枝上。花序穗状；苞片叶状，基部下延；小苞片宽卵形，背面肉质，绿色，先端草质，急尖，两侧边缘为膜质；花被片长卵形，先端钝，背部稍坚硬，无毛，淡绿色，边缘膜质，果时自背面中下部生翅，3 翅较大，肾形，膜质，有多数细而密集的紫褐色脉，2 翅较小，近圆形或倒卵形，花被连

翅果时直径 8 ～ 11 mm；花被片在翅以上部分向中央聚集成圆锥体；花药附属物先端急尖；柱头扁平，钻状，长约为花柱的 2 倍。种子横生。花期 6 ～ 8 月，果期 8 ～ 9 月。

| 生境分布 | 生于海拔 400 ～ 1 500 m 的山坡、沙丘、砾质荒漠。分布于新疆克拉玛依市及呼图壁县、博乐市、精河县、霍城县、乌苏市、托里县、裕民县等。

| 资源情况 | 野生资源一般。药材来源于野生。

| 采收加工 | 全年均可采收，洗净，鲜用或晒干。

| 功能主治 | 清热祛湿，杀虫。

藜科 Chenopodiaceae 猪毛菜属 Salsola

早熟猪毛菜 *Salsola praecox* (Litv.) Iljin

| 药 材 名 | 猪毛菜（药用部位：幼嫩全草）。

| 形态特征 | 一年生草本。高 5 ~ 25 cm，多分枝。枝互生，最基部 1 对枝对生，茎、枝绿色，有白色条纹，被短硬毛或近无毛。叶丝状半圆柱形，长 1.5 ~ 3.5 cm，宽 0.7 ~ 1.5 mm，伸展或弯曲，有短硬毛，先端具刺状尖，基部稍扩展。花几遍布全植株，稀疏排列成穗状花序；苞片先端延伸，有刺状尖，基部边缘膜质，比小苞片长；小苞片卵形，先端有刺状尖；花被片狭披针形，膜质，被短硬毛，先端有刺状尖，果时变硬，自背面中下部生翅；3 翅较大，肾形，薄膜质，无色透明，有数脉，2 翅较小，狭披针形，革质；花被片果时直径 6 ~ 8 mm（包括翅），翅以上花被片被短刚毛，先端有细长的坚硬刺状尖，并向

中央聚集成细长的圆锥体；花药无附属物；柱头丝状，长为花柱的 2 ~ 3 倍。种子横生。花期 4 ~ 5 月，果期 5 ~ 6 月。

| **生境分布** | 生于沙丘、沙地。分布于新疆沙湾市、乌苏市、玛纳斯县等。

| **资源情况** | 野生资源丰富。药材来源于野生。

| **功能主治** | 清热祛湿，杀虫。

藜科 Chenopodiaceae 猪毛菜属 Salsola

蔷薇猪毛菜 *Salsola rosacea* L.

药材名

猪毛菜（药用部位：幼嫩全草）。

形态特征

一年生草本。高15～40 cm，无毛。茎直立，多从基部分枝，极少不分枝，枝向上或斜伸，淡绿色，常有乳白色条纹，茎下部有时带淡红褐色。叶半圆柱形，长1～2（～3）cm，宽1～2 mm，灰绿色，先端有尖头，基部扩展，边缘膜质，沿茎下延。花单生于全株的苞叶；苞片开展或向下弯曲；小苞片卵状披针形，先端尖，基部边缘膜质，短于苞片；花被片长卵形，近膜质，果时自背面中上部生5翅；翅膜质，紫红色或黄褐色，有稠密的脉，各翅大小差异较小，3翅为肾形，2翅为倒卵形，各翅彼此相接重叠；翅以上的花被片为宽披针形或三角形，长约1 mm，先端钝，边缘近膜质，背部肉质，绿色，呈龙骨状凸起，贴伏于果实，不形成直立的圆锥体。果实直径8～12 mm（包括翅）；种子横生。花期7～8月，果期9～10月。

生境分布

生于平原盐碱土、山前洪积扇砾石荒漠及低山山坡。分布于新疆乌鲁木齐市及阿勒泰市、阜康市、沙湾市、布尔津县、哈巴河县、奇台县、温泉县等。

| **资源情况** | 野生资源丰富。药材来源于野生。

| **功能主治** | 清热祛湿，杀虫。

藜科 Chenopodiaceae 猪毛菜属 Salsola

刺沙蓬
Salsola ruthenica Iljin

| **药 材 名** | 猪毛菜（药用部位：全草）。

| **形态特征** | 一年生草本。植株较粗壮，株高 30 ~ 100 cm，自基部分枝。茎、枝被短硬毛或近无毛，黄绿色，有白色或紫红色条纹。叶互生，半圆柱形或圆柱形，直伸，通常无毛或有短硬毛，长 1.5 ~ 4 cm，宽 1 ~ 1.5 mm，先端有刺状尖，基部扩展，并具膜质边缘。花于枝条的上部排成穗状花序；苞片长卵形，先端有刺状尖，基部边缘膜质；小苞片卵形，先端亦有刺状尖；花被片长卵形，膜质，背面有 1 脉，果时变硬，自背面中部生翅；翅肾形或倒卵形，膜质，无色或淡紫红色，3 翅较大，有数条稀疏的粗脉，2 翅较狭窄；花被片果时直径 7 ~ 10 mm（包括翅），翅以上的花被片近革质，先端薄膜质，向

中央聚集，包覆果实，不形成圆锥体；花药长 0.8 ~ 1 mm；柱头丝状，长为花柱的 3 ~ 4 倍。种子横生。花期 7 ~ 9 月，果期 9 ~ 10 月。

| **生境分布** | 生于平原盐生荒漠、琵琶柴荒漠、阿魏蒿属荒漠、洪积扇砾质荒漠的小沙堆及河漫滩沙地。分布于新疆乌鲁木齐市、克拉玛依市、阿克苏地区、喀什地区、和田地区及石河子市、库尔勒市、阿勒泰市、塔城市、沙湾市、福海县、布尔津县、哈巴河县、奇台县、玛纳斯县、和布克赛尔蒙古自治县、霍城县、巩留县、焉耆回族自治县、若羌县、且末县、轮台县、乌恰县等。

| **资源情况** | 野生资源丰富。药材来源于野生。

| **采收加工** | 夏季花开时拔取全草，抖净泥土，切段，晒干。

| **功能主治** | 平肝，降血压。用于高血压，头痛，眩晕。

| **用法用量** | 内服煎汤，15 ~ 30 g；或水烫后做菜食。

藜科 Chenopodiaceae 猪毛菜属 *Salsola*

新疆猪毛菜 *Salsola sinkiangensis* A. J. Li

| **药 材 名** | 猪毛菜（药用部位：幼嫩全草）。

| **形态特征** | 一年生草本。高 15 ~ 30 cm。茎自基部多分枝，枝有白色条纹，密生硬刺毛。叶互生，较细，丝状半圆柱形，长 1 ~ 1.5 cm，宽为 0.5 ~ 0.8 mm，弯曲，具短硬毛，先端有刺状尖，基部稍扩展。花单生于苞腋，稀疏分布于全株；苞片宽披针形，先端延伸，有刺状尖，长于小苞片；2 小苞片披针形；花被片卵状披针形，膜质，无毛，果时变硬，自背面中部生翅；翅膜质，淡紫红色或黄褐色，3 大翅倒卵形，有显著的疏脉，2 小翅较狭窄；花被果时（包括翅）直径 5 ~ 6 mm，翅以上的花被片无毛，向中央聚集成短的圆锥体；花药长约 0.5 mm，有附属物；柱头长为花柱的 2 倍。种子横生，直

径 1.5 ～ 2 mm。花期 7 ～ 8 月，果期 9 ～ 10 月。

| 生境分布 | 生于海拔 950 ～ 2 600 m 的砂砾质荒漠及河谷阶地沙地。分布于新疆阿克苏地区及阿合奇县、巴里坤哈萨克自治县等。

| 资源情况 | 野生资源丰富。药材来源于野生。

| 功能主治 | 清热祛湿，杀虫。

| 附　注 | 本种为新疆特有种。

藜科 Chenopodiaceae 猪毛菜属 Salsola

长柱猪毛菜 *Salsola sukaczevii* A. J. Li.

药材名

猪毛菜（药用部位：幼嫩全草）。

形态特征

一年生草本。高 15 ~ 30 cm，多分枝。枝斜伸，密生短柔毛并混有卷曲长毛，后期长毛通常脱落。叶半圆柱形，长 1 ~ 2 cm，宽 1.5 ~ 2 mm，先端钝，基部下延，密生短柔毛和卷曲长毛。花单生于叶腋，排成较稀疏的穗状花序；苞片灰绿色或黄绿色，宽披针形；小苞片与苞片同色，长卵形，下部有淡色膜质边缘；花被片披针形，密生短柔毛，膜质，果时变硬，自背面的中下部生翅；翅膜质，淡紫红色或黄褐色，3 翅较大，半圆形，2 翅狭窄，条形；翅以上的花被片狭披针形，密生短柔毛，向中央聚集成细长且直立的圆锥体；花药有椭圆形泡状附属物，附属物紫红色或白色（干后），与花药近等长或较花药稍短。花柱极短，柱头长为花柱的 6 ~ 8 倍。果翅直径 15 ~ 18 mm；种子横生。花期 7 ~ 8 月，果期 8 ~ 10 月。

生境分布

生于平原沙丘、沙地。分布于新疆沙湾市、巩留县等。

| **资源情况** | 野生资源较少。药材来源于野生。

| **功能主治** | 清热祛湿，杀虫。

藜科 Chenopodiaceae 猪毛菜属 Salsola

柴达木猪毛菜 *Salsola zaidamica* Iljin

| 药材名 | 猪毛菜（药用部位：幼嫩全草）。

| 形态特征 | 一年生草本。高 5 ~ 15 cm，自基部分枝。枝互生，仅最基部的枝近对生，茎、枝密生乳头状小突起。叶互生，多而密集，狭披针形，密生乳头状小突起，先端有刺状尖，基部边缘膜质，常反折。花单生于叶（苞）腋，几遍布全株；苞片长于小苞片，先端有刺状尖；小苞片卵形，基部边缘膜质；苞片及小苞片开展，均密生乳头状小突起；花被片长卵形，近膜质，无毛，果时变硬，呈革质，无翅状附属物，仅自背面中部有稍肥厚的狭窄突起，突起以上部分的花被片向中央折曲，紧贴果实，形成平截面，先端薄膜质，膜质部分通常脱落并在平截面的中央形成 1 小圆孔，使整个花被呈杯状；花药

矩圆形，长 0.5 mm，无附属物；花柱极短，柱头丝状。种子横生。花期 7 ~ 8 月，
果期 8 ~ 9 月。

| 生境分布 | 生于海拔 900 ~ 1 100 m 的湖滨盐生荒漠、盐化沙地及洪积扇砾石荒漠。分布
于新疆吐鲁番市及库尔勒市、博湖县等。

| 资源情况 | 野生资源一般。药材来源于野生。

| 功能主治 | 清热祛湿，杀虫。

| 附　　注 | 本种为新疆特有种。

藜科 Chenopodiaceae 菠菜属 Spinacia

菠菜 *Spinacia oleracea* L.

药材名

菠菜（药用部位：全草或种子）。

形态特征

无粉。根圆锥状，带红色，较少为白色。茎直立，中空，脆弱，多汁，不分枝或有少数分枝。叶戟形至卵形，鲜绿色，柔嫩多汁，稍有光泽，全缘或有少数牙齿状裂片。雄花集成球形团伞花序，再于枝和茎的上部排列成有间断的穗状圆锥花序；花被片通常4；花丝丝状，扁平，花药不具附属物；雌花团集于叶腋；小苞片两侧稍扁，先端残留2小齿，背面通常各具1棘状附属物；子房球形，柱头4或5，外伸。胞果卵形或近圆形，两侧扁；果皮褐色。

生境分布

栽培种。新疆各地均有栽培。

采收加工

全草，冬、春季采收，除去泥土、杂质，洗净，鲜用。种子，6～7月种子成熟时割取地上部分，打下果实，除去杂质，晒干或鲜用。

| **功能主治** | 全草，养血，止血，平肝，润燥。用于衄血，便血，头痛，目眩，目赤，夜盲症，消渴引饮，便闭，痔疮。种子，清肝明目，止咳平喘。用于风火目赤肿痛，咳喘。

苋科 Amaranthaceae 牛膝属 Achyranthes

牛膝
Achyranthes bidentata Blume

| **药 材 名** | 牛膝（药用部位：根）。

| **形态特征** | 多年生草本。根圆柱形，土黄色。茎有棱角或呈四方形，绿色或带紫色，有白色贴生或开展柔毛，或近无毛，分枝对生。叶片椭圆形或椭圆状披针形，少数倒披针形，先端尾尖，基部楔形或宽楔形，两面有贴生或开展柔毛；叶柄有柔毛。穗状花序顶生及腋生，花期后反折；总花梗有白色柔毛；花多数，密生；苞片宽卵形，先端长渐尖；小苞片刺状，先端弯曲，基部两侧各有 1 卵形膜质小裂片；花被片披针形，光亮，先端急尖，有 1 中脉；退化雄蕊先端平圆，稍有缺刻状细锯齿。胞果矩圆形，黄褐色，光滑；种子矩圆形，黄褐色。花期 7 ~ 9 月，果期 9 ~ 10 月。

| 生境分布 | 生于海拔 200 ～ 1 750 m 的山坡林下。分布于新疆伊犁哈萨克自治州、喀什地区等。

| 采收加工 | 根，10 月中旬至 11 月上旬采挖，剪除芦头，去净泥土和杂质，晒至六七成干后，置室内加盖草席，堆闷 2 ～ 3 天，分级，扎把晒干。

| 功能主治 | 补肝肾，强筋骨，逐瘀通经，引血下行。用于腰膝酸痛，筋骨无力，经闭癥瘕，肝阳眩晕。

苋科 Amaranthaceae 苋属 *Amaranthus*

凹头苋
Amaranthus blitum L.

| 药 材 名 | 野苋菜（药用部位：全草或种子）。

| 形态特征 | 一年生草本。高 10 ~ 30 cm，全体无毛。茎伏卧而上升，从基部分枝，淡绿色或紫红色。叶片卵形或菱状卵形，长 1.5 ~ 4.5 cm，宽 1 ~ 3 cm，先端凹缺，有 1 芒尖或无芒尖，基部宽楔形，全缘或微呈波状；叶柄长 1 ~ 3.5 cm。花簇生于叶腋，生于茎端和枝端者成直立穗状花序或圆锥花序。苞片及小苞片矩圆形，长不及 1 mm；花被片矩圆形或披针形，长 1.2 ~ 1.5 mm，淡绿色，先端急尖，边缘内曲，背部有 1 隆起中脉；雄蕊比花被片稍短；柱头 3 或 2，果实成熟时脱落。胞果扁卵形，长 3 mm，不裂，微皱缩而近平滑，超出宿存花被片；种子环形，直径约 12 mm，黑色至黑褐色，边缘具环状边。花期 7 ~ 8

月，果期 8 ～ 9 月。

| **生境分布** | 生于田野、宅旁、近人家的杂草地。分布于新疆各地农区。

| **资源情况** | 野生资源丰富。药材来源于野生。

| **采收加工** | 10 月上旬采收，鲜用或晒干。

| **功能主治** | 清热利湿。用于肠炎，痢疾，咽炎，乳腺炎，痔疮肿痛出血，毒蛇咬伤。

| **用法用量** | 内服煎汤，12 ～ 18 g。外用鲜品适量，捣敷。

苋科 Amaranthaceae 苋属 *Amaranthus*

老鸦谷
Amaranthus cruentus L.

| 药 材 名 |

苋菜（药用部位：茎叶、根、种子）。

| 形态特征 |

一年生草本。茎直立，粗壮，具钝棱角，单一或稍分枝，绿色，或常带粉红色，幼时有短柔毛，后毛渐脱落。叶片菱状卵形或菱状披针形，先端短渐尖或圆钝，具凸尖，基部宽楔形，稍不对称，全缘或波状，绿色或红色，除在叶脉上稍有柔毛外，两面无毛；叶柄绿色或粉红色，疏生柔毛。圆锥花序直立或以后下垂，花穗先端尖，有多数分枝，中央分枝特长，由多数穗状花序形成，先端钝，花密集成雌花和雄花混生的花簇；苞片及花被片先端芒刺明显；花被片和胞果等长，雄花的花被片矩圆形，雌花的花被片矩圆状披针形；雄蕊稍超出；柱头 3。胞果近球形，上半部红色，超出花被片；种子近球形，淡棕黄色，有厚的环。花期 7 ~ 8 月，果期 9 ~ 10 月。

| 生境分布 |

生于田野、旷地或山坡上。分布于新疆伊宁县、叶城县等。

| 采收加工 | 茎叶，春、夏季采收，洗净，鲜用或晒干。根、种子，夏、秋季果实成熟后，连根拔起，稍晒后打下种子，分别晒干。

| 功能主治 | 茎叶，清热解毒，通利二便。用于痢疾，二便不通，蛇虫蜇伤，疮毒。根，凉血解毒，止痢。用于细菌性痢疾，肠炎，红崩，带下，痔疮。种子，清肝明目。用于角膜云翳，目赤肿痛。

苋科 Amaranthaceae 苋属 Amaranthus

反枝苋 *Amaranthus retroflexus* L.

| 药 材 名 |

反枝苋（药用部位：全草或种子）。

| 形态特征 |

一年生草本。高 20 ~ 80 cm，有时高 1 m 余。茎直立，粗壮，单一或分枝，淡绿色，有时具带紫色的条纹，稍具钝棱，密生短柔毛。叶片菱状卵形或椭圆状卵形，长 5 ~ 12 cm，宽 2 ~ 5 cm，先端锐尖或尖凹，有小凸尖，基部楔形，全缘或边缘呈波状，两面及边缘有柔毛，下面毛较密；叶柄长 1.5 ~ 5.5 cm，淡绿色或淡紫色，有柔毛。圆锥花序顶生及腋生，直立，直径 2 ~ 4 cm，由多数穗状花序形成，顶生花穗较侧生花穗长；苞片及小苞片钻形，长 4 ~ 6 mm，白色，背面有龙骨状突起，伸出先端而成白色尖芒；花被片矩圆形或矩圆状倒卵形，长 2 ~ 2.5 mm，薄膜质，白色，有 1 淡绿色的细中脉，先端急尖或尖凹，具凸尖；雄蕊比花被片稍长，柱头 3，有时 2。胞果扁卵形，长约 1.5 mm，环状横裂，薄膜质，淡绿色，包裹在宿存花被片内；种子近球形，直径 1 mm，棕色或黑色，边缘钝。花期 7 ~ 8 月，果期 8 ~ 9 月。

| **生境分布** | 生于海拔 1 200 m 的农田、荒地。分布于新疆各地农田。

| **资源情况** | 野生资源丰富。药材来源于野生。

| **采收加工** | 全草，夏、秋季采收。种子，秋季采收果实，晒干，搓出种子，干燥。

| **功能主治** | 清热解毒，利尿。用于痢疾，腹泻，疔疮肿毒等。

| **用法用量** | 内服煎服。外用适量，捣敷。

苋科 Amaranthaceae 青葙属 Celosia

青葙
Celosia argentea L.

| 药 材 名 | 青葙子（药用部位：种子、花序、茎叶、根）。

| 形态特征 | 一年生草本。高 0.3 ~ 1 m，全体无毛。茎直立，有分枝，绿色或红色，具明显条纹。叶片矩圆状披针形、披针形或披针状条形，少数呈卵状矩圆形，长 5 ~ 8 cm，宽 1 ~ 3 cm，绿色，常带红色，先端急尖或渐尖，具小芒尖，基部渐狭；叶柄长 2 ~ 15 mm 或无叶柄。花多数，密生，在茎顶或枝端成单一、无分枝的塔状或圆柱状穗状花序，长 3 ~ 10 cm；苞片及小苞片披针形，长 3 ~ 4 mm，白色，光亮，先端渐尖并延长成细芒，具一在背部隆起的中脉；花被片矩圆状披针形，长 6 ~ 10 mm，初为白色且先端带红色，或全部为粉红色，后变为白色，先端渐尖，具一在背面隆起的中脉；花丝长 5 ~ 6 mm，分离

部分长 2.5 ~ 3 mm，花药紫色；子房有短柄，花柱紫色，长 3 ~ 5 mm。胞果卵形，长 3 ~ 3.5 mm，包裹于宿存花被片内；种子凸透镜状肾形，直径约 1.5 mm。花期 5 ~ 8 月，果期 6 ~ 10 月。

| **生境分布** | 生于海拔 1 100 m 的平原、丘陵、山坡。新疆各地均有分布。

| **资源情况** | 野生资源较丰富。药材来源于野生。

| **采收加工** | 夏季采收，鲜用或晒干。

| **功能主治** | 种子，祛风热，清肝火。用于目赤肿痛，障翳，高血压，鼻衄，皮肤风热瘙痒，疥癞等。花序，清肝凉血，明目退翳。用于吐血，头风，目赤，血淋，月经不调，带下。茎叶、根，燥湿清热，杀虫止痒，凉血止血。用于湿热带下，小便不利，尿浊，泄泻，阴痒，疮疥，痔疮，衄血，创伤出血等。

| **用法用量** | 内服煎汤，10 ~ 15 g。外用适量，捣敷；或煎汤熏洗。

苋科 Amaranthaceae 青葙属 Celosia

鸡冠花 *Celosia cristata* L.

| 药 材 名 | 鸡冠花（药用部位：花序）。

| 形态特征 | 一年生草本。全体无毛。茎直立，有分枝，近上部扁平，绿色或带红色，有凸起的棱纹。单叶互生，具柄；叶片先端渐尖或长尖，基部渐窄成柄，全缘。穗状花序顶生，扁平肉质鸡冠状、卷冠状或羽毛状，中部以下有多花；花被片淡红色至紫红色、黄白或黄色；苞片、小苞片和花被片干膜质，宿存；花被片5，椭圆状卵形，先端尖，雄蕊5，花丝下部合生成杯状。胞果卵形，成熟时盖裂，包于宿存花被内；种子肾形，黑色，有光泽。花期5～8月，果期8～11月。

| 生境分布 | 栽培种。新疆各地均有栽培。

| **采收加工** | 8 ～ 9 月割取花序连一部分茎秆的花序，扎把晒干。

| **功能主治** | 收敛止血，止带，止痢。用于吐血，崩漏，便血，痔血，赤白带下，久痢不止。

苋科 Amaranthaceae 碱蓬属 Suaeda

刺毛碱蓬 *Suaeda acuminata* (C. A. Mey.) Moq.

| 药 材 名 | 碱蓬（药用部位：幼嫩全草）。

| 形态特征 | 一年生草本。高 15 ~ 70 cm。茎直立，通常多分枝；枝斜升，灰绿色，有时带淡红色。叶条形，半圆柱状，长 5 ~ 15 mm，宽 1 ~ 2 mm，无柄，灰绿色，先端钝或微尖并具刺毛；刺毛淡黄色，长约 3 mm，易脱落。团伞花序腋生，通常具 3 花；花两性；两性花较大，花被裂片的背面具纵隆脊，果时隆脊的前端向上延伸成鸡冠状纵翅；雌花花被片先端兜状，背面果时具微隆脊，雄蕊 5；子房狭卵形，先端微凹；柱头 3，细小。种子横生、直立或斜生，略呈卵形，平滑，有光泽。花果期 6 ~ 9 月。

| 生境分布 | 生于平原盐碱荒漠、强盐碱地、荒山坡及沙地。分布于新疆乌鲁木

齐市及塔城市、沙湾市、乌苏市、伊宁县、玛纳斯县、精河县、察布查尔锡伯
自治县、新源县等。

| **资源情况** | 野生资源丰富。药材来源于野生。

| **功能主治** | 清热祛湿，杀虫。

苋科 Amaranthaceae 碱蓬属 Suaeda

高碱蓬 *Suaeda altissima* (L.) Pall.

药材名

碱蓬（药用部位：幼嫩全草）。

形态特征

一年生草本。植株通常高 80 ～ 100 cm。茎直立，较粗壮，直径 0.5 ～ 1 cm，多分枝；枝较细，斜伸，有微条棱。叶稠密，丝形，半圆柱状，长 0.5 ～ 2 cm，宽 1 mm 以下，通常不规则弯曲。团伞花序具花 2 ～ 5 或更多，着生于叶柄上；花两性；花被片倒卵形至近球形，具膜质边缘，背面近先端较肥厚，略呈兜状；雄蕊 5；柱头通常 3，羽状。种子直立，卵形，长约 1.2 mm，表面点纹不明显。花果期 7 ～ 9 月。

生境分布

生于海拔 700 ～ 900 m 的沟边、湖旁、撂荒地、盐生荒漠、盐碱地。分布于新疆乌鲁木齐市及奎屯市、昌吉市、阿勒泰市、沙湾市、乌苏市、富蕴县、布尔津县、玛纳斯县、精河县、博湖县等。

资源情况

野生资源一般。药材来源于野生。

| **功能主治** | 清热，消积。用于食积，发热。

| **用法用量** | 内服煎汤，6 ~ 9 g，鲜品 15 ~ 30 g。

藜科 Chenopodiaceae 碱蓬属 *Suaeda*

镰叶碱蓬 *Suaeda crassifolia* Pall.

| **药 材 名** | 碱蓬（药用部位：幼嫩全草）。

| **形态特征** | 一年生草本。高 20 ~ 50 cm。茎直立，通常多分枝。叶条形，圆柱状，长 7 ~ 15 mm，直径 1.5 ~ 2 mm，通常蓝绿色，向上呈镰状弯曲，先端钝，基部略收缩；枝上部的叶较短，广椭圆形至近圆形。花两性兼有雌性；团伞花序有 4 ~ 12 花或更多，排列于枝条上部形成间断的穗状圆锥状花序；花被星状，花被片卵形，不等大，果时基部向外延伸成角状或三角状突起；雄蕊 5，花药宽椭圆形，长约 0.3 mm。种子横生或斜生，卵形，稍压扁，有光泽，具细微点纹。花期 6 ~ 7月，果期 8 ~ 9 月。

| **生境分布** | 生于盐碱荒漠、河滩、湖边等。分布于新疆吐鲁番市及喀什市、英

吉沙县、阿克苏市等。

| **资源情况** | 野生资源丰富。药材来源于野生。

| **功能主治** | 清热，消积。

苋科 Amaranthaceae 碱蓬属 Suaeda

木碱蓬 *Suaeda dendroides* (C. A. Mey.) Moq.

| 药 材 名 | 碱蓬（药用部位：幼嫩全草）。

| 形态特征 | 半灌木。高 20 ~ 60 cm。茎直立，有微细纵裂纹，浅灰色或灰褐色，多分枝；枝斜伸，较细，浅黄色，有条棱。叶略扁平，条形，灰绿色，长 5 ~ 15 mm，先端钝，基部渐狭成短柄。团伞花序具 5 ~ 10 花，花序总梗与叶柄合并而似着生于叶柄上；花两性；花被片近球形，肉质，花被裂片矩圆形至卵形，边缘膜质，先端兜状，背面不隆起，果时不增大；雄蕊 5；柱头 2 或 3，花柱不明显。花期 6 月。

| 生境分布 | 生于盐碱地、平原荒漠及石质山坡。分布于新疆沙湾市、玛纳斯县等。

| 资源情况 | 野生资源较少。药材来源于野生。

| **功能主治** | 清热祛湿，杀虫。用于水肿，慢性肾小球肾炎，膀胱炎。

苋科 Amaranthaceae 碱蓬属 Suaeda

碱蓬 *Suaeda glauca* (Bunge) Bunge

药材名

碱蓬（药用部位：全草）。

形态特征

一年生草本。高 20 ~ 100 cm。茎直立，浅绿色，有条棱；枝上升或斜展。叶无柄，丝状条形或半圆柱状，长 1.5 ~ 5 cm，宽 1 ~ 1.5 mm，灰绿色，光滑无毛，稍向上弯曲。花两性兼雌性，单生或 2 ~ 5 花团集，大多数着生于叶的近基部处；两性花花被片杯状，长 1 ~ 1.5 mm，黄绿色；雌花花被片近球形，直径约 0.7 mm，灰绿色；花被裂片卵状三角形，果时增厚，使花被片略呈五角星状；雄蕊 5；柱头 2。种子横生或斜生，双凸透镜形，黑色，直径约 2 mm，表面有颗粒状点纹。花果期 7 ~ 9 月。

生境分布

生于平原海滨、渠岸、湖边、农田边、荒地的盐碱土及湿沙地上。分布于新疆哈密市及沙湾市等。

资源情况

野生资源较丰富。药材来源于野生。

| **采收加工** | 夏、秋季采收，除去泥沙等杂质，晒干或鲜用。

| **功能主治** | 用于食积，发热。

| **用法用量** | 内服煎汤，6～9 g，鲜品 15～30 g。

苋科 Amaranthaceae 碱蓬属 Suaeda

亚麻叶碱蓬 Suaeda linifolia Pall.

药材名

碱蓬（药用部位：幼嫩全草）。

形态特征

一年生草本。高 20 ~ 70 cm。茎直立，圆柱形，有微条棱，较少分枝。叶条形，半圆柱状或稍扁平，长 1 ~ 2.5 cm，宽 2 ~ 3 mm，先端渐尖，基部收缩成短柄。花两性兼雌性，通常 1，较少 2 ~ 3 花团集，无柄或有短柄，生于叶柄上；花被片圆柱形至倒卵形，长 1.5 ~ 3 mm，宽 1 ~ 2 mm，5 浅裂；花被裂片略呈兜状，通常闭合；雄蕊 5；柱头 2 ~ 3，丝形，伸出花被外。种子直立，歪卵形，两侧略扁，表面具颗粒状突起。花果期 7 ~ 10 月。

生境分布

生于盐土荒漠、盐化沙地及干草原。分布于新疆哈密市及察布查尔锡伯自治县等。

资源情况

野生资源较少。药材来源于野生。

功能主治

清热祛湿，杀虫。

| 用法用量 | 　　内服煎汤，6 ～ 9 g，鲜品 15 ～ 30 g。

苋科 Amaranthaceae 碱蓬属 Suaeda

小叶碱蓬 *Suaeda microphylla* (C. A. Mey.) Pall.

| **药 材 名** | 碱蓬（药用部位：幼嫩全草）。

| **形态特征** | 半灌木。高 50 ~ 100 cm。茎直立，多分枝，枝条开展，茎及枝均为灰褐色，有或疏或密的短柔毛及薄蜡粉。叶圆柱形，微弧曲，灰绿色，干后为灰褐色，下部叶较长，其长度可达 1 cm，先端具短尖，基部骤缩。团伞花序具 3 ~ 5 花，着生于叶柄上；花两性兼有雌性；花被片肉质，灰绿色，5 裂至中部；花被裂片矩圆形，先端兜状，背面隆起，果时稍增大；雄蕊 5；柱头 2 或 3。种子直立或横生，卵形，黑色长约 1 mm，有光泽，微具点状网纹。花果期 6 ~ 9 月。

| **生境分布** | 生于海拔 500 ~ 700 m 的盐生荒漠、湖边、河谷阶地、撂荒地、固定沙丘及砾质荒漠。分布于新疆乌鲁木齐市及昌吉市、沙湾市、乌

苏市、呼图壁县、玛纳斯县、精河县、伊宁县等。

| **资源情况** | 野生资源一般。药材来源于野生。

| **功能主治** | 清热祛湿，杀虫。

| **用法用量** | 内服煎汤，6 ~ 9 g，鲜品 15 ~ 30 g。

苋科 Amaranthaceae 碱蓬属 Suaeda

奇异碱蓬 *Suaeda paradoxa* Bunge

| 药 材 名 | 碱蓬（药用部位：幼嫩全草）。

| 形态特征 | 一年生草本。高50～100 cm。茎直立，圆柱形，较粗壮，直径5～7 mm，平滑，灰绿色；分枝斜伸。叶条形，上面平，下面凸，通常长1～3 cm，宽1～3 mm，先端尖，基部渐狭，呈短柄状。团伞花序通常具3～4花，着生于枝上部的叶柄上；花两性；花被片半球形或近杯形，长与宽几相等，5深裂，花被裂片先端兜状，背面近先端具微隆脊；雄蕊5；柱头3～4。种子直立，歪卵形，两侧略扁，表面具颗粒状突起。花果期7～10月。

| 生境分布 | 生于海拔1 200 m左右的沟边、路旁、荒地等。分布于新疆乌鲁木齐市及库尔勒市、阿勒泰市、青河县、玛纳斯县等。

| **资源情况** | 野生资源一般。药材来源于野生。

| **功能主治** | 清热祛湿，杀虫。

苋科 Amaranthaceae 碱蓬属 Suaeda

囊果碱蓬 *Suaeda physophora* Pall.

| 药 材 名 |

碱蓬（药用部位：全草）。

| 形态特征 |

半灌木。高 30 ~ 80 cm。茎木质，灰褐色，有细条裂纹，多分枝；当年生枝灰白色，平滑，直立或斜伸。叶条形，半圆柱状，长 3 ~ 6 cm，宽 2 ~ 3 mm，通常稍弧曲。花序圆锥状，顶生；花两性及雌性，单生或 2 ~ 3 花团集，生于苞腋及花序短分枝的先端；花被片近球形，5 裂；花被裂片内弯，不具隆脊；果时花被片膨胀成稍带红色的囊状；雄蕊 5；柱头 2 ~ 3。种子横生，扁平，圆形，直径约 3 mm，无光泽。花果期 7 ~ 9 月。

| 生境分布 |

生于海拔 500 ~ 700 m 的洪积扇扇缘盐渍化黏土荒漠和盐化荒地。分布于新疆乌鲁木齐市及阿勒泰市、沙湾市、乌苏市、青河县、富蕴县、呼图壁县、察布查尔锡伯自治县等。

| 资源情况 |

野生资源一般。药材来源于野生和栽培。

| **功能主治** | 清热，消积。用于食积，发热。

| **用法用量** | 内服煎汤，6 ~ 9 g，鲜品 15 ~ 30 g。

苋科 Amaranthaceae 碱蓬属 Suaeda

纵翅碱蓬 Suaeda pterantha (Kar. et Kir.) Bunge

| 药 材 名 | 碱蓬（药用部位：幼嫩全草）。

| 形态特征 | 一年生草本。高 15 ~ 60 cm。茎直立，多少分枝；枝斜展。叶条形，长 5 ~ 15 mm，宽 1 ~ 2 mm，灰绿色，下面凸起，上面平，先端短渐尖，基部渐狭。团伞花序生于叶腋，具花 3 ~ 6；花两性兼有雌性；花被片具 3 脉，先端兜状，果时背面具纵贯花被全长的狭翅状隆脊；子房先端微凹，柱头 2 ~ 3。种子横生，直立或斜升，卵形，两面极凸，红褐色至黑色，平滑，有光泽。花果期 7 ~ 10 月。

| 生境分布 | 生于平原荒地及干燥山坡。分布于新疆乌苏市、霍城县、伊宁县等。

| 资源情况 | 野生资源较少。药材来源于野生。

| **功能主治** | 清热祛湿，杀虫。

苋科 Amaranthaceae **碱蓬属** *Suaeda*

星花碱蓬 *Suaeda stellatiflora* G. L. Chu.

| **药 材 名** | 碱蓬（药用部位：幼嫩全草）。

| **形态特征** | 一年生草本。高 20 ～ 80 cm。茎平卧或外倾，圆柱形，有微条棱，通常多分枝；枝平展或斜伸。叶条形，半圆柱状，长 0.5 ～ 1 cm，宽约 1 mm，稍弯曲，先端急尖或钝，具芒尖，茎上部和枝上的叶披针形至卵形。团伞花序腋生，通常含花 2 ～ 5；花被片 5 深裂，果时背面的基部增厚，呈翅状；翅钝三角形，近等大，彼此衔接成五角星形，总直径不超过 2 mm；雄蕊不伸出花被外，花药较大，半球形，直径约 2.5 mm；柱头 2。种子横生，双凸透镜形，表面具点纹。花果期 7 ～ 9 月。

| **生境分布** | 生于海拔 1 100 ～ 1 200 m 的盐碱荒地、盐化草甸、盐土荒漠、湖边、

河渠岸边及丘间低地等。分布于新疆喀什市、阿克苏市、富蕴县、尼勒克县、新源县、焉耆回族自治县、尉犁县、轮台县、库车县、巴楚县、英吉沙县等。

| **资源情况** | 野生资源较丰富。药材来源于野生。

| **功能主治** | 清热祛湿，杀虫。

藜科 Chenopodiaceae 合头草属 Sympegma

合头藜 *Sympegma regelii* Bunge

| 药 材 名 |

合头草（药用部位：幼嫩全草）。

| 形态特征 |

落叶半灌木。茎直立，通常高 20 ～ 70 cm。根粗壮，黑褐色。老枝多分枝，黄白色至灰褐色，通常有纵条裂；当年生枝灰绿色，略有乳头状突起，具多数腋生小枝；小枝有 1 节间，长 3 ～ 8 mm，基部具关节，易断落。叶互生，长 4 ～ 10 mm，宽约 1 mm，先端急尖，基部收缩。花两性，通常 1 ～ 3 簇生于小枝先端，花簇下通常具 1 对基部合生的苞状叶，状如头状花序；花被片直立，草质，具膜质边缘，果时背部翅宽卵形至近圆形，不等大，淡黄色；花药伸出花被外；柱头有颗粒状突起。胞果淡黄色；种子黄绿色。花果期 7 ～ 10 月。

| 生境分布 |

生于海拔 1 200 ～ 2 100 m 的洪积扇砾质荒漠、轻度盐化荒漠及山地干旱荒漠。分布于新疆库尔勒市、喀什市、阿克苏市、伊州区、高昌区、伊吾县、托克逊县、和硕县、焉耆回族自治县、库车县、拜城县、乌恰县、于田县、叶城县、策勒县等。

| 资源情况 | 野生资源丰富。药材来源于野生。

| 功能主治 | 清热祛湿,杀虫。

紫茉莉 *Mirabilis jalapa* L.

| 药 材 名 | 紫茉莉根（药用部位：根）。

| 形态特征 | 一年生草本。根肥粗，倒圆锥形，黑色或黑褐色。茎直立，圆柱形，多分枝，无毛或疏生细柔毛，节稍膨大。叶片卵形或卵状三角形，先端渐尖，基部截形或心形，全缘，两面均无毛，叶脉隆起；叶柄长 1 ~ 4 cm，上部叶几无柄。花常数朵簇生于枝端；总苞钟形，5 裂，裂片三角状卵形，先端渐尖，无毛，具脉纹，果时宿存；花被紫红色、黄色、白色或杂色，高脚碟状，5 浅裂；花午后开放，有香气，次日午前凋萎；雄蕊 5，花丝细长，常伸出花外，花药球形；花柱单生，线形，伸出花外，柱头头状。瘦果球形，革质，黑色，表面具皱纹；种子胚乳白粉质。花期 7 ~ 9 月，果期 8 ~ 10 月。

| **生境分布** | 栽培种。新疆特克斯县、昭苏县、伽师县、乌鲁木齐县等有栽培。

| **采收加工** | 秋季采挖，除去须根，洗净，干燥。

| **功能主治** | 清热利湿，解毒活血。用于热淋，白浊，水肿，赤白带下，关节肿痛，痈疮肿毒，乳痈，跌打损伤。

商陆 *Phytolacca acinosa* Roxb.

药材名

商陆（药用部位：根）。

形态特征

多年生草本。高达 1 m，全体无毛。根肥厚，圆锥状，分叉，皮淡黄色，断面粉红色。茎直立，圆柱形，分枝，绿色或微带紫红色，肉质。叶片椭圆形或长椭圆形，长10 ~ 20 cm，宽 6 ~ 14 cm，质薄，先端急尖或钝尖，基部楔形而下延，全缘，背面中脉凸起；叶柄粗壮，长 1.5 ~ 3 cm。花两性；总状花序直立，顶生或伪侧生，常与叶成对，长 10 ~ 20 cm；总花梗长 2 ~ 4 cm；总苞片和苞片线状披针形，长约 1.5 mm；花梗长约 7 mm；萼片 5，初为白色，后变为粉红色，椭圆形，长 3 ~ 4 mm，宽 2.3 ~ 2.5 mm，先端圆钝；雄蕊 8，与萼片近等长，花丝锥形，白色，花药椭圆形，粉红色；心皮8 ~ 10，离生。果实扁球形，紫黑色，直径约 4 mm；种子肾形，黑色。花果期 6 ~ 9 月。

生境分布

栽培或逸生于林下、路旁及宅旁。分布于新疆乌鲁木齐市及伊宁市、巩留县等。

| 资源情况 | 野生资源一般，栽培资源较少。药材来源于野生和栽培。

| 采收加工 | 直播者在播种 2 ～ 3 年后采收，育苗移栽者在移栽 1 ～ 2 年后采收。冬季倒苗时采收，割去茎秆，挖出根，洗净，横切成 1 cm 厚的薄片，晒干或炕干。

| 功能主治 | 逐水消肿，通利二便，解毒散结。用于水肿胀满，二便不通，癥瘕，疝癣，瘰疬，疮毒。

| 用法用量 | 内服煎汤，3 ～ 9 g。外用适量，煎汤熏洗。

马齿苋科 Portulacaceae 马齿苋属 Portulaca

马齿苋 *Portulaca oleracea* L.

| **药 材 名** | 马齿苋（药用部位：全草或种子）。

| **形态特征** | 一年生肉质草本。全株光滑无毛。茎平卧或斜升，长 10 ～ 25 cm，多分枝，淡绿色成红紫色。叶肥厚，肉质，倒卵状楔形或匙状楔形，长 6 ～ 20 mm，宽 4 ～ 10 mm，先端圆钝、平截或微凹，基部宽楔形，全缘，中脉微隆起；叶柄短粗。花小，黄色，3 ～ 5 簇生于枝顶，直径 4 ～ 5 mm，无梗；总苞片 4 ～ 5，叶状，近轮生；萼片 2，对生，盔形，左右压扁，长约 4 mm，先端锐尖，背部具翅状隆脊；花瓣 5，倒卵状矩圆形或倒心形，先端微凹，较萼片长；雄蕊 8 ～ 12，长约 12 mm，花药黄色；雌蕊 1，子房半下位，1 室，花柱比雄蕊稍长，先端 4 ～ 6 裂，条形。蒴果圆锥形，长约 5 mm，自中部横裂成帽盖状；

种子多数，细小，黑色，有光泽，肾状卵圆形。花期 7 ~ 8 月，果期 8 ~ 10 月。

| **生境分布** | 生于田间、路旁、菜园。分布于南北疆。

| **资源情况** | 野生资源丰富，栽培资源一般。药材来源于野生和栽培。

| **采收加工** | 全草，8 ~ 9 月割取，洗净泥土，拣去杂质，开水稍烫或蒸，取出，晒干或炕干；
亦可鲜用。种子，8 ~ 9 月果实成熟时割取地上部分，收集种子，干燥。

| **功能主治** | 全草，清热解毒，凉血止痢，除湿通淋。用于热毒泻痢，热淋，尿闭，赤白带下，
崩漏，痔血，疮疡痈疖，丹毒，瘰疬，湿癣，白秃。种子，清肝，化湿，明目。
用于青盲白翳，泪囊炎。

| **用法用量** | 全草，内服煎汤，干品 9 ~ 15 g，鲜品 30 ~ 60 g；或鲜品捣汁。种子，内服煎汤，
9 ~ 15 g；外用适量，煎汤熏洗。

石竹科 Caryophyllaceae 无心菜属 Arenaria

无心菜
Arenaria serpyllifolia L.

| **药 材 名** | 无心菜 (药用部位：全草)。

| **形态特征** | 一年生矮小草本。高 8 ~ 20 cm。茎数条舒展，直立，叉式分枝，密被短柔毛和短腺毛。叶近无柄，广卵形，长 3 ~ 5 mm，宽 2 ~ 3 mm，先端稍长，边缘具缘毛，两面疏生腺点并被短腺毛，通常具 5 ~ 7 弧形脉。聚伞花序顶生；花梗细长，长 5 ~ 10 mm，被下弯短毛；苞片小，叶状；萼片 5，卵状披针形，先端锐尖，边缘白色，宽膜质，疏生腺毛并被短毛；花瓣 5，卵状披针形，白色，仅为萼长的 1/3 ~ 1/2；雄蕊 10，短于萼片；花柱 3，子房卵形，光滑。蒴果卵形，基部显著膨大，与花萼近等长，3 瓣裂，再 2 齿裂；种子多数，肾形，黑色，表面被条状突起。花期 5 ~ 6 月，果期 6 ~ 7 月。

| 生境分布 | 生于林下、石质山坡、高山草甸、亚高山草甸及荒漠。分布于新疆乌鲁木齐市及伊宁县、霍城县、巩留县、托克逊县等。 |

| 资源情况 | 野生资源丰富。药材来源于野生。 |

| 采收加工 | 初夏采集，晒干或鲜用。 |

| 功能主治 | 清热，明目，止咳。用于肝热目赤，翳膜遮睛，肺痨咳嗽，咽喉肿痛，牙龈炎。 |

| 用法用量 | 内服煎汤，15 ~ 30 g；或浸酒。外用适量，捣敷或塞鼻孔。 |

石竹科 Caryophyllaceae 卷耳属 Cerastium

原野卷耳
Cerastium arvense L.

| **药 材 名** | 卷耳（药用部位：全草）。

| **形态特征** | 多年生草本。茎直立，基部匍匐，高 10 ~ 30 cm，被向下的毛，上部混有腺毛。叶长圆状披针形，长 1 ~ 2.5 cm，宽 4 ~ 5 mm，先端锐尖，基部狭且微抱茎，两面被柔毛，有时混生腺毛，叶腋常具不育枝。3 ~ 7 花组成顶生聚伞花序；总花梗和花梗密被腺毛，花梗长 6 ~ 10 mm，花后延长达 20 mm，上部常下垂；苞片披针形，叶质，密被腺毛，边缘膜质；萼片 5，矩圆状披针形，先端急尖，背面被腺毛或长柔毛，长约 5 mm，宽约 2 mm，边缘宽膜质；花瓣 5，长为萼片的 2 倍，白色，倒卵形，先端 1/3 浅裂；雄蕊 10，短于花瓣；花柱 5，线形，子房卵圆形。蒴果长圆筒形，比花萼长 1.5 倍，

10 齿裂，裂齿两侧反卷；种子肾形，略扁，具疣状突起。花期 5 ~ 7 月，果期 7 ~ 8 月。

| **生境分布** | 生于阴湿山地草甸、亚高山草甸及高山草甸。分布于新疆塔城市、奇台县、和布克赛尔蒙古自治县、裕民县、托里县、博乐市、温泉县、伊宁县、尼勒克县、新源县、特克斯县、昭苏县、巴里坤哈萨克自治县、和静县、塔什库尔干塔吉克自治县等。

| **资源情况** | 野生资源较丰富。药材来源于野生。

| **采收加工** | 6 ~ 7 月采收，洗去泥土，除去根须、残叶，以纸遮蔽，晒干。

| **功能主治** | 滋阴补阳。用于阴阳亏虚证。

| **用法用量** | 内服煎汤，15 ~ 30 g。

石竹科 Caryophyllaceae 卷耳属 *Cerastium*

镰状卷耳 *Cerastium bungeanum* Vved.

| 药 材 名 | 卷耳（药用部位：全草）。

| 形态特征 | 多年生草本。茎单生或数个丛生，上部密被短柔毛，下部毛较稀，高 10 ~ 40 cm。叶腋有时抽出短小不育枝；叶片条状披针形或披针形，长 2 ~ 6 cm，宽 2 ~ 6 mm，先端尖，基部楔形，背面中脉明显，被短柔毛或无毛，边缘有粗糙短毛。多花聚集为顶生的二歧聚伞花序，稀花单生；花梗被短毛，花后期下垂；苞片披针形，长 3 ~ 5 mm，叶质；萼片常为卵状披针形或矩圆形，长 6 ~ 9 mm，宽约 4 mm，先端急尖，边缘膜质，背面下部被短毛，上部被疏毛或无毛；花瓣白色，为萼长的 1.5 ~ 2 倍，先端微凹或全缘。蒴果矩圆状卵形，长约 10 mm，先端 10 齿裂，裂齿稍向外卷。种子被小疣状突起。花

果期 5 ～ 6 月。

| **生境分布** | 生于海拔 800 ～ 2 800 m 的林下、山坡、草甸。分布于新疆乌鲁木齐市及高昌区、阜康市、阿勒泰市、博乐市、布尔津县、奇台县、玛纳斯县、和布克赛尔蒙古自治县、精河县、温泉县、霍城县、伊宁县、巩留县、昭苏县、巴里坤哈萨克自治县、和硕县、乌恰县、叶城县等。

| **资源情况** | 野生资源丰富。药材来源于野生。

| **功能主治** | 清热利水，破血通经。

| **用法用量** | 内服煎汤，15 ～ 30 g。

石竹科 Caryophyllaceae 卷耳属 Cerastium

达乌里卷耳 *Cerastium davuricum* Fisch. ex Spreng.

| 药 材 名 |

卷耳（药用部位：全草）。

| 形态特征 |

多年生草本。植株高大，高 50 ～ 100 cm。茎疏生长柔毛，粗壮，具纵条纹。叶大，对生，长圆形或椭圆形，长 5 ～ 8 cm，宽 1.5 ～ 4 cm，先端钝圆或急尖，基部无柄，稍抱茎，有垂耳。花数朵组成顶生的二歧聚伞花序；苞片和小苞片叶状，叶质，卵形；总花梗粗壮，长 6 ～ 8 cm，花梗较细，上部者长 2 ～ 3 cm，下部者长达 6 cm；花大，直径约 3 cm；萼片 5，卵状披针形或椭圆状长圆形，长 8 ～ 12 mm，宽 3 ～ 5 mm，背面无毛，有光泽，先端渐尖，边缘狭膜质；花瓣 5，长为花萼的 1.5 ～ 2 倍，白色，倒心形，先端 2 浅裂，爪上具毛；雄蕊 10，与萼片等长；花柱 5。蒴果长圆形，比萼片长 1.5 ～ 2 倍，直伸，10 瓣裂，裂片向外反卷；种子多数，暗褐色，近三角状扁圆形，表面具规则排列的疣状突起。花果期 7 ～ 8 月。

| 生境分布 |

生于海拔 1 000 ～ 2 800 m 的山地草甸、针叶林下或亚高山草甸。分布于新疆乌鲁木齐

市及阜康市、塔城市、阿勒泰市、沙湾市、青河县、福海县、布尔津县、哈巴河县、木垒哈萨克自治县、奇台县、和布克赛尔蒙古自治县、额敏县、托里县、精河县、温泉县、霍城县、伊宁县、尼勒克县、新源县、巩留县、特克斯县、巴里坤哈萨克自治县、托克逊县、和静县、乌恰县等。

| **资源情况** | 野生资源丰富。药材来源于野生。

| **功能主治** | 清热利水,破血通经。

石竹科 Caryophyllaceae 卷耳属 Cerastium

二歧卷耳
Cerastium dichotomum L.

| 药 材 名 | 卷耳（药用部位：全草）。

| 形态特征 | 一年生草本。全株被腺状柔毛。茎近基部叉状分枝，高 15 ～ 35 cm，有匍匐茎。叶披针状线形或长椭圆形，先端稍钝，向基部变狭，微抱茎，两面均被柔毛，边缘有缘毛，长 2 ～ 3.5 cm，宽 0.5 ～ 1 cm，常长于节间。聚伞花序顶生，具 5 ～ 11 花；花梗被柔毛，并混有腺毛；苞片草质，小，椭圆状披针形，被柔毛；萼片 5，披针形，先端渐尖，边缘膜质，背面被腺毛，长 3 ～ 10 mm，宽 2 ～ 3 mm；花瓣倒卵形，先端微缺或 2 裂，较花萼短或与花萼近等长，爪无毛；雄蕊 10，花丝基部有毛；花柱 5。蒴果长圆筒形，直或微弯，比萼长 2 ～ 3 倍，10 齿裂，裂齿扁平。花果期 4 ～ 5 月。

| **生境分布** | 生于多石山坡和谷地。分布于新疆米东区等。

| **资源情况** | 野生资源较少。药材来源于野生。

| **功能主治** | 清热利水，破血通经。

石竹科 Caryophyllaceae 卷耳属 Cerastium

簇生泉卷耳

Cerastium fontanum Baumg. subsp. *vulgare* (Hartman) Greuter & Burdet

| 药 材 名 | 卷耳（药用部位：全草）。

| 形态特征 | 多年生或一年生、二年生草本。高 15 ~ 30 cm。茎单生或丛生，近直立，被白色短柔毛和腺毛。基生叶叶片近匙形或倒卵状披针形，基部渐狭，呈柄状，两面被短柔毛；茎生叶近无柄，叶片卵形、狭卵状长圆形或披针形，长 1 ~ 3（~ 4）cm，宽 3 ~ 10（~ 12）mm，先端急尖或钝尖，两面均被短柔毛，边缘具缘毛。聚伞花序顶生；苞片草质；花梗细，长 5 ~ 25 mm，密被长腺毛，花后弯垂；萼片 5，长圆状披针形，长 5.5 ~ 6.5 mm，外面密被长腺毛，边缘中部以上膜质；花瓣 5，白色，倒卵状长圆形，等长于或微短于萼片，先端 2 浅裂，基部渐狭，无毛；雄蕊短于花瓣，花丝扁线形，无毛；花柱 5，

短线形。蒴果圆柱形，长 8 ～ 10 mm，长为宿存萼的 2 倍，先端 10 齿裂；种子褐色，具瘤状突起。花期 5 ～ 6 月，果期 6 ～ 7 月。

| **生境分布** | 生于海拔 1 200 ～ 2 300 m 的山地林缘杂草间或疏松砂壤土。新疆有分布。

| **资源情况** | 野生资源一般。药材来源于野生。

| **采收加工** | 夏季采集，鲜用或晒干。

| **功能主治** | 用于感冒发热，小儿高热惊风，痢疾，乳痈初起，疔疮肿毒。

| **用法用量** | 内服煎汤，15 ～ 30 g。外用适量，鲜品捣敷。

石竹科 Caryophyllaceae 石竹属 Dianthus

须苞石竹
Dianthus barbatus L.

| 药 材 名 | 瞿麦（药用部位：带花的全草）。

| 形态特征 | 多年生草本。高 30 ~ 60 cm，全株无毛。茎直立，有棱。叶片披针形，长 4 ~ 8 cm，宽约 1 cm，先端急尖，基部渐狭，合生成鞘，全缘，中脉明显。花多数，集成头状，有数枚叶状总苞片；花梗极短；苞片 4，卵形，先端尾尖，边缘膜质，具细齿，与花萼等长或稍长于花萼；花萼筒状，长约 1.5 cm，裂齿锐尖；花瓣具长爪，瓣片卵形，通常红紫色，有白点斑纹，先端齿裂，喉部具髯毛；雄蕊稍露于外；子房长圆形，花柱线形。蒴果卵状长圆形，长约 1.8 cm，先端 4 裂至中部；种子褐色，扁卵形，平滑。花期 6 月下旬至 9 月，果期 7 月下旬至 10 月。

| **生境分布** | 生于向阳的丘陵地、山坡林灌丛间、疏林下、草甸及碱性草原。分布于新疆乌鲁木齐市及米东区、伊宁市、昭苏县、石河子市等。

| **功能主治** | 利尿通淋，破血通经。用于热淋，湿热引发的膀胱湿热，尿道结石，尿淋，血淋，小便不利，淋沥涩痛，月经闭止。

石竹 *Dianthus chinensis* L.

| **药 材 名** | 瞿麦（药用部位：带花的全草、果实、根）。

| **形态特征** | 多年生草本。高 30 ~ 50 cm，全株无毛，带粉绿色。茎由根颈生
出，疏丛生，直立，上部分枝。叶片线状披针形，长 3 ~ 5 cm，宽
2 ~ 4 mm，先端渐尖，基部稍狭，全缘或有细小齿，中脉较明显。
花单生于枝端或数花集成聚伞花序；花梗长 1 ~ 3 cm；苞片 4，卵形，
先端长渐尖，长达花萼的 1/2 以上，边缘膜质，有缘毛；花萼圆筒形，
长 15 ~ 25 mm，直径 4 ~ 5 mm，有纵条纹，萼齿披针形，长约
5 mm，直伸，先端尖，有缘毛；花瓣长 16 ~ 18 mm，瓣片倒卵状三
角形，长 13 ~ 15 mm，紫红色、粉红色、鲜红色或白色，顶缘不整
齐齿裂，喉部有斑纹，疏生髯毛；雄蕊露出喉部外，花药蓝色；子房

长圆形，花柱线形。蒴果圆筒形，包于宿存萼内，先端 4 裂；种子黑色，扁圆形。花期 6 ~ 9 月，果期 7 ~ 10 月。

| 生境分布 | 生于向阳的丘陵地、山坡林缘、疏林下、草甸及碱性草原。分布于新疆奇台县、乌鲁木齐县、石河子市、克拉玛依区、霍城县、昭苏县等。

| 功能主治 | 清热消炎，利尿通经。

石竹科 Caryophyllaceae 石竹属 Dianthus

繸裂石竹
Dianthus orientalis Adams

| 药 材 名 | 瞿麦（药用部位：带花的全草）。

| 形态特征 | 多年生草本。高（10～）15～30（～40）cm。根粗壮，直径达
1 cm，木质化。茎丛生，基部木质，上部分枝，无毛。基生叶簇生，
叶片线形，长 1～4 cm，宽 1～1.5 mm，质硬，先端具硬尖，基部
较宽，膜质，短鞘状，边缘背卷，背面中脉凸起；茎生叶稍短。花
单生于枝端，稀成聚伞花序；花梗长约 1.5 cm；苞片 3～4 对，卵形，
先端长渐尖或凸尖，边缘膜质，长为花萼的 1/4～1/3；花萼圆筒形，
长（15～）20～25 mm，直径 4～5 mm，无毛，稍有白粉，有纵纹，
裂片披针形，边缘膜质；花瓣粉红色，有长爪，瓣片狭长圆形，边
缘繸裂至近中部；雄蕊短于花瓣，花药长圆形；子房长圆形，花柱线

形。蒴果圆筒形，稍短于或与宿存萼等长，先端 4 裂；种子扁长圆形，长 3 ～ 4 mm，宽约 1.5 mm，黑褐色，边缘具宽翅。花期 6 ～ 7 月。

| 生境分布 | 生于海拔 900 ～ 3 000 m 的山坡草地、砾石地、干旱石质荒漠及河岸。分布于新疆昭苏县、特克斯县、巩留县、霍城县、托里县、和静县、乌鲁木齐县、阜康市、奇台县等。

| 功能主治 | 利尿通淋，活血通经。

石竹科 Caryophyllaceae 石竹属 Dianthus

瞿麦
Dianthus superbus L.

| 药 材 名 | 瞿麦（药用部位：带花的全草）。

| 形态特征 | 多年生草本。高 50 ~ 60 cm，有时更高。茎丛生，直立，绿色，无毛，上部分枝。叶片线状披针形，长 5 ~ 10 cm，宽 3 ~ 5 mm，先端锐尖，中脉明显，基部合生成鞘状，绿色，有时带粉绿色。花 1 或 2 生于枝端，有时于顶下腋生；苞片 2 ~ 3 对，倒卵形，长 6 ~ 10 mm，约为花萼长的 1/4，宽 4 ~ 5 mm，先端长尖；花萼圆筒形，长 2.5 ~ 3 cm，直径 3 ~ 6 mm，常染紫红色晕，萼齿披针形，长 4 ~ 5 mm；花瓣长 4 ~ 5 cm，爪长 1.5 ~ 3 cm，包于萼筒内，瓣片宽倒卵形，边缘繸裂至中部或中部以上，通常淡红色或带紫色，稀白色，喉部具丝毛状鳞片；雄蕊和花柱微外露。蒴果圆筒形，与宿存萼等长或微长

于宿存萼，先端 4 裂；种子扁卵圆形，长约 2 mm，黑色，有光泽。花期 6 ~ 9 月，果期 8 ~ 10 月。

| **生境分布** | 生于海拔 400 ~ 3 700 m 的丘陵山地疏林下、林缘，草甸，沟谷溪边。分布于新疆清河县、福海县、奇台县、精河县、新源县、巴里坤哈萨克自治县等。

| **功能主治** | 用于小便不利，淋病，水肿，经闭，痈肿，目赤翳障，疮毒浸淫。

石竹科 Caryophyllaceae 三柱卷耳属 Dichodon

六齿卷耳 Dichodon cerastoides (L.) Rchb.

| 药 材 名 |　卷耳（药用部位：地上部分）。

| 形态特征 |　多年生草本。高 5 ～ 20 cm。茎基部伏卧，节上生根，分枝，上升或直立，下部无毛，上部常被腺毛。叶长圆形、披针形或线形，长1 ～ 2 cm，宽 2 ～ 4 mm，先端稍钝，无毛或上部叶被腺毛，下部叶腋常有不育枝。花序顶生，呈二叉状；花梗长可达 2.5 cm，被腺毛，花后下倾；萼片长圆形，先端锐，长 4 ～ 5.5 mm，背面被腺毛；花瓣白色，其长度为花萼的 1.5 ～ 3 倍，先端 1/4 ～ 1/3 分裂；花柱 3，稀 4。蒴果长圆形，其长度为花萼的 1.5 ～ 2 倍，6 齿裂，齿片向外弯曲；种子小，直径约 0.5 mm，被规则排列的乳头状突起。花果期6 ～ 8 月。

| 生境分布 | 生于海拔 2 000 ~ 4 700 m 的高山及亚高山草甸。分布于新疆青河县、富蕴县、福海县、阿勒泰市、布尔津县、哈巴河县、木垒哈萨克自治县、奇台县、阜康市、乌鲁木齐市、和布克赛尔蒙古自治县、额敏县、裕民县、精河县、博乐市、霍城县、察布查尔锡伯自治县、尼勒克县、新源县、巩留县、昭苏县、哈密市、和静县、阿克陶县、乌恰县、塔什库尔干塔吉克自治县等。

| 资源情况 | 野生资源丰富。药材来源于野生。

| 功能主治 | 用于咳嗽，头痛，肾绞痛，全身酸痛。

石竹科 Caryophyllaceae 裸果木属 *Gymnocarpos*

裸果木 *Gymnocarpos przewalskii* Maxim.

| **药 材 名** | 裸果木（药用部位：种子）。

| **形态特征** | 亚灌木。高 50 ~ 100 cm。茎曲折，多分枝；树皮灰褐色，剥裂；
嫩枝赭红色，节膨大。叶几无柄，叶片稍肉质，线形，略呈圆柱状，
长 5 ~ 10 mm，宽 1 ~ 1.5 mm，先端急尖，具短尖头，基部稍收缩；
托叶膜质，透明，鳞片状。聚伞花序腋生；苞片白色，膜质，透明，
宽椭圆形，长 6 ~ 8 mm，宽 3 ~ 4 mm；花小，不显著；花萼下部连
合，长 1.5 mm，萼片倒披针形，长约 1.5 mm，先端具芒尖，外面被
短柔毛；花瓣无；外轮雄蕊无花药，内轮雄蕊花丝细，长约 1 mm，
花药椭圆形，纵裂；子房近球形。瘦果包于宿存萼内；种子长圆形，
直径约 0.5 mm，褐色。花期 5 ~ 6 月。

| **生境分布** | 生于海拔 1 000 ～ 2 500 m 的荒漠区的干河床、戈壁滩、砾石山坡。分布于新疆哈密市及库尔勒市、若羌县、库车市、温宿县、乌恰县、喀什市等。

| **功能主治** | 清热利水，破血通经。

石竹科 Caryophyllaceae 石头花属 Gypsophila

细叶石头花 *Gypsophila licentiana* Hand.-Mazz.

| 药 材 名 | 银柴胡（药用部位：全草）。

| 形态特征 | 多年生草本。高 30 ~ 50 cm。茎细，无毛，上部分枝。叶片线形，长 1 ~ 3 cm，宽约 1 mm，先端具骨质尖，边缘粗糙，基部连合成短鞘。聚伞花序顶生，花较密集；花梗长 2 ~ 3（~ 10）mm，带紫色；苞片三角形，长 1.5 mm，渐尖，边缘白色，膜质，具短缘毛；花萼狭钟形，长 2 ~ 3 mm，具 5 绿色或带深紫色脉，脉间白色，膜质，齿裂达 1/3，卵形，渐尖；花瓣白色，三角状楔形，长为花萼的 1.5 ~ 2 倍，宽约 1 mm，先端微凹；雄蕊比花瓣短，花丝线形，不等长，花药小，球形；子房卵球形，花柱与花瓣等长。蒴果略长于宿存萼；种子圆肾形，直径约 1 mm，具疣状突起。花期 7 ~ 8 月，果期 8 ~ 9 月。

| **生境分布** | 生于石质山坡。分布于新疆哈巴河县等。

| **采收加工** | 秋季采收，洗净，鲜用或晒干。

| **功能主治** | 清虚热，除疳热。用于阴虚潮热，久疟，小儿疳热。

石竹科 Caryophyllaceae 石头花属 Gypsophila

钝叶石头花 *Gypsophila perfoliata* L.

| 药 材 名 | 银柴胡（药用部位：全草）。

| 形态特征 | 多年生草本。高达 70 cm。茎直立，上部多分枝，下部被短腺柔毛。叶片倒卵状长圆形或卵状长圆形，长 3 ~ 7 cm，宽 1 ~ 3 cm，基部微连合，稍抱茎，被腺毛，具 3 ~ 5 脉。聚伞花序圆锥状，开展；花梗纤细，长 4 ~ 15 mm，无毛；苞片三角形，渐尖，无毛；花萼宽钟形，长 2 ~ 4 mm，具绿色脉纹，萼齿裂达中部，卵形，先端钝，边缘白色，膜质；花瓣红色、粉红色或白色，长圆形，长约 5 mm，宽约 2 mm，先端圆钝或微凹；雄蕊稍短于花瓣，花丝扁线形，花药圆形；子房卵球形，花柱线形，伸出。蒴果球形，长于宿存萼；种子肾形，长约 1 mm，具细平的疣状突起。花期 7 ~ 8 月，

果期 8 ~ 9 月。

| **生境分布** | 生于海拔 500 ~ 1 000 m 的河旁湿地、盐碱地、草原沙地、林中草地及戈壁滩。分布于新疆石河子市、塔城市、霍城县、察布查尔锡伯自治县、巩留县、特克斯县、新源县、乌鲁木齐县、奇台县，以及阿尔泰山区等。

| **采收加工** | 秋季采收，洗净，鲜用或晒干。

| **功能主治** | 清虚热，除疳热。用于阴虚潮热，久疟，小儿疳热。

石竹科 Caryophyllaceae 治疝草属 Herniaria

治疝草
Herniaria glabra L.

| **药 材 名** | 治疝草（药用部位：种子）。

| **形态特征** | 多年生草本。全株鲜黄绿色，无毛或被疏柔毛。茎基部多分枝，铺散，长 5 ~ 18 cm。叶片长圆状椭圆形或倒卵形，长 3 ~ 7 mm，宽 1 ~ 3 mm，先端圆钝，基部楔形，两面无毛。聚伞花序腋生；苞片卵形，膜质，具缘毛；萼片卵状长圆形，长约 1.5 mm，宽 0.5 mm，无毛，先端圆钝，外面无毛，边缘被缘毛；雄蕊 5，花丝短，花药长圆形；柱头乳头状。瘦果卵圆形，长约 2 mm；种子 1，扁圆形，直径约 0.5 mm，褐色，具光泽。花期 7 月，果期 8 ~ 9 月。

| 生境分布 | 生于海拔 900 ~ 2 400 m 的草甸、山坡向阳处及沼泽地。分布于新疆富蕴县、福海县、哈巴河县等。

| 功能主治 | 清热利水,破血通经。

石竹科 Caryophyllaceae 薄蒴草属 Lepyrodiclis

薄蒴草

Lepyrodiclis holosteoides (C. A. Mey.) Fisch. et Mey.

| 药 材 名 |

薄蒴草（药用部位：全草）。

| 形态特征 |

一年生草本。全株被腺毛。茎高 40 ~ 100 cm，具纵条纹，上部被长柔毛。叶片披针形，长 3 ~ 7 cm，宽 2 ~ 5 mm，有时达 10 mm，先端渐尖，基部渐狭，上面被柔毛，沿中脉毛较密，边缘具腺柔毛。圆锥花序开展；苞片草质，披针形或线状披针形；花梗细，长 1 ~ 2（~ 3）cm，密生腺柔毛；萼片 5，线状披针形，长 4 ~ 5 mm，先端尖，边缘狭膜质，外面疏生腺柔毛；花瓣 5，白色，宽倒卵形，与萼片等长或稍长于萼片，先端全缘；雄蕊通常 10，花丝基部宽扁；花柱 2，线形。蒴果卵圆形，短于宿存萼，2 瓣裂；种子扁卵圆形，红褐色，具突起。花期 6 ~ 7 月，果期 7 ~ 8 月。

| 生境分布 |

生于海拔 1 200 ~ 2 800 m 的山坡草地、荒芜农地或林缘。分布于新疆奇台县、乌鲁木齐县、玛纳斯县、伊宁县、新源县、巴里坤哈萨克自治县、和静县、和田县等。

| 功能主治 |　利肺，托疮。

石竹科 Caryophyllaceae 肥皂草属 Saponaria

肥皂草
Saponaria oficinalis L.

| **药 材 名** | 肥皂草（药用部位：全草）。

| **形态特征** | 多年生草本。高 30 ~ 70 cm。主根肥厚，肉质；根茎细、多分枝。茎直立，不分枝或上部分枝，常无毛。叶片椭圆形或椭圆状披针形，长 5 ~ 10 cm，宽 2 ~ 4 cm，基部渐狭成短柄状，微合生，半抱茎，先端急尖，边缘粗糙，两面均无毛，具 3 或 5 基出脉。聚伞状圆锥花序，小聚伞花序有 3 ~ 7 花；苞片披针形，长渐尖，边缘和中脉被稀疏短粗毛；花梗长 3 ~ 8 mm，被稀疏短毛；花萼筒状，长 18 ~ 20 mm，直径 2.5 ~ 3.5 mm，绿色，有时暗紫色，初期被毛，纵脉 20，不明显，萼齿宽卵形，具凸尖；雌雄蕊柄长约 1 mm；花瓣白色或淡红色，爪狭长，无毛，瓣片楔状倒卵形，长

10 ～ 15 mm，先端微凹缺；副花冠片线形；雄蕊和花柱外露。蒴果长圆状卵形，长约 15 mm；种子圆肾形，长 1.8 ～ 2 mm，黑褐色，具小瘤。花期 6 ～ 9 月。

| 生境分布 |　生于路旁、荒山等。新疆各地均有分布。

| 功能主治 |　止咳化痰。

石竹科 Caryophyllaceae 蝇子草属 Silene

斋桑蝇子草 Silene alexandrae B. Keller

| **药材名** | 蝇子草（药用部位：全草）。

| **形态特征** | 亚灌木状草本。高 25 ~ 45 cm。茎丛生，直立，分枝或不分枝，上部分泌黏液，有时下部被粗毛。叶片线形，长 3 ~ 8 cm，宽 2 ~ 3 mm，先端急尖，边缘基部具缘毛，中脉明显，后期叶呈刺状。圆锥状总状花序具数花，常分泌黏液，花梗比花萼短或微长于花萼，无毛；苞片卵形，先端渐尖，边缘膜质，具缘毛；花萼筒状棒形，长 20 ~ 25 mm，直径 2.5 ~ 3 mm，被短柔毛，后期上部微膨大，纵脉紫色，萼齿短三角状卵形，先端急尖或钝，边缘膜质，具缘毛；雌雄蕊柄长 8 ~ 10 mm，无毛；花瓣白色，爪倒披针形，无毛，瓣片 2 深裂达 3/4 处，裂片长圆形；副花冠片小；雄蕊外露，花丝无毛；

花柱外露。蒴果长圆状卵形，长 10 ~ 15 mm；种子三角状肾形，黑褐色。花期 6 ~ 7 月，果期 8 月。

| **生境分布** | 生于海拔 1 250 m 的山沟草丛、岩石缝中。分布于新疆阿勒泰市、哈巴河县、托里县、温泉县、昭苏县、巴里坤哈萨克自治县、鄯善县，以及准噶尔盆地和天山等。

| **功能主治** | 止咳化痰。

石竹科 Caryophyllaceae 蝇子草属 Silene

麦瓶草 *Silene conoidea* L.

| **药 材 名** | 麦瓶草（药用部位：全草）。

| **形态特征** | 一年生草本。高20～60 cm，全株被腺毛。主根圆柱状，细长。茎直立，节明显而膨大，叉状分枝。基生叶匙形；茎生叶对生，椭圆状披针形或披针形，长5～8 cm，宽5～10 mm，先端钝尖，基部渐窄，全缘。花两性；1～3花组成顶生及腋生聚伞花序；花梗细长；花萼长锥形，上端窄缩，下部膨大，有30明显的细脉，先端5齿裂；花瓣5，粉红色，三角状倒卵形，长于花萼，喉部有2鳞片；雄蕊10；子房上位，花柱3，细长。蒴果卵形，3～6齿裂或瓣裂，包围于长锥形宿存萼中；种子肾形，有成行的瘤状突起，突起以种脐为圆心，整齐排列成数层半环状。花期5～6月，果期6～7月。

| **生境分布** | 生于麦田中或荒地草坡。新疆各地均有分布。

| **采收加工** | 春、夏季采收，洗净，晒干。

| **功能主治** | 养阴，清热，止血，调经。用于吐血，衄血，虚痨咳嗽，咯血，尿血，月经不调。

石竹科 Caryophyllaceae 蝇子草属 Silene

线叶蝇子草 *Silene gebleriana* Schrenk Enum.

| 药 材 名 |

蝇子草（药用部位：全草）。

| 形 态 特 征 |

多年生草本。高 50 ~ 80 cm。茎笔直，强烈分枝。叶密生，叶片窄而短，披针形或披针状线形。花序总状，圆锥形。蒴果长圆状卵形；种子肾形。花期 6 ~ 7 月。

| 生 境 分 布 |

生于草甸、沼泽地。分布于新疆奇台县、阜康市、昭苏县等。

| 采 收 加 工 |

夏、秋季采收，洗净，鲜用或晒干。

| 功 能 主 治 |

止血活血，调经。

石竹科 Caryophyllaceae 蝇子草属 Silene

禾叶蝇子草 *Silene graminifolia* Otth

| 药 材 名 | 蝇子草（药用部位：全草或根茎）。

| 形态特征 | 多年生草本。高 15 ~ 50 cm。根粗壮，具多头根颈。茎丛生，直立，纤细，不分枝，无毛或基部被短柔毛，上部具黏液。基生叶线状倒披针形，质薄，长 2 ~ 8（~ 10）cm，宽 2 ~ 4.5 mm，基部渐狭成柄状，先端急尖，边缘具缘毛；茎生叶 2 ~ 3 对，基部常无柄，微合生，抱茎，具缘毛。总状花序常具 5 ~ 11 花，稀更多；花梗纤细，无毛，比花萼短或近等长；苞片卵状披针形，边缘膜质，具缘毛；花萼狭钟形，长 7 ~ 10 mm，直径 2 ~ 3 mm，无毛，纵脉绿色，脉端不联结，萼齿三角状卵形，先端钝，边缘膜质，具缘毛；雌雄蕊柄无毛，长 2 ~ 3 mm；花瓣白色，长 10 ~ 12 mm，爪狭倒披针形，

具长缘毛，瓣片露出花萼，2 深裂达瓣片的中部，裂片长圆形；副花冠片乳头状或不明显；雄蕊和花柱均外露。蒴果卵形，长 7 ～ 8 mm，与宿存萼近等长；种子肾形，长约 1 mm，暗褐色。花期 6 ～ 7 月，果期 8 ～ 9 月。

| **生境分布** | 生于海拔 1 600 ～ 4 200 m 的高山草地。分布于新疆阿勒泰地区、喀什地区、乌鲁木齐市等。

| **功能主治** | 清热利湿，解毒消肿。

石竹科 Caryophyllaceae 蝇子草属 Silene

山蚂蚱草

Silene jenisseensis Willd.

| **药 材 名** | 银柴胡（药用部位：根）。

| **形态特征** | 多年生草本。高20～50 cm。根粗壮，木质。茎丛生，直立或近直立，不分枝，无毛，基部常具不育茎。基生叶狭倒披针形或披针状线形，长5～13 cm，宽2～7 mm，基部渐狭成长柄状，先端急尖或渐尖，边缘近基部具缘毛，余均无毛，中脉明显；茎生叶少数，较小，基部微抱茎。假轮伞状圆锥花序或总状花序；花梗长4～18 mm，无毛；苞片卵形或披针形，基部微合生，先端渐尖，边缘膜质，具缘毛；花萼狭钟形，后期微膨大，长8～10（～12）mm，无毛，纵脉绿色，脉端联结，萼齿卵形或卵状三角形，无毛，先端急尖或渐尖，边缘膜质，具缘毛；雌雄蕊柄被短毛，长约2 mm；花瓣白色或淡绿

色，长 12 ~ 18 mm，爪狭倒披针形，无毛，无明显耳，瓣片叉状 2 裂达瓣片的中部，裂片狭长圆形；副花冠长椭圆形，细小；雄蕊外露，花丝无毛；花柱外露。蒴果卵形，长 6 ~ 7 mm，比宿存萼短；种子肾形，长约 1 mm，灰褐色。花期 7 ~ 8 月，果期 8 ~ 9 月。

| 生境分布 |　生于海拔 250 ~ 1 000 m 的草原、草坡、林缘或固定沙丘。分布于新疆阿勒泰地区、乌鲁木齐市等。

| 功能主治 |　清热凉血。

石竹科 Caryophyllaceae 蝇子草属 Silene

矮蝇子草 *Silene nana* Kar. et Kir.

| 药 材 名 | 蝇子草（药用部位：全草）。

| 形态特征 | 一年生小草本。高 3 ~ 15 cm，全株无毛。茎直立，不分枝或基部具开展的分枝。叶片披针状线形或披针形，长 2 ~ 3.5 cm，宽 2 ~ 6 mm，基部楔形，无柄，先端急尖或钝，边缘具卷曲柔毛。二歧聚伞花序具数花，稀单花；花梗与花萼几等长或比花萼长 2 ~ 3 倍，斜展，后期常下弯；苞片披针形；花萼卵状钟形，长约 10 mm，直径约 3.5 mm，淡绿色，基部脐状，萼齿三角状披针形，长为花萼的 1/4，先端急尖，边缘狭膜质，具短缘毛；雌雄蕊柄长 1 ~ 2 mm，无毛；花瓣白色，长约 11 mm，微露出花萼，爪狭倒披针形，无毛，耳三角形，瓣片近卵形，长约 2.5 mm，全缘；副花冠片狭卵形，

长为瓣片的 1/2，全缘，稀具缺刻；雄蕊微外露，花丝无毛。蒴果卵形，长约
8 mm，比宿存萼短；种子圆肾形，压扁，脊具皱波状翅，连翅直径约 2 mm。
花期 4 ～ 5 月，果期 6 月。

| **生境分布** | 生于海拔 1 500 ～ 3 500 m 的林下、湿润草地、溪岸或石质草坡。分布于新疆阜
康市、乌鲁木齐县等。

| **功能主治** | 清热利水，破血通经。

石竹科 Caryophyllaceae 蝇子草属 Silene

蔓茎蝇子草 *Silene repens* Patr.

| 药 材 名 | 蝇子草（药用部位：全草）。

| 形态特征 | 多年生草本。高 15 ~ 50 cm，全株被短柔毛。根茎细长，分叉。茎疏丛生或单生，不分枝或有时分枝。叶片线状披针形、披针形、倒披针形或长圆状披针形，长 2 ~ 7 cm，宽 3 ~ 10（~ 12）mm，基部楔形，先端渐尖，两面被柔毛，边缘基部具缘毛，中脉明显。总状圆锥花序，小聚伞花序常具 1 ~ 3 花；花梗长 3 ~ 8 mm；苞片披针形，草质；花萼筒状棒形，11 ~ 15 mm，直径 3 ~ 4.5 mm，常带紫色，被柔毛，萼齿宽卵形，先端钝，边缘膜质，具缘毛；雌雄蕊柄被短柔毛，长 4 ~ 8 mm；花瓣白色，稀黄白色，爪倒披针形，不露出花萼，无耳，瓣片平展，倒卵形，2 浅裂或深裂达中部；副花

冠片长圆状，先端钝，有时具裂片；雄蕊微外露，花丝无毛；花柱微外露。蒴果卵形，长 6 ~ 8 mm，比宿存萼短；种子肾形，长约 1 mm，黑褐色。花期 6 ~ 8 月，果期 7 ~ 9 月。

| 生境分布 | 生于河岸、山坡草地、湿草甸子、湖边的固定沙丘、草原、多石砾干山坡。分布于新疆哈密市、昌吉回族自治州及青河县、阿勒泰市、布尔津县、哈巴河县、木垒哈萨克自治县、奇台县、阜康市、乌鲁木齐县、玛纳斯县、石河子市、和布克赛尔蒙古自治县、霍城县、尼勒克县、新源县、特克斯县、昭苏县、巴里坤哈萨克自治县、库车市等。

| 功能主治 | 清热利水，破血通经，止血活血。

天山蝇子草 *Silene tianschanica* Schischk.

| **药 材 名** | 蝇子草（药用部位：全草）。

| **形态特征** | 亚灌木状草本。高 30 ～ 40 cm。根粗壮，具多头根颈。茎密丛生，直立，不分枝或稀疏分枝，下部被短柔毛，上部无毛。叶片线形，长 3 ～ 5 cm，宽 1 ～ 2 mm，基部渐狭，微抱茎，先端渐尖，两面近无毛，边缘下部具疏缘毛。总状花序圆锥式，分枝互生；花初期微俯垂；花梗细，长 4 ～ 15 mm，无毛；苞片卵状披针形，长 3 ～ 3.5 mm，边缘膜质，具短缘毛；花萼筒状棒形，长 10 ～ 12 mm，直径约 3 mm，无毛，果期上部微膨大，纵脉紫色，萼齿短，宽三角状卵形，先端钝，具缘毛；雌雄蕊柄无毛，长 2 ～ 3 mm；花瓣白色，长约 14 mm，爪狭楔形，无缘毛和耳，瓣片露出花萼，倒卵形，2 裂几达瓣片的基部，

裂片狭长圆形；副花冠片乳头状；雄蕊外露，花丝无毛；花柱明显外露。蓇葖果卵形，长约 9 mm，直径约 5 mm，与宿存萼近等长；种子三角状肾形，长约 1.2 mm。花期 6 ~ 7 月，果期 7 ~ 8 月。

| **生境分布** | 生于海拔 1 100 ~ 2 500 m 的石质山坡。分布于新疆阿勒泰市、塔城市等。

| **功能主治** | 清热利水，破血通经。

石竹科 Caryophyllaceae 蝇子草属 Silene

膨萼蝇子草
Silene wallichiana Klotzsch

| 药 材 名 | 蝇子草（药用部位：全草）。

| 形态特征 | 多年生草本。高 20 ～ 100 cm。茎无毛。叶卵圆状披针形，无毛，长达 5 cm。蒴果近球形，长约 8 mm，生于较短的无毛果柄上。花期 6 ～ 8 月。

| 生境分布 | 生于海拔 1 200 ～ 2 000 m 的阳坡林间、亚高山草甸。分布于新疆乌鲁木齐县、米东区、奇台县、哈巴河县、石河子市等。

| 功能主治 | 清热利水，破血通经。

石竹科 Caryophyllaceae 牛漆姑属 *Spergularia*

二蕊牛漆姑
Spergularia diandra (Guss.) Heldr.

| 药 材 名 | 二蕊牛漆姑（药用部位：全草）。

| 形态特征 | 一年生草本。高 5 ~ 15 cm，全株被短腺毛，有时下部无毛。茎匍匐或直立，纤细，分枝。叶片狭线形或几为圆柱状，长 5 ~ 20 mm，宽 0.3 ~ 0.5 mm，先端钝；托叶膜质，具 3 棱，先端尖，下部 1/2 或 1/3 连合。花小，集为疏总状聚伞花序；花梗细，较花萼长 2 ~ 6 倍，稍偏向一边；萼片长圆状卵形，长 1.5 ~ 2.5 mm，宽约 1 mm，先端钝，边缘白色，膜质；花瓣淡紫红色，长圆状椭圆形，短于萼片；雄蕊（2 ~ ）3。蒴果卵圆形，等长或微长于宿存萼；种子极小，卵形，直径约 0.5 mm，淡褐色，无翅。花期 5 ~ 7 月，果期 6 ~ 9 月。

| 生境分布 | 生于海拔 920 ~ 2 600 m 的潮湿盐碱化草地、山沟湿地、河滩地、

水沟边潮湿处。新疆各地均有分布。

| **功能主治** | 清热利水，破血通经。

石竹科 Caryophyllaceae 繁缕属 Stellaria

鹅肠菜
Stellaria aquatica (L.) Scop.

| 药 材 名 | 鹅肠菜（药用部位：全草）。

| 形态特征 | 二年生或多年生草本。具须根。茎上升，多分枝，长 50 ～ 80 cm，上部被腺毛。叶片卵形或宽卵形，长 2.5 ～ 5.5 cm，宽 1 ～ 3 cm，先端急尖，基部稍心形，有时边缘具毛；叶柄长 5 ～ 15 mm，上部叶常无柄或具短柄，疏生柔毛。顶生二歧聚伞花序；苞片叶状，边缘具腺毛；花梗细，长 1 ～ 2 cm，花后伸长并向下弯，密被腺毛；萼片卵状披针形或长卵形，长 4 ～ 5 mm，果期长达 7 mm，先端较钝，边缘狭膜质，外面被腺柔毛，脉纹不明显；花瓣白色，2 深裂至基部，裂片线形或披针状线形，长 3 ～ 3.5 mm，宽约 1 mm；雄蕊 10，稍短于花瓣；子房长圆形，花柱短，线形。蒴果卵圆形，稍长于宿存萼；

种子近肾形，直径约 1 mm，稍扁，褐色，具小疣。花期 5 ~ 8 月，果期 6 ~ 9 月。

| **生境分布** | 分布于海拔 2 700 ~ 3 700 m 的山谷湿草地及田间。新疆各地均有分布。

| **功能主治** | 清热通淋、消肿止痛、消积通乳。

石竹科 Caryophyllaceae 繁缕属 Stellaria

银柴胡

Stellaria dichotoma var. *lanceolata* Bunge

| **药 材 名** | 银柴胡（药用部位：根）。

| **形态特征** | 多年生草本。高 15 ~ 30（~ 60）cm，全株呈扁球形，被腺毛。主根粗壮，圆柱形。茎丛生，圆柱形，多次二叉分枝，被腺毛或短柔毛。叶片线状披针形、披针形或长圆状披针形，长 5 ~ 25 mm，宽 1.5 ~ 5 mm，先端渐尖，基部圆形或近心形，微抱茎，全缘，两面被腺毛或柔毛，稀无毛。聚伞花序顶生，具多数花；花梗细，长 1 ~ 2 cm，被柔毛；萼片 5，披针形，长 4 ~ 5 mm，先端渐尖，边缘膜质，外面多少被腺毛或短柔毛，稀近无毛，中脉明显；花瓣 5，白色，倒披针形，长 4 mm，2 深裂至 1/3 处或中部，裂片近线形；雄蕊 10，长仅为花瓣的 1/3 ~ 1/2；子房卵形或宽椭圆状倒卵形；花

柱 3，线形。蒴果宽卵形，长约 3 mm，比宿存萼短，6 齿裂，常具 1 种子；种子卵圆形，褐黑色，微扁，脊具少数疣状突起。花期 5 ~ 6 月，果期 7 ~ 8 月。

| **生境分布** | 生于干燥草原及山坡石缝中。分布于新疆哈密市及木垒哈萨克自治县、巴里坤哈萨克自治县、和硕县等。

| **采收加工** | 9 ~ 10 月采挖，晒干。

| **功能主治** | 清虚热，除疳热。用于阴虚发热，骨蒸痨热，小儿疳热等。

石竹科 Caryophyllaceae 繁缕属 *Stellaria*

长叶繁缕 *Stellaria longifolia* Muhl. ex Willd.

| 药 材 名 | 繁缕（药用部位：全草）。

| 形态特征 | 多年生小草本。高 15 ～ 25 cm，全株无毛。地下茎细长。茎密丛生，上升，多分枝，铺散，四棱形，棱上带细齿状小突起而粗糙，有时平滑，极脆。叶片线形或宽线形，长 1.5 ～ 3.5 cm，宽 0.5 ～ 2 mm，具明显中脉，先端渐尖，基部稍狭，全缘，具稀疏短缘毛，叶腋通常生不育短枝。聚伞花序顶生或腋生；花序梗长 3 ～ 6 cm，无毛；苞片卵状披针形，长 1 ～ 2 mm，先端长渐尖，白色，有时边缘膜质，具缘毛；花梗纤细，粗糙，长 1 ～ 1.5 cm，花后长达 2.5 cm；萼片 5，卵状披针形，长 2.5 ～ 3 mm，果期长 3 ～ 4 mm，先端钝或稍尖，边缘膜质，具 3 不明显脉纹；花瓣 5，白色，与萼片等长或稍长于萼

片，2 裂至花瓣近基部，裂片近线形，先端稍圆钝，基部渐狭；雄蕊 10，花丝线形，花药黄色；子房卵状长圆形，花柱 3。蒴果卵圆形，比宿存萼长 1.5 ~ 2 倍，褐黑色，6 齿裂，具多数种子；种子卵圆形或椭圆形，长 0.8 ~ 1 mm，褐色，近平滑。花期 6 ~ 7 月，果期 6 ~ 8 月。

| 生境分布 | 生于海拔 2 000 ~ 3 500 m 的高山草甸或林下。分布于新疆阿勒泰市、阜康市等。

| 功能主治 | 清热利水，破血通经。

石竹科 Caryophyllaceae 繁缕属 Stellaria

准噶尔繁缕 *Stellaria soongorica* Roshev.

| **药 材 名** | 繁缕（药用部位：茎、叶）。

| **形态特征** | 多年生草本。高 15 ~ 25 cm，全株无毛。根茎细。茎单生或疏丛生，微具 4 棱，不分枝或分枝，纤细，常无毛。叶片线状披针形或线形，长 2.5 ~ 6 cm，宽 2.5 ~ 4 mm，先端长渐尖，两面无毛，基部被柔毛，无柄，微半抱茎，中脉明显凸起。花单个顶生或腋生；花梗细，长 1.5 ~ 5.5（~ 8）cm；苞片披针形，先端渐尖，边缘膜质；萼片 5，卵状披针形，长约 5 mm，宽约 2.5 mm，先端渐尖，边缘白色，膜质，无毛，中脉明显；花瓣 5，白色，较萼片长约 1 mm，先端 2 深裂几达基部，裂片长圆状倒披针形，先端钝；雄蕊 10，长 1 ~ 1.2 mm，花药黄褐色；子房卵形；花柱 3，果时外露。蒴果长圆状卵圆形，

深褐色或近黑色，长于宿存萼，6齿裂；种子细小，肾状圆形或卵形，微扁，褐色，具细疣状突起。花期 6 ~ 7 月，果期 8 ~ 9 月。

| **生境分布** | 生于海拔 1 600 ~ 2 600 m 的山坡林下、高山草甸。分布于新疆哈密市及和硕县、巩留县、新源县、昭苏县、叶城县、阿克陶县、皮山县等。

| **功能主治** | 活血散瘀，下乳，催生。

石竹科 Caryophyllaceae 繁缕属 *Stellaria*

伞花繁缕 *Stellaria umbellata* Turcz.

| 药 材 名 | 繁缕（药用部位：全草）。

| 形态特征 | 多年生草本。高 5 ~ 15 cm，全株无毛。须根簇生。茎单生，分枝。叶片椭圆形，长 1.5 ~ 2 cm，宽 4 ~ 5 mm，先端钝或急尖，基部楔形，微抱茎，两面无毛。聚伞状伞形花序，具 3 ~ 10 花，伞幅基部具 3 ~ 5 卵形、近膜质的苞片；花梗丝状，长 5 ~ 20 mm，果时微伸长，常下垂；萼片 5，披针形，长 2 ~ 3 mm，先端渐尖，绿色，边缘膜质；花瓣无；雄蕊 10，短于萼片；子房长圆状卵形，花柱 3，短线形。蒴果比宿存萼长近 1 倍，6 齿裂；种子肾形，略扁，表面具皱纹，但无突起。花期 6 ~ 7 月，果期 7 ~ 8 月。

| 生境分布 | 生于海拔 2 000 ~ 5 000 m 的高山草甸和亚高山草甸。分布于新疆乌

鲁木齐县、和田县、新源县等。

| **功能主治** | 清热解毒，化瘀止痛，活血散瘀，催生下乳。

石竹科 Caryophyllaceae 囊种草属 Thylacospermum

囊种草
Thylacospermum caespitosum (Cambess.) Schischk.

| 药 材 名 | 柔子草（药用部位：茎、叶）。

| 形态特征 | 多年生垫状草本。常呈球形，直径达 30 cm 或更大，全株无毛。茎基部强烈分枝，木质化。叶排列紧密，呈覆瓦状，叶片卵状披针形，长 2 ~ 4 mm，宽约 2 mm，先端短尖，质硬，有光泽。花单生于茎顶，几无梗；萼片披针形，长约 2.5 mm，宽约 1 mm，先端钝或渐尖，具 3 绿色脉；花瓣 5，卵状长圆形，先端稍圆钝，基部稍狭，全缘；花盘圆形，肉质，黄色；雄蕊 10，短于萼片；花柱 3，线形，常伸出花萼外。蒴果球形，直径 2.5 ~ 3 mm，黄色，具光泽，6 齿裂；种子肾形，直径约 1.5 mm，具海绵质种皮。花期 6 ~ 7 月，果期 7 ~ 8 月。

| 生境分布 |　生于海拔 3 600 ~ 6 000 m 的山顶沼泽地、流石滩、岩石缝中。新疆各地均有分布。

| 功能主治 |　清热利水，破血通经。

睡莲科 Nymphaeaceae 莲属 Nelumbo

莲

Nelumbo nucifera Gaertn.

| 药 材 名 | 藕节（药用部位：根茎）、莲子（药用部位：种子）。

| 形态特征 | 多年生水生草本。根茎横生，肥厚，节间膨大，内有多数纵行的通气孔道，节部缢缩，上生黑色鳞叶，下生须状不定根。叶圆形，盾状，直径 25 ~ 90 cm，全缘而稍呈波状，上面光滑，具白粉，下面叶脉从中央射出，1 ~ 2 次叉状分枝；叶柄粗壮，圆柱形，长 1 ~ 2 m，中空，外面散生小刺。花梗与叶柄等长或稍长于叶柄，亦散生小刺；花直径 10 ~ 20 cm，芳香；花瓣红色、粉红色或白色，矩圆状椭圆形至倒卵形，长 5 ~ 10 cm，宽 3 ~ 5 cm，由外向内渐小，有时变成雄蕊，先端圆钝或微尖；花药条形，花丝细长，着生于花托之下；花柱极短，柱头顶生；花托直径 5 ~ 10 cm。坚果椭圆形或卵

形，长 1.8 ~ 2.5 cm，果皮革质，坚硬，成熟时黑褐色；种子卵形或椭圆形，长 1.2 ~ 1.7 cm，种皮红色或白色。花期 6 ~ 8 月，果期 8 ~ 10 月。

| 生境分布 |　生于池塘或水田内。新疆各地均有分布。

| 功能主治 |　**藕节**：解毒，破瘀止血。

　　　　　　　莲子：补中益气，健脾和胃。

睡莲科 Nymphaeaceae 萍蓬草属 Nuphar

萍蓬草
Nuphar pumila (Timm) DC.

| 药 材 名 | 萍蓬草根（药用部位：根茎）。

| 形态特征 | 多年生水生草本。根茎直径 2 ~ 3 cm。叶纸质，宽卵形或卵形，少数椭圆形，长 6 ~ 17 cm，宽 6 ~ 12 cm，先端圆钝，基部具弯缺，心形，裂片远离，圆钝，上面光亮，无毛，下面密生柔毛，侧脉羽状，几次二叉分枝；叶柄长 20 ~ 50 cm，有柔毛。花直径 3 ~ 4 cm；花梗长 40 ~ 50 cm，有柔毛；萼片黄色，外面中央绿色，矩圆形或椭圆形，长 1 ~ 2 cm；花瓣窄楔形，长 5 ~ 7 mm，先端微凹；柱头盘常 10 浅裂，淡黄色或带红色。浆果卵形，长约 3 cm；种子矩圆形，长 5 mm，褐色。花期 5 ~ 7 月，果期 7 ~ 9 月。

| 生境分布 | 生于湖沼中。分布于新疆布尔津县等。

| 功能主治 |　清虚热，止汗，止咳，止血，祛瘀调经。用于劳热，骨蒸，盗汗，肺痨咳嗽，月经不调，刀伤。

睡莲科 Nymphaeaceae 睡莲属 *Nymphaea*

雪白睡莲

Nymphaea candida J. Presl & C. Presl

| 药 材 名 | 睡莲花（药用部位：花）。

| 形态特征 | 多年生水生草本。根茎直立或斜升。叶纸质，近圆形，直径 10 ~ 25 cm，基部具深弯缺，裂片尖锐，基部裂片邻接或重叠，两面无毛，有小点；叶柄长达 50 cm。花直径 10 ~ 20 cm，芳香；花梗几与叶柄等长；萼片披针形，长 3 ~ 5 cm，脱落或花期后腐烂；花瓣 20 ~ 25，白色，卵状矩圆形，长 3 ~ 5.5 cm，外轮比萼片稍长；花托略呈四角形；花药先端不延长，花粉粒皱缩，具乳突，内轮花丝披针形；柱头具 6 ~ 14 辐射线，深凹。浆果扁平至半球形，长 2.5 ~ 3 cm；种子长 3 ~ 4 mm。花期 6 月，果期 8 月。

| 生境分布 | 生于湖泊、池塘、水稻田中。分布于新疆布尔津县、博湖县、温宿县、

阿克苏市等。

| **功能主治** | 滋养强壮，收敛，消炎。

▇▇睡莲科▇ Nymphaeaceae ▇睡莲属▇ *Nymphaea*

睡莲
Nymphaea tetragona Georgi

| **药 材 名** | 睡莲（药用部位：花、根茎）。

| **形态特征** | 多年生水生草本。根茎短粗。叶纸质，心状卵形或卵状椭圆形，长 5 ~ 12 cm，宽 3.5 ~ 9 cm，基部具深弯缺，约占叶片长的 1/3，裂片急尖，稍开展或几重合，全缘，上面光亮，下面带红色或紫色，两面皆无毛，具小点；叶柄长达 60 cm。花直径 3 ~ 5 cm；花梗细长；花萼基部四棱形，萼片革质，宽披针形或窄卵形，长 2 ~ 3.5 cm，宿存；花瓣白色，宽披针形、长圆形或倒卵形，长 2 ~ 2.5 cm，内轮不变成雄蕊；雄蕊比花瓣短，花药条形，长 3 ~ 5 mm；柱头具 5 ~ 8 辐射线。浆果球形，直径 2 ~ 2.5 cm，为宿存萼片所包裹；种子椭圆形，长 2 ~ 3 mm，黑色。花期 6 ~ 8 月，果期 8 ~ 10 月。

| **生境分布** | 生于苇湖中。分布于新疆布尔津县等。

| **功能主治** | 消暑解酒，滋养强壮，收敛，消炎。用于小儿急慢性惊风。

毛茛科 Ranunculaceae 乌头属 Aconitum

拟黄花乌头

Aconitum anthoroideum DC.

| 药 材 名 |

乌头（药用部位：块根）。

| 形态特征 |

块根倒卵球形或圆柱形，长 1 ～ 7 cm，直径 5 ～ 10 mm。茎高 20 ～ 100 cm，下部几无毛或疏被反曲的短柔毛，上部疏被伸展的短柔毛，等距离生叶，分枝或不分枝。茎下部叶有长柄，在开花时枯萎。茎中部叶具短柄；叶片五角形，长 2 ～ 7 cm，宽 2.4 ～ 7 cm，3 全裂，中央全裂片宽菱形，羽状深裂，末回裂片线形，宽 1 ～ 3（～ 5）mm，侧全裂片斜扇形，不等 2 深裂至近基部；表面疏被弯曲的短柔毛，背面几无毛；叶柄长 0.5 ～ 2.5 cm，疏被短柔毛或几无毛。顶生总状花序长 2 ～ 11 cm，有 2 ～ 12 花；轴和花梗密被淡黄色短柔毛；下部苞片叶状，其他苞片线形；下部花梗长 0.6 ～ 1.2 cm，上部花梗长 1.5 ～ 4 mm；小苞片与花近邻接，线形，长 3 ～ 4 mm，宽 0.5 mm；萼片淡黄色，外面被伸展的短柔毛，上萼片盔形，高 1.2 ～ 1.7 cm，从侧面观半圆形，下缘稍凹，自基部至喙长 1.2 ～ 1.4 cm，外缘在下部稍缢缩，喙长 2 ～ 5.5 mm，侧萼片长 1 ～ 1.6 cm；花瓣无毛，爪顶部呈膝状弯曲，瓣片长约 7 mm，宽约 1.4 mm，唇长约 4 mm，微凹，距近球形，长约 1.2 mm；雄蕊无毛，花丝全缘；心皮 4 ~ 5，子房密被淡黄色长柔毛。蓇葖果长约 1.3 cm；种子三棱形，长约 3.5 mm，黑褐色，只沿棱生狭翅。花期 8 月。

| 生境分布 | 生于海拔 1 400 ~ 1 950 m 的阿尔泰山、准噶尔西部山地的山坡草地和灌丛中。分布于新疆富蕴县、布尔津县、哈巴河县、塔城市、托里县等。

| 资源情况 | 野生资源较一般。药材来源于野生。

| 功能主治 | 祛风除湿，温经止痛。

毛茛科 Ranunculaceae 乌头属 Aconitum

空茎乌头 *Aconitum apetalum* (Huth) B. Fedtsch.

| 药 材 名 | 乌头（药用部位：块根）。

| 形态特征 | 茎粗壮，高达 2 m，直径达 1.5 cm，无毛或下面被反曲的短毛，中空，在花序之下有短分枝。基生叶及茎下部叶具长柄；叶片圆肾形，长达 15 cm，宽达 25 cm，3 深裂，深裂片互相稍覆压，中央深裂片 3 裂，二回裂片边缘有小裂片和粗牙齿，侧深裂片斜扇形，不等 2 裂，表面无毛，背面沿脉被短毛；叶柄长 30 ~ 40 cm，被短毛，具纵沟。总状花序长达 60 cm，具多数密集的花；苞片线形，长 4 ~ 5.5 mm；花梗长 2 ~ 5 mm，与轴成钝角展出，密被伸展的淡黄色短柔毛；小苞片生于花梗基部，与苞片相似，但稍短；萼片白色或淡黄色，外面疏被短柔毛，上萼片高盔形，高 6 ~ 8 mm，直径 3.2 ~ 3.6 mm，

直，外缘在近基部处稍缢缩或不缢缩，约成直角向外伸出并与下缘形成长喙，下缘长 8 ~ 10 mm；花瓣比萼片短，无毛，瓣片长度约为爪的 1/2，距不存在；雄蕊无毛，花丝全缘，稀具 1 齿；心皮 3，子房被短毛。花期 8 月。

| **生境分布** | 生于海拔 1 700 ~ 2 300 m 的云杉林下或林缘草地。分布于新疆巩留县、特克斯县等。

| **资源情况** | 野生资源较一般。药材来源于野生。

| **功能主治** | 祛风除湿，温经止痛。

细叶黄乌头 *Aconitum barbatum* Pers.

| 药 材 名 |

乌头（药用部位：块根）。

| 形态特征 |

根近直立，圆柱形，长达 15 cm，直径约 8 mm。茎高 55 ~ 90 cm，直径 2.5 ~ 5 mm，中部以下被伸展的短柔毛，上部被反曲而紧贴的短毛，生 2 ~ 4 叶，在花序之下分枝。基生叶 2 ~ 4，与茎下部叶具长柄；叶片肾形或圆肾形，长 4 ~ 8.5 cm，宽 7 ~ 20 cm，3 全裂，中央全裂片宽菱形，3 深裂近中脉，末回小裂片狭披针形至线形，表面疏被短毛，背面被长柔毛；叶柄长 13 ~ 30 cm，被伸展的短柔毛，基部具鞘。顶生总状花序长 13 ~ 20 cm，具密集的花；轴及花梗密被紧贴的短柔毛；下部苞片狭线形，长 4.5 ~ 7.5 mm，中部的苞片披针状钻形，长约 2.5 mm，上部的苞片三角形，长 1 ~ 1.5 mm，被短柔毛；花梗直展，长 0.2 ~ 1 cm；小苞片生于花梗中部附近，狭三角形，长 1.2 ~ 1.5 mm；萼片黄色，外面密被短柔毛，上萼片圆筒形，高 1.3 ~ 1.7 cm，直径约 3.8 mm，直，下缘近直，长 1 ~ 1.2 cm；花瓣无毛，唇长约 2.5 mm，距比唇稍短，直或稍向后弯曲；花丝全缘，无毛或有短毛；心皮 3。蓇葖果长约 1 cm，疏被紧贴的短毛；种子倒卵球形，长约 2.5 mm，褐色，密生横狭翅。花期 7 ~ 8 月。

| 生境分布 |　生于海拔 1 900 ~ 2 400 m 的天山东部山坡草地和林缘。分布于新疆巴里坤哈萨克自治县等。

| 资源情况 |　野生资源较少。药材来源于野生。

| 功能主治 |　止痛消肿，祛风散寒，通经活络。

西伯利亚乌头 *Aconitum barbatum* var. *hispidum* (DC.) Ser.

| **药 材 名** | 乌头（药用部位：块根）。

| **形态特征** | 本种与细叶黄乌头 *Aconitum barbatum* Pers. 的区别在于本种叶分裂程度较小，中全裂片深裂不近中脉，末回小裂片三角形至狭披针形。本种与牛扁 *Aconitum barbatum* Pers. var. *puberulum* Ledeb. 的区别在于牛扁的茎、叶柄只有反曲并紧贴的短柔毛，而本种的茎、叶柄除被反曲的短柔毛外还被开展的较长柔毛。

| **生境分布** | 生于海拔 1 900 ~ 2 400 m 的山地草坡或疏林中。分布于新疆巴里坤哈萨克自治县等。

| **功能主治** | 祛湿止痛。用于风湿痹痛等。

毛茛科 Ranunculaceae 乌头属 Aconitum

多根乌头 *Aconitum karakolicum* Rapaics

| 药 材 名 |

乌头（药用部位：全草或块根、果实）。

| 形态特征 |

块根长 2 ~ 5 cm，直径 1 ~ 1.8 cm，数个形成水平或斜的链。茎高约 1 m，下部无毛，上部疏被弯曲的短柔毛，密生叶，分枝。茎中部叶具短柄；叶片五角形，长 7 ~ 11 cm，宽 7 ~ 14 cm，3 全裂，中央全裂片宽菱形，2 回羽状细裂，末回裂片狭线形，先端渐尖，宽 1.5 ~ 2.5 mm，两面无毛或背面有少数短柔毛，干时常稍反卷，侧全裂片斜扇形，不等 2 裂几达基部；叶柄短，长 0.6 ~ 1.5 cm。顶生总状花序多少密集；轴和花梗疏被贴伏的短柔毛；花梗长 1.5 ~ 3 cm；小苞片生于花梗中部之上，钻形，长约 3.5 mm；萼片紫色，外面疏被短柔毛，上萼片盔形或船状盔形，具爪，高 1.2 ~ 2.2 cm，自基部至喙长 1.1 ~ 2 cm，侧萼片长 1 ~ 1.6 cm，下萼片倒卵状长圆形；花瓣无毛或有少数毛，瓣片大，唇长约 5.5 mm，距长约 2 mm，向后弯曲；花丝上部疏被短柔毛，全缘或有 2 小齿；心皮 3 ~ 5，无毛。花旗 7 ~ 8 月，果期 8 ~ 9 月。

| 生境分布 | 生于海拔 2 300 ～ 3 000 m 的草地或亚高山草甸。分布于新疆乌鲁木齐县、玛纳斯县、尼勒克县、新源县、和静县等。

| 功能主治 | 祛风除湿，温经止痛。外用于神经痛，牙痛，关节炎等。

毛茛科 Ranunculaceae 乌头属 Aconitum

白喉乌头

Aconitum leucostomum Vorosch.

| 药 材 名 | 乌头（药用部位：块根、种子）。

| 形态特征 | 茎高约 1 m，中部以下疏被反曲的短柔毛或几无毛，上部有开展的腺毛。基生叶约 1 枚，与茎下部叶具长柄；叶片长约 14 cm，宽达 18 cm，上面无毛或几无毛，下面疏被短曲毛；叶柄长 20 ~ 30 cm。总状花序长 20 ~ 45 cm，有多数密集的花；轴和花梗密被开展的淡黄色短腺毛；基部苞片 3 裂，其他苞片线形，比花梗长或与花梗近等长，长达 3 cm；花梗长 1 ~ 3 cm，中部以上者近向上直展；小苞片生于花梗中部或下部，线形或丝形，长 3 ~ 8 mm；萼片淡蓝紫色，下部带白色，被短柔毛，上萼片圆筒形，高 1.5 ~ 2.4 cm，外缘在中部缢缩，然后向外下方斜展，下缘长 0.9 ~ 1.5 cm；花瓣的距比

唇长，稍拳卷；花丝全缘；心皮 3，无毛。蓇葖果长 1 ～ 1.2 mm；种子倒卵圆形，不明显 3 纵裂，生横窄翅。花期 7 ～ 8 月，果期 8 ～ 9 月。

| **生境分布** | 生于海拔 1 600 ～ 1 900 m 的山地草坡或山谷沟边。分布于新疆福海县、阿勒泰市、霍城县等。

| **功能主治** | 祛风除湿，温经止痛。用于中风不语，寒湿痹证等。

毛茛科 Ranunculaceae 乌头属 Aconitum

山地乌头
Aconitum monticola Steinb.

| 药 材 名 |

乌头（药用部位：块根）。

| 形态特征 |

茎高约 1.2 m，直径约 8 mm，中部以下几
无毛，上部近花序处疏被伸展的淡黄色短
毛。基生叶及茎下部叶具长柄，通常在开
花时枯萎；叶片圆肾形，长约 14 cm，宽约
22 cm，3 深裂至稍超过本身长度的 3/4 处，
深裂片稍覆压，中央深裂片菱形，在中部 3
裂，短渐尖，边缘有少数小裂片及不规则三
角形锐牙齿，表面无毛，背面沿隆起的脉
网疏被短毛，侧深裂片斜扇形，不等 2 深
裂，表面无毛，背面沿脉疏被短毛；叶柄长
17 ~ 20 cm，粗壮，疏被反曲的短毛。总状
花序长约 25 cm，具密集的花；轴及花梗密
被伸展的淡黄色短毛；基部苞片 3 裂，其他
苞片线状披针形至线形；花梗长 0.8 ~ 2 cm；
小苞片生于花梗中部或基部，线形，长
4 ~ 6 mm；萼片黄色，外面疏被短毛，上
萼片圆筒形，长约 1.5 cm，直径约 4 mm，
外缘中部稍缢缩，喙短，不明显，下缘稍凹，
长 1 ~ 1.3 cm；花瓣与上萼片近等长，无毛，
距与唇近等长，末端稍向后下方弯曲；雄蕊
无毛，花丝全缘；心皮 3，无毛。花期 8 月。

| **生境分布** | 生于海拔 1 500 m 的落叶松林下。分布于新疆哈巴河县等。

| **功能主治** | 祛风除湿，温经止痛。

毛茛科 Ranunculaceae 乌头属 Aconitum

林地乌头 *Aconitum nemorum* Popov

| 药 材 名 | 乌头（药用部位：块根、种子）。

| 形态特征 | 块根长 1 ~ 3 cm，直径 0.5 ~ 0.8 cm，数个成链状。茎高 40 ~ 90 cm，下部疏被反曲的短柔毛或几无毛，等距离生叶，上部分枝或不分枝。茎下部叶有长柄，在开花时多枯萎。顶生总状花序有 2 ~ 6 花，稀疏；轴和花梗疏被伸展的短柔毛；苞片线形或披针形；花梗长 0.6 ~ 1.5（~ 4.5）cm，近直展；小苞片生于花梗上部，偶尔生于中部，狭线形，长 3.4 ~ 4.5 mm；萼片紫色，外面疏被伸展的短柔毛，上萼片盔形，高 1.4 ~ 1.7 cm，下缘弧状弯曲，侧萼片长 1.2 ~ 1.3 cm；花瓣几无毛，瓣片长约 7 mm，唇长约 4 mm，距长约 1 mm，向后弯曲；雄蕊无毛，花丝全缘；心皮 3，无毛。

花期 7 ~ 8 月，果期 8 ~ 9 月。

| **生境分布** | 生于海拔 1 800 ~ 2 800 m 的山地草坡或云杉林林下。分布于新疆奇台县、乌鲁木齐县、新源县、巩留县、昭苏县等。

| **功能主治** | 祛风除湿，温经止痛。用于风湿性关节炎，类风湿性关节炎等。

毛茛科 Ranunculaceae 乌头属 Aconitum

圆叶乌头

Aconitum rotundifolium Kar. & Kir.

| 药 材 名 |

乌头（药用部位：块根）。

| 形态特征 |

块根成对，长约 2 cm。茎高 15 ~ 42 cm，疏被反曲而紧贴的短柔毛，不分枝或分枝。最下部的茎生叶 3 ~ 4 生于近茎基部处，有长柄；叶片圆肾形，宽 3 ~ 6.5 cm，3 深裂约至本身长度的 3/4 处，中央深裂片倒梯形，3 浅裂，浅裂片具少数卵形小裂片或圆牙齿，侧深裂片扇形，不等 3 裂至稍超过中部，两面无毛或仅脉及边缘被短柔毛；叶柄长 4.2 ~ 20 cm，被反曲的短柔毛，基部具发育的鞘。总状花序有 3 ~ 5 花；轴和花梗被紧贴或伸展的短柔毛；下部苞片叶状或 3 裂，其他苞片线形，长约 1.1 cm，宽约 2 mm；花梗长 2.5 ~ 7 mm；小苞片生于花梗中部或中部之上，线形，长 5 ~ 7 mm，宽约 0.6 mm；萼片淡紫色，外面密被短柔毛，上萼片镰形或船状镰形，下缘长 1.4 ~ 1.8 cm，侧萼片斜倒卵形，长 1.3 ~ 1.6 cm；花瓣无毛，瓣片极短，长 1 ~ 1.5 mm，下部裂成 2 小丝，距头形，稍向前弯；花丝疏被短毛，全缘；心皮 5，子房密被白色短柔毛。蓇葖果长 0.9 ~ 1.3 cm；种子倒卵形，长 2.5 ~

3 mm，具 3 纵棱，仅沿棱生狭翅。

| **生境分布** | 生于海拔 2 300 ~ 3 500 m 的高山草地。分布于新疆和静县、昭苏县、霍城县、托里县、玛纳斯县、裕民县等。

| **功能主治** | 祛风除湿，温经止痛。

毛茛科 Ranunculaceae 乌头属 Aconitum

阿尔泰乌头 *Aconitum smirnovii* Steinb.

| 药 材 名 | 乌头（药用部位：块根）。

| 形态特征 | 块根狭倒圆锥形，长 3 ~ 4 cm，直径达 1 cm。茎高 70 ~ 100 cm，直径 5 ~ 7 mm，下部无毛，上部疏被短柔毛，不分枝。茎下部叶具长柄，在开花时枯萎，中部以上叶具短柄；叶片五角形，长达 5 cm，宽达 6.5 cm，基部心形，3 全裂达或至近基部，中央全裂片菱形，羽状深裂近中脉，二回裂片线形，侧全裂片不等 2 深裂至近基部，表面仅沿脉有短伏毛，背面无毛，有短缘毛；叶柄长达 15 cm。花序长 8 ~ 15 cm；轴和花梗被开展的短柔毛；下部苞片叶状，其他苞片线形；花梗长 0.7 ~ 2 cm；小苞片生于花梗下部或上部，狭线形，长 2.5 ~ 3 mm；萼片蓝紫色，外面疏被短柔毛，上萼片船形，

自基部至短喙长约 1.4 cm，中部宽约 6 mm，侧萼片圆倒卵形，长约 1.2 cm，下萼片长约 6 mm；花瓣无毛，瓣片长约 8 mm，唇长约 4.5 mm，不明显微凹，距长约 1 mm；雄蕊无毛，花丝全缘；心皮 3，背面疏被短毛。蓇葖果长 1 ~ 1.3 cm；种子狭四面体形，长约 3.5 mm，仅 1 面有横狭翅。

| 生境分布 | 生于海拔 1 400 ~ 1 770 m 的山地草坡。分布于新疆布尔津县、清河县、富蕴县等。

| 功能主治 | 祛风除湿，温经止痛。

毛茛科 Ranunculaceae 乌头属 Aconitum

准噶尔乌头 *Aconitum soongaricum* (Regel) Stapf

| 药 材 名 |

乌头（药用部位：块根）。

| 形态特征 |

块根倒圆锥形，长 2 ~ 3 cm，直径 0.7 ~ 1.2 cm，2 ~ 4 枚形成水平的链。茎高 70 ~ 110 cm，无毛，等距离生叶，不分枝或分枝。茎下部叶有长柄，在开花时枯萎，中部叶有稍长柄；叶片五角形，长约 8 cm，宽约 12 cm，3 全裂，中央全裂片宽卵形，基部骤狭成短柄，近羽状深裂，深裂片 2 ~ 3 对，末回裂片线形或披针状线形，宽 3 ~ 5 mm，边缘干后稍反卷，两面无毛或几无毛；叶柄比叶片稍短，无鞘。顶生总状花序长 14 ~ 18 cm，有 7 ~ 15 花；轴和花梗均无毛；下部苞片叶状，中部以上的苞片线形；花梗长 1.5 ~ 3.2 cm，向上直伸；小苞片生于花梗中部之上，钻形，长 2 ~ 3 mm；萼片紫蓝色，上萼片无毛，盔形，高约 1.8 cm，自基部至喙长约 1.6 cm，侧萼片长约 1.4 cm，仅疏被缘毛，下萼片狭椭圆形；花瓣无毛，瓣片大，唇长约 6 mm，距长 1.5 ~ 2 mm，向后弯曲；雄蕊无毛，花丝全缘；心皮 3，无毛。蓇葖果长 1.2 ~ 1.5 cm；种子倒圆锥形，有 3 纵棱，沿棱有狭翅，仅 1 面有波状横翅。花果期 8 ～ 9 月。

| **生境分布** | 生于海拔 1 200 ～ 1 700 m 的山地阳坡。分布于新疆塔城市、裕民县、托里县等。

| **功能主治** | 祛风除湿，温经止痛。用于风湿性关节炎，类风湿性关节炎等。

毛茛科 Ranunculaceae 乌头属 Aconitum

伊犁乌头
Aconitum talassicum var. *villosulum* W. T. Wang

| **药材名** | 乌头（药用部位：块根）。

| **形态特征** | 块根约10个链条状，狭圆锥形，长达8 cm，顶部直径达0.6 ~ 0.8 cm。茎高32 ~ 45 cm，下部无毛，中部以上有近开展的短柔毛和短分枝。茎下部叶在开花时枯萎，中部叶有长柄，上部叶有短柄；叶片坚纸质，五角形，长1.8 ~ 3.6 cm，宽3.5 ~ 5.8 cm，鸡足状3全裂，中央全裂片菱形，近羽状深裂，小裂片披针形、线状披针形或狭卵形，侧全裂片不等2深裂至近基部；叶柄长1.5 ~ 7 cm，上部有短柔毛。总状花序长约8 cm，约有7花；轴和花梗有开展的短柔毛；下部苞片叶状，其他的条形；花梗长1 ~ 2.2 cm；小苞片与花邻接，小，条形；萼片蓝色，上萼片船形，自基部至喙长约1.8 cm，中部宽约

6 mm，侧萼片斜宽倒卵形，长约 1.7 cm，下萼片长约 1.1 cm；花瓣有少数柔毛，瓣片长约 7 mm，距长约 1.8 mm，向内弯曲；雄蕊长约 6.5 mm，花丝全缘或有 2 齿，上部有柔毛；心皮 3，子房密被柔毛。花期 7 月，果期 8 月。

| **生境分布** | 生于海拔 3 000 m 的高山阳坡。分布于新疆察布查尔锡伯自治县等。

| **功能主治** | 祛风除湿，温经止痛。

毛茛科 Ranunculaceae 侧金盏花属 Adonis

小侧金盏花 *Adonis aestivalis* L. var. *parviflora* M. Bieb.

| 药 材 名 | 福寿草（药用部位：全草）。

| 形态特征 | 茎高 10 ~ 20 cm，不分枝或分枝，茎中部以上叶稍密集，2 ~ 3 回羽状细裂。花单生于茎先端；萼片约 5，膜质，狭菱形或狭卵形；花瓣约 8，红色，下部黑紫色，倒披针形；花药宽椭圆形或近球形，长约 0.8 mm；心皮多数，子房狭卵形。瘦果卵球形，有明显的背肋和腹肋。花期 5 月。

| 生境分布 | 生于海拔 1 100 m 以上的山坡草地。分布于新疆伊宁县、塔城市、霍城县等。

| 功能主治 | 强心，镇静，利尿。

毛茛科 Ranunculaceae 侧金盏花属 Adonis

金黄侧金盏花 *Adonis chrysocyathus* Hook. f. & Thomson

| **药材名** | 福寿草（药用部位：全草）。

| **形态特征** | 多年生草本。有长根茎。茎高达 40 cm，不分枝，基部有鞘状鳞片。茎下部叶有长柄，上部叶无柄；叶片卵状五角形，长 3.5 ~ 5 cm，宽 3 ~ 4.5 cm，3 回羽状全裂，末回裂片卵状菱形或近披针形，基部楔形，先端急尖，表面无毛，背面幼时有短曲柔毛，叶柄长达 15 cm。花单生；花梗短，有短柔毛；萼片 6 ~ 8，淡紫色，卵形，长约 1.5 cm，宽 6 ~ 7 mm，外面有短柔毛，先端有不等大的小齿；花瓣 16 ~ 24，黄色，倒披针形，长 2 ~ 2.8 cm，宽 8 ~ 10 mm，钝。聚合果球形，直径约 1 cm；瘦果长 5 ~ 7 mm，无毛，有向内弯的长宿存花柱。花果期 5 ~ 7 月。

| 生境分布 | 生于海拔 1 100 ～ 2 900 m 的高山草坡。分布于新疆阿勒泰市、奇台县、塔城市、昭苏县等。

| 功能主治 | 强心利尿，镇静安神。

毛茛科 Ranunculaceae 侧金盏花属 Adonis

天山侧金盏花 *Adonis tianschanica* (Adolf) Lipsch.

| 药 材 名 | 福寿草（药用部位：全草）。

| 形态特征 | 多年生草本。根茎直径达 1.5 cm。茎高约 30 cm，自下部有长分枝，疏被短曲柔毛，基部有鞘状鳞片。茎生叶无柄，卵形或三角状卵形，长 2 ~ 4 cm，2 ~ 3 回羽状全裂，末回裂片线形或披针状线形，宽约 1 mm，有稀疏的短柔毛。花直径 3.5 ~ 5 cm；萼片比花瓣稍短，带淡紫色，基部有短柔毛；花瓣披针形，长 1.5 ~ 2.5 cm，宽 3 ~ 8 mm；雄蕊无毛，花药长圆形，长约 1.5 mm。聚合果稍下垂，球形，直径约 2 cm；瘦果狭倒卵球形，长 3 ~ 5 mm，有明显的脉网，疏被短柔毛，宿存花柱极短。花果期 5 ~ 6 月。

| 生境分布 | 生于海拔 1 100 ~ 1 900 m 一带的山坡。分布于新疆特克斯县、昭苏

县、塔城市等。

| **功能主治** | 利尿消肿。用于水道不利，小便短少，水肿，腹水。

疏齿银莲花

Anemone geum H. L subsp. *ovalifolia* (Brühl) R. P. Chaudhary

| **药 材 名** | 银莲花（药用部位：根茎）。

| **形态特征** | 多年生草本。有根茎。植株通常较低矮，高 3.5 ~ 15 cm，间或高达 25 cm 或 30 cm。基生叶 7 ~ 15，有长柄，多少密被短柔毛；叶片肾状五角形或宽卵形，长 0.8 ~ 2.2（~ 3.2）cm，3 全裂，两面通常多少密被短柔毛，侧裂片通常比中全裂片短 1 倍左右，3 浅裂，裂片全缘或有 1 ~ 2 齿，牙齿的数目通常为中全裂片牙齿数目之半或更少，各回裂片多少邻接或稍覆压，脉平；叶柄长 3 ~ 18 cm。花葶 2 ~ 5，有开展的柔毛；花序有 1 花；苞片倒卵形，3 浅裂，或卵状长圆形，不分裂，全缘或有 1 ~ 3 齿；萼片 5，白色、蓝色或黄色；花梗 1 ~ 2，长 1.5 ~ 8 cm；3 浅裂，或卵状长圆形，不

分裂，全缘或有 1 ～ 3 齿；萼片 5，白色、蓝色或黄色；心皮 20 ～ 30，子房密被白色柔毛，稀无毛，长 0.8 ～ 1.2 cm，宽 5 ～ 8 mm，外面有疏毛；雄蕊长约 4 mm，花药椭圆形。花期 5 ～ 7 月。

| 生境分布 | 生于海拔 1 800 ～ 2 000 m 的山坡草地和林缘，以及海拔 3 200 ～ 4 200 m 的高山砾质坡地。分布于新疆乌鲁木齐县、玛纳斯县、策勒县、和田县等。

| 功能主治 | 清利湿热，祛湿敛疮。用于淋证，黄水疮。

伏毛银莲花

Anemone narcissiflora L. subsp. *protracta* Ulhr. Ziman & Fedor.

| **药 材 名** | 银莲花（药用部位：根茎）。

| **形态特征** | 多年生草本。高 29 ~ 37 cm。根茎长约 6 cm。基生叶 7 ~ 9，有长柄；叶片圆卵形或近圆形，长 3.7 ~ 4.6 cm，宽 5 ~ 6.8 cm，基部心形，3 全裂，中全裂片有柄（长 3 ~ 8 mm）或近无柄，菱状倒卵形或扇状倒卵形，3 裂至中部或超过中部，末回裂片卵形或披针形，侧全裂片斜扇形，不等 2 ~ 3 深裂，表面近无毛，背面密被紧贴的长柔毛，边缘有密睫毛；叶柄长 10 ~ 20 cm，有贴生或近贴生的长柔毛。花葶直立，有与叶柄相同的柔毛；苞片约 4，无柄，菱形或宽菱形，3 深裂，或倒披针形，不分裂，先端有 3 齿；伞幅 2 ~ 5，长 1 ~ 7 cm，有柔毛；萼片 5 ~ 6（~ 7），白色，倒卵形，长 1.2 ~ 1.5 cm，宽

6 ～ 10 mm，外面有短柔毛；雄蕊长 2 ～ 4 mm，花药椭圆形；心皮无毛。花期 6 ～ 7 月。

| **生境分布** | 生于海拔 2 000 m 左右的山坡草地及林下。分布于新疆尼勒克县、昭苏县等。

| **功能主治** | 用于耳鸣耳聋，胸腹闷胀。

大花银莲花 *Anemone silvestris* L.

| 药 材 名 | 银莲花（药用部位：全草或根茎）。

| 形 态 特 征 | 植株高 18 ～ 50 cm。根茎垂直或稍斜，长达 3 cm，直径 2 ～ 2.5 mm。基生叶 3 ～ 9，有长柄；叶片心状五角形，长 2 ～ 5.5 cm，宽 2.5 ～ 8 cm，3 全裂，中全裂片近无柄或柄极短，菱形或倒卵状菱形，3 裂至近中部，二回裂片不分裂或浅裂，有稀疏的牙齿，侧全裂片斜扇形，2 深裂，表面近无毛，背面沿脉疏被短柔毛；叶柄长 4 ～ 21 cm，有柔毛。花葶 1，直立；苞片 3，有柄，柄长 0.6 ～ 3 cm，苞片稍不等大，似基生叶，但较小，基部截形或圆形；花梗 1，长 5.5 ～ 24 cm，有短柔毛；萼片 5（～ 6），白色，倒卵形，长 1.5 ～ 2 cm，宽 1 ～ 1.4 cm，外面密被绢状短柔毛；雄蕊长约 4 mm，花药椭圆形，先

端有小短尖头，花丝丝形；花托近球形，与雄蕊等长；心皮 180 ～ 240，长约 1 mm，子房密被短柔毛，柱头球形，无柄。聚合果直径约 1 cm；瘦果长约 2 mm，有短柄，密被长绵毛。花期 5 ～ 6 月。

| **生境分布** | 生于海拔 1 200 ～ 3 400 m 的山谷草地。分布于新疆乌鲁木齐县、青河县、富蕴县、阿勒泰市、哈巴河县、奇台县、和布克赛尔蒙古自治县、塔城市、沙湾市、伊吾县、巴里坤哈萨克自治县等。

| **功能主治** | 芳香开窍，化痰，安神。用于热病昏迷，癫痫，神经官能症，耳鸣耳聋。

毛茛科 Ranunculaceae 楼斗菜属 Aquilegia

暗紫楼斗菜 *Aquilegia atrovinosa* Popov ex Gamajun.

| 药 材 名 |

楼斗菜（药用部位：全草）。

| 形 态 特 征 |

根细长圆柱形，直径 4 ~ 8 mm，不分枝，外皮暗褐色。茎单一，直立，高 30 ~ 60（~ 90）cm，有纵槽，基部直径 3 ~ 5.5 mm，被伸展的短柔毛。基生叶少数，为二回三出复叶；叶片宽卵状三角形，宽 4 ~ 15 cm，中央小叶倒卵状楔形，长 1.5 ~ 3.5 cm，宽 1.2 ~ 2.8 cm，先端 3 浅裂，浅裂片有 2 ~ 3 粗圆齿，侧面小叶斜倒卵状楔形，不等 2 浅裂，表面绿色，无毛，背面粉绿色，被极稀疏的长柔毛或近无毛；叶柄长 8 ~ 19 cm，被伸展的柔毛，基部变宽成鞘。茎生叶少数，具短柄，分裂情况似茎生叶。花 1 ~ 5，直径 3 ~ 3.5 cm；苞片线状披针形，长达 1.6 cm；萼片深紫色，狭卵形，长约 2.5 cm，宽 8 ~ 9 mm，外面被微柔毛，先端钝尖；花瓣与萼片同色，瓣片长约 1.2 cm，距长约 1.5 cm，末端弯曲；退化雄蕊白色，膜质，长约 5.5 mm；雄蕊约与瓣片等长，花药宽椭圆形，黄色，长 1.5 ~ 2 mm；子房密被毛。蓇葖果长 1.5 ~ 2.5 cm。花期 6 ~ 7 月。

| **生境分布** | 生于海拔 1 700 ~ 2 600 m 的天山云杉林下和林缘。分布于新疆奇台县、乌鲁木齐县、玛纳斯县、沙湾市、特克斯县等。 |

| **功能主治** | 清热凉血，调经止血。 |

毛茛科 Ranunculaceae 耧斗菜属 Aquilegia

大花耧斗菜 *Aquilegia glandulosa* Fisch. ex Link

| 药 材 名 | 耧斗菜（药用部位：全草）。

| 形态特征 | 茎不分枝或在上部分枝，高 20 ~ 40 cm，基部无毛，上部被短柔毛，无叶或只具 1 茎生叶。基生叶少数，通常为二回三出复叶，稀为一回三出复叶；叶片三角形，宽约 6.5 cm，小叶彼此邻接，圆倒卵形至扇形，长 1.5 ~ 3 cm，浅裂，浅裂片有 2 ~ 3 圆齿，表面绿色，无毛，背面淡绿色，被稀疏长柔毛或无毛；叶柄长 6 ~ 16 cm。花大而美丽，直径 6 ~ 9 cm，通常单一顶生或有时 2 ~ 3 花组成花序；苞片披针形至长圆形，1 ~ 3 浅裂；花梗长 2 ~ 8 cm，密被伸展的白色柔毛；萼片蓝色，开展，卵形至长椭圆状卵形，长 3 ~ 4.5 cm，宽 1.5 ~ 2.5 cm，先端急尖或钝；花瓣瓣片蓝色或白色，近直立，

圆卵形，长 1.5 ～ 2.5 cm，宽 1 ～ 1.5 cm，先端钝或圆，距短，长 0.6 ～ 1.2 cm，末端强烈地弯曲成钩状；雄蕊长 5 ～ 10 mm，花药长椭圆形，黑色；退化雄蕊白膜质，线形，长约 8 mm；心皮 8 ～ 10，密被开展的白色长柔毛。蓇葖果长 2 ～ 3 cm，先端宿存花柱长 6 ～ 7 mm。6 ～ 8 月开花。

| 生境分布 | 生于阿尔泰山、天山西部和准噶尔西部山地的针叶林林下。分布于新疆清河县、富蕴县、福海县、阿勒泰市、哈巴河县、额敏县、塔城市、霍城县等。

| 功能主治 | 活血通经。

西伯利亚楼斗菜 *Aquilegia sibirica* Lam.

| 药 材 名 |

楼斗菜（药用部位：全草）。

| 形 态 特 征 |

草本。全体无毛或近无毛。根细长圆柱形，直径 4 ~ 5 mm，通常不分枝，外皮黑褐色。茎直立，高 25 ~ 70 cm，不分枝，稀 1 ~ 3 分枝。叶全部基生，少数，通常为一回三出复叶或少数为近二回三出复叶；叶片卵圆形，宽 4 ~ 10 cm，小叶圆肾形，长 1.2 ~ 3.5 cm，宽 1.5 ~ 5 cm，3 深裂或 3 全裂，裂片倒卵圆形，先端有 3 粗圆齿，表面绿色，背面灰绿色；叶柄长 5.5 ~ 20 cm，基部变宽成鞘状。花 1 ~ 4，下垂；苞片 1 ~ 3 深裂；萼片蓝色至紫红色，开展，宽椭圆形，长 1.9 ~ 3 cm，宽 1 ~ 1.7 cm，先端微尖；花瓣与萼片同色或为白色，瓣片长方形，长 0.9 ~ 1.3 cm，先端近圆形，距长 0.6 ~ 1.2 cm，末端甚弯曲；雄蕊与瓣片近等长，花药宽椭圆形，黄色，长约 1.5 mm，花丝狭线形，基部微变宽；退化雄蕊白色，膜质，线形，长约 9 mm；心皮直立，子房长约 7 mm，花柱长约 3 mm。花期 6 ~ 7 月，果期 7 ~ 8 月。

| **生境分布** | 生于海拔 1 600 ~ 2 000 m 的山地河谷和草甸。分布于新疆富蕴县、哈巴河县等。

| **功能主治** | 清热凉血，调经止血。

毛茛科 Ranunculaceae 美花草属 Callianthemum

厚叶美花草
Callianthemum alatavicum Freyn

| 药 材 名 | 美花草（药用部位：全草）。

| 形态特征 | 茎渐升或近直立，长达 18 cm。基生叶 3 ~ 4，具柄，三回羽状，小裂片楔状倒卵形；茎生叶 2 ~ 3。花长 1 ~ 1.3 cm，直径 1.7 ~ 2.5 cm；萼片椭圆形，长 0.7 ~ 1 cm；花瓣 5 ~ 7，白色，基部橙色，倒卵形或宽倒卵形，长 0.9 ~ 1.4 cm；雄蕊长约为花瓣之半。聚合果近球形，长 3.5 ~ 4 mm。花果期 6 ~ 8 月。

| 生境分布 | 生于海拔 3 000 m 以上的高山草甸和河谷草甸。分布于新疆乌鲁木齐县、特克斯县、温宿县、乌恰县、塔什库尔干塔吉克自治县等。

| 功能主治 | 清热解毒。用于小儿肺炎。

毛茛科 Ranunculaceae 驴蹄草属 Caltha

驴蹄草 *Caltha palustris* L.

| 药 材 名 | 驴蹄草（药用部位：全草）。

| 形态特征 | 多年生草本。全株无毛。茎高达 48 cm，实心。基生叶 3 ~ 7；叶草质或近纸质，近圆形、圆肾形或心形，长（1.2 ~）2.5 ~ 5 cm，宽（2 ~）3 ~ 9 cm，基部深心形，密生三角形小牙齿；叶柄长（4 ~）7 ~ 24 cm；苞片三角状心形，具牙齿；花梗长（1.5 ~）2 ~ 10 cm；萼片 5，黄色，倒卵形或窄倒卵形，长 1 ~ 1.8（~ 2.5）cm；雄蕊长 4.5 ~ 7 mm；心皮（5 ~）7 ~ 12，无柄。蓇葖果长约 1 cm；种子窄卵圆形，长 1.5 ~ 2 mm，黑色，有光泽。花期 5 ~ 7 月开花，果期 6 月。

| 生境分布 | 生于阿尔泰山，海拔 2 500 ～ 2 900 m 的沼泽草甸、溪边及林荫湿处。分布于新疆阿勒泰市、布尔津县等。

| 功能主治 | 清热利湿，祛风散寒，止咳。

角果毛茛 *Ceratocephala testiculata* (Crantz) Roth

| 药 材 名 | 角果毛茛（药用部位：全草）。

| 形态特征 | 一年生小草本。高 5 ~ 8 cm，全体有绢状短柔毛。叶 10 余枚，最外圈的数叶较小，不分裂，倒披针形或线形，长 3 ~ 6 mm，其余的叶较大，3 全裂，长 5 ~ 15 mm，中裂片线形，全缘，侧裂片 1 ~ 2 回细裂或不裂，末回裂片线形，宽 0.5 ~ 1 mm，有蛛丝状柔毛，有时无毛；叶柄细弱，无毛。花葶 2 ~ 8，顶生 1 花；花小，直径约 5 mm；萼片绿色，5 基数，卵形，长约 3 mm，外面有密白柔毛，果期增大，长达 8 mm，宿存；花瓣 5，多白色，披针形，与萼片近等长，宽约 0.5 mm，有爪，蜜槽点状；雄蕊约 10，花药长约 0.3 mm，花丝长约 1 mm。聚合果长圆形至圆柱形，长达 2 cm，直径 5 ~ 8 mm；

瘦果多数，扁卵形，长约 2 mm，有白色柔毛，喙与果体近等长，先端成黄色硬刺。花果期 3 ~ 5 月。

| 生境分布 | 生于北疆荒漠和荒漠草原。分布于新疆乌鲁木齐市、克拉玛依市及富蕴县、阿勒泰市、布尔津县、吉木乃县、奇台县、吉木萨尔县、阜康市、米东区、昌吉市、呼图壁县、石河子市、和布克赛尔蒙古自治县、额敏县、塔城市、托里县、沙湾市、乌苏市、精河县、博乐市、霍城县、伊宁市等。

| 功能主治 | 清热解毒。用于小儿肺炎。

毛茛科 Ranunculaceae 铁线莲属 Clematis

粉绿铁线莲 *Clematis glauca* Willd.

| 药 材 名 | 铁线莲（药用部位：全株）。

| 形态特征 | 草质藤本。茎纤细，有棱。一至二回羽状复叶；小叶有柄，2 ~ 3 全裂或深裂、浅裂至不裂，中间裂片较大，椭圆形或长圆形、长卵形，长 1.5 ~ 5 cm，宽 1 ~ 2 cm，基部圆形或圆楔形，全缘或有少数牙齿，两侧裂片短小。常为单聚伞花序，有 3 花；苞片叶状，全缘或 2 ~ 3 裂；萼片 4，黄色，或外面基部带紫红色，长椭圆状卵形，先端渐尖，长 1.3 ~ 2 cm，宽 5 ~ 8 mm，除外面边缘有短绒毛外，其余无毛。瘦果卵形至倒卵形，长约 2 mm，宿存花柱长 4 cm。花期 6 ~ 7 月，果期 8 ~ 10 月。

| 生境分布 | 生于海拔 1 700 ~ 2 500 m 的山地灌丛、平原河漫滩、城郊、田间及

荒地。分布于新疆哈密市及清河县、布尔津县、奇台县、阜康市、乌鲁木齐县、玛纳斯县、尼勒克县、库尔勒市、和硕县、麦盖提县、策勒县等。

| **功能主治** | 祛风湿，止痒。用于慢性风湿性关节炎，关节疼痛。

毛茛科 Ranunculaceae 铁线莲属 Clematis

伊犁铁线莲 *Clematis iliensis* Y. S. Hou & W. H. Hou

| 药 材 名 | 铁线莲（药用部位：全草）。

| 形态特征 | 本种与西伯利亚铁线莲 *Clematis sibirica* (L.) Mill. 的区别在于本种萼片较大，长约 5 cm，宽 2 ~ 3 cm；叶为三出复叶，小叶卵形，长 4 ~ 7 cm，宽 2 ~ 4 cm。

| **生境分布** | 生于云杉林林下、林缘及河谷。分布于新疆霍城县、新源县、巩留县、昭苏县等。

| **功能主治** | 利尿，理气通便，活血止痛。

毛茛科 Ranunculaceae 铁线莲属 Clematis

全缘铁线莲 *Clematis integrifolia* L.

| 药 材 名 |

铁线莲（药用部位：全草）。

| 形态特征 |

多年生直立草本或半灌木。高 1 ~ 1.5 m。主根粗壮，木质，棕黑色，有多数须根。茎棕黄色，微有纵纹，幼时微被曲柔毛，后毛脱落至近无毛，髓部白色，中空。单叶对生；叶片卵圆形至菱状椭圆形，长 7 ~ 14 cm，宽 6 ~ 11 cm，先端短尖或钝尖，基部宽楔形，全缘，两面无毛，仅边缘有曲柔毛，基出主脉 3 ~ 5，在表面平坦，在背面隆起；无叶柄，抱茎。单花顶生，下垂；花梗长 5 ~ 16 cm，密被绒毛；萼片 4，紫红色、蓝色或白色，直立，长方椭圆形或窄卵形，长 3 ~ 4.5 cm，宽 1 ~ 1.2 cm，先端反卷并有尖头状突起，内面无毛，外面除宽的边缘具柔毛、绒毛外其余无毛；雄蕊长为萼片之半，花丝宽线形，基部无毛，上部的两侧及外面被开展的柔毛，花药黄色，线形，长约 3 mm，比花丝窄，药隔被毛；心皮被绢状毛，花柱纤细。瘦果扁平，倒卵圆形，长 7 ~ 10 mm，宽 4 ~ 5 mm，棕红色，边缘增厚，被紧贴的短柔毛，宿存花柱细瘦，长 4 ~ 4.5 cm，被稀疏淡黄色开展的柔毛。花期 6 ~ 7 月，果期 8 月。

| 生境分布 | 生于海拔 1 200 ～ 2 000 m 的山坡谷地、河滩地、草坡及小檗属植物的灌丛中。分布于新疆阿勒泰市、布尔津县、哈巴河县等。

| 功能主治 | 利尿，理气通便，活血止痛。

毛茛科 Ranunculaceae 铁线莲属 Clematis

东方铁线莲 *Clematis orientalis* L.

| 药 材 名 | 铁线莲（药用部位：全株）。

| 形态特征 | 多年生草质藤本。茎纤细，有棱。一至二回羽状复叶；小叶有柄，2 ~ 3 全裂或深裂、浅裂至不分裂，中间裂片较大，长卵形、卵状披针形 或线状披针形，长 1.5 ~ 4 cm，宽 0.5 ~ 1.5 cm，基部圆形或圆楔形， 全缘或基部有 1 ~ 2 浅裂，两侧裂片较小；叶柄长（2 ~）4 ~ 6 cm； 小叶柄长 1.5 ~ 2 cm。圆锥状聚伞花序或单聚伞花序，有多花或少 至 3 花；苞片叶状，全缘；萼片 4，黄色、淡黄色或外面带紫红色， 斜上展，披针形或长椭圆形，长 1.8 ~ 2 cm，宽 4 ~ 5 mm，内外两 面均有柔毛，外面边缘有短绒毛；花丝线形，有短柔毛，花药无毛。 瘦果卵形、椭圆状卵形至倒卵形，扁，长 2 ~ 4 mm，宿存花柱被长

柔毛。花期 6 ~ 7 月，果期 8 ~ 9 月。

| **生境分布** | 生于河漫滩、沟旁及田边。分布于新疆哈密市、吐鲁番市级清河县、福海县、吉木乃县、塔城市、沙湾市、博乐市、温泉县、尼勒克县、巩留县、特克斯县、昭苏县、和硕县、尉犁县、叶城县、和田市等。。

| **功能主治** | 利尿，理气通便，活血止痛。

毛茛科 Ranunculaceae 铁线莲属 Clematis

西伯利亚铁线莲 Clematis sibirica (L.) Mill.

| 药 材 名 | 铁线莲（药用部位：全株或种子）。

| 形态特征 | 多年生亚灌木。长达 3 m。根棕黄色，直深入土中。茎圆柱形，光滑无毛，当年生枝基部有宿存的鳞片，外层鳞片三角形，革质，长 4 ~ 5 mm，先端锐尖，内层鳞片膜质，长方椭圆形，长 1.5 ~ 1.8 cm，宽 3 mm，先端常 3 裂，有稀疏柔毛。二回三出复叶，小叶片或裂片 9，卵状椭圆形或窄卵形，纸质，长 3 ~ 6 cm，宽 1.2 ~ 2.5 cm，先端渐尖，基部楔形或近圆形，两侧的小叶片常偏斜，先端及基部全缘，中部有整齐的锯齿，两面均不被毛，叶脉在表面不显，在背面微隆起；小叶柄短或不显，微被柔毛；叶柄长 3 ~ 5 cm，有疏柔毛。单花，与 2 叶同自芽中伸出；花梗长 6 ~ 10 cm，花基部有密柔毛，无苞片；

花钟状下垂，直径 3 cm；萼片 4，淡黄色，长方椭圆形或狭卵形，长 3 ~ 6 cm，宽 1 ~ 1.5 cm，质薄，脉纹明显，外面有稀疏短柔毛，内面无毛；退化雄蕊花瓣状，长仅为萼片之半，条形，先端较宽成匙状，钝圆，花丝扁平，中部增宽，两端渐狭，被短柔毛，花药长方椭圆形，内向着生，药隔被毛；子房被短柔毛，花柱被绢状毛。瘦果倒卵形，长 5 mm，直径 2 ~ 3 mm，微被毛，宿存花柱长 3 ~ 3.5 cm，有黄色柔毛。花果期 6 ~ 8 月。

| 生境分布 |　生于阿尔泰山、天山和准噶尔西部山地海拔 1 200 ~ 2 000 m 的针叶林林下及林缘。分布于林清河县、富蕴县、阿勒泰市、布尔津县、奇台县、乌鲁木齐县、玛纳斯县、塔城市、托里县、沙湾市、博乐市、霍城县、察布查尔锡伯自治县、昭苏县、伊吾县、巴里坤哈萨克自治县、温宿县等。

| 功能主治 |　清热利湿，通利血脉，下乳。

准噶尔铁线莲 *Clematis songorica* Bunge

| **药 材 名** | 铁线莲（药用部位：全株）。

| **形态特征** | 多年生直立小灌木或多年生草本。高 40 ~ 150 cm。枝有棱，带白色，
无毛或稍有细柔毛。单叶对生或簇生；叶片薄草质，灰绿色，线形、
线状披针形、狭披针形至披针形，长 2 ~ 8 cm，宽 0.2 ~ 2 cm，先
端锐尖或钝，基部渐狭成柄，全缘或有锯齿，或向叶基部渐成锯齿
状牙齿或为小裂片，两面无毛；叶柄长 0.5 ~ 3 cm。聚伞花序或圆
锥状聚伞花序顶生；花直径 2 ~ 3 cm；萼片 4，开展，白色，长圆
状倒卵形至宽倒卵形，长 0.5 ~ 2 cm，宽 0.3 ~ 1 cm，先端常近截
形而有凸头或凸尖，外面边缘密生绒毛，内面有短柔毛至近无毛；
雄蕊无毛，花丝线形。瘦果略扁，卵形或倒卵形，长 3 ~ 5 mm，密

生白色柔毛，宿存花柱长 2 ~ 3 cm。花期 6 ~ 7 月，果期 7 ~ 8 月。

| **生境分布** | 生于荒漠低山麓前洪积扇、石砾质冲积堆及荒漠河岸。分布于新疆布尔津县、吉木乃县、奇台县、吉木萨尔县、阜康市、乌鲁木齐县、玛纳斯县、石河子市、塔城市、托里县、察布查尔锡伯自治县、特克斯县、托克逊县、和硕县、轮台县、叶城县等。

| **功能主治** | 利尿，理气通便，活血止痛。

毛茛科 Ranunculaceae 铁线莲属 Clematis

蕨叶铁线莲

Clematis songorica var. *aspleniifolia* (Schrenk) Trautv.

| **药 材 名** | 铁线莲（药用部位：全株）。

| **形态特征** | 多年生直立小灌木或多年生草本。高 40 ~ 150 cm。枝有棱，带白色，无毛或稍有细柔毛。茎中部以下的叶片常为狭针形、长椭圆状披针形至线状披针形，长 2 ~ 8 cm，宽 0.4 ~ 1.2 cm，基部渐狭成柄，全缘或近基部有缺刻状牙齿或分裂成小裂片；茎中部以上的叶片常羽状全裂，长达 15 cm，顶生裂片较大，椭圆状披针形至狭披针形，基部渐狭成柄，上部全缘，向基部有锯齿、牙齿或小裂片，侧生裂片小，对生或互生，疏离，倒卵形、倒楔形或近圆形，有锯齿或全缘；若有一回羽状复叶，则小叶片较小，有短柄，有时不等 2 ~ 3 浅裂至羽状分裂，裂片先端啮齿状；叶柄长 0.5 ~ 3 cm。聚伞花序

或圆锥状聚伞花序顶生；花直径 2 ~ 3 cm；萼片 4，开展，白色，长圆状倒卵形至宽倒卵形，长 0.5 ~ 2 cm，宽 0.3 ~ 1 cm，先端常近截形而有凸头或凸尖，外面边缘密生绒毛，内面有短柔毛至近无毛；雄蕊无毛，花丝线形。瘦果略扁，卵形或倒卵形，长 3 ~ 5 mm，密生白色柔毛，宿存花柱长 2 ~ 3 cm。花期 6 ~ 7 月，果期 7 ~ 8 月。

| 生境分布 | 生于荒漠低山麓前洪积扇、石砾质冲积堆以及荒漠河岸。分布于新疆乌鲁木齐市及布尔津县、吉木乃县、奇台县、吉木萨尔县、阜康市、米东区、玛纳斯县、石同子市、塔城市、托里县、伊宁市、察布查尔锡伯自治县、特克斯县、托克逊县、和硕县、轮台县、叶城县等。

| 功能主治 | 利尿，理气通便，活血止痛。

甘青铁线莲 *Clematis tangutica* (Maxim.) Korsh.

| 药 材 名 | 铁线莲（药用部位：全株）。

| 形态特征 | 木质藤本。在荒漠地区呈矮小灌木状。枝被柔毛。一回羽状复叶；小叶菱状卵形或窄卵形，长 1 ~ 6 cm，先端尖，具小牙齿，两面叶脉疏被柔毛；叶柄长 2 ~ 6 cm。花单生于枝顶，或 1 ~ 3 组成腋生花序；花序梗长 0.3 ~ 3 cm；苞片似小叶；花梗长 3.5 ~ 16.5 cm；萼片 4，黄色，有时带紫色，窄卵形或长圆形，长 1.5 ~ 2.5 (~ 3.5) cm，先端常骤尖，疏被柔毛，边缘被柔毛；花丝被柔毛，花药无毛，长 2 ~ 3 mm，无毛，先端具不明显小尖头。瘦果菱状倒卵圆形，长约 4 mm，宿存花柱长达 4 cm。花期 6 ~ 9 月。果期 9 ~ 10 月。

| 生境分布 | 生于山地河谷和河漫滩。分布于新疆吐鲁番市及伊吾县、巴里坤哈

萨克自治县、和硕县、焉耆回族自治县、且末县、乌恰县、塔什库尔干塔吉克自治县。

| **功能主治** | 祛风湿。用于风湿性关节炎。

毛茛科 Ranunculaceae 飞燕草属 Consolida

飞燕草 Consolida ajacis (L.) Schur

| **药 材 名** | 飞燕草（药用部位：种子、根）。

| **形态特征** | 茎高约 60 cm，与花序均被多少弯曲的短柔毛，中部以上分枝。茎下部叶有长柄，在开花时多枯萎，中部以上叶具短柄；叶片长达 3 cm，掌状细裂，狭线形小裂片宽 0.4 ~ 1 mm，有短柔毛。花序生于茎或分枝先端；下部苞片叶状，上部苞片小，不分裂，线形；花梗长 0.7 ~ 2.8 cm；小苞片生于花梗中部附近，小条形；萼片紫色、粉红色或白色，宽卵形，长约 1.2 cm，外面中央疏被短柔毛，距钻形，长约 1.6 cm；花瓣的瓣片 3 裂，中裂片长约 5 mm，先端 2 浅裂，侧裂片与中裂片呈直角展开，卵形；花药长约 1 mm。蓇葖果长达 1.8 cm，直，密被短柔毛，网脉稍隆起，不太明显；种子长约 2 mm。

| **生境分布** | 生于山坡、草地、固定沙丘。新疆有栽培。

| **功能主治** | 种子，用于喘息，水肿。根，用于腹痛。

塔城翠雀花 *Delphinium aemulans* Nevski

| 药 材 名 |

翠雀花（药用部位：全草）。

| 形态特征 |

茎高 70 ~ 100 cm，下部被反曲的白色短柔毛，中部以上变无毛，等距离生叶，不分枝或上部分枝。茎中部叶有长柄；叶片五角形，长 7 ~ 12 cm，宽 13 ~ 18 cm，基部阔心形，3 全裂几达基部，中央全裂片菱形，在中部以下 3 深裂，深裂片狭披针形，先端长渐尖，有稀疏狭披针形小裂片，侧全裂片斜扇形，不等 3 深裂，两面疏被短柔毛或近无毛；叶柄比叶片稍长，近无毛。总状花序长达 20 cm，有密集的花；轴和花梗密被开展的黄色腺毛和少数反曲的白色柔毛；苞片线状丝形，长 1 ~ 1.6 cm；花梗先端稍向下弯，长 0.7 ~ 1.1 cm；小苞片距花 2 ~ 2.5 mm，线状钻形，长约 6 mm，宽约 0.6 mm，有短缘毛；萼片蓝紫色，椭圆状倒卵形，长 1.2 ~ 1.4 cm，外面有黄色短腺毛，距圆锥状钻形，长 1.2 ~ 1.3（~ 1.7）cm，末端稍向下弯曲，有时近拳卷；花瓣紫色，先端圆形；退化雄蕊紫色，瓣片近方形，2 裂至近中部，上部有长缘毛，中部有淡黄色长髯毛，花丝疏被柔毛；心皮 3，子房有短毛。

果期 7 ～ 8 月准噶尔西部山地、海拔 1 900 m 左右的阳坡草地。

| **生境分布** | 生于海拔 1 400 m 的山坡。分布于新疆和布克赛尔蒙古自治县、裕民县等。

| **功能主治** | 清热止痛，杀虫。

毛茛科 Ranunculaceae 翠雀属 Delphinium

唇花翠雀花

Delphinium cheilanthum Fisch. ex DC.

| 药 材 名 |

翠雀花（药用部位：全草或种子）。

| 形态特征 |

茎高约 140 cm，无毛，不分枝或在花序之下有 1 ~ 2 枝条，等距离生叶。下部叶在开花时枯萎；中部叶有稍长柄；叶片五角形，长约 6.5 cm，宽 9 ~ 10 cm，3 深裂至距基部 1.5 ~ 4 mm 处，中央深裂片狭菱形，3 裂，二回裂片不裂或有少数小裂片，末回裂片三角形、披针形至线形，侧深裂片不等 2 深裂，两面有短毛；叶柄与叶片近等长，无毛。总状花序约有 10 花；轴无毛；下部苞片线形，长达 3 cm，上部的钻形，小；花梗长 1.5 ~ 3.5 cm，向上斜展，只在顶部有短伏毛，其他部分无毛；小苞片距花 3 ~ 4 mm，钻形，长 2.5 ~ 3.5 mm；萼片蓝紫色，椭圆状倒卵形或椭圆形，长 1.4 ~ 1.5 cm，外面密被短伏毛，距圆筒状钻形，长 2.1 ~ 2.2 cm，直；花瓣蓝色，无毛，先端圆；退化雄蕊的瓣片蓝色，倒卵形，宽 6 ~ 8 mm，先端微裂，腹面有淡黄色髯毛；雄蕊无毛；心皮 3，子房密被短伏毛。蓇葖果长 1.3 ~ 1.4 cm；种子近椭圆球形，长约 2 mm，沿 3 纵棱有翅。花期 7 ~ 8 月。

| 生境分布 | 生于准噶尔西部山地、海拔 1 900 m 左右的山麓碎石坡地。分布于新疆和布克赛尔蒙古自治县等。

| 功能主治 | 祛风除湿，止痛活络。用于风湿痹痛，半身不遂，食积胀满，咳嗽；外用于痈疮癣疥。

毛茛科 Ranunculaceae 翠雀属 Delphinium

长卵苞翠雀花

Delphinium ellipticovatum L.

| 药 材 名 | 翠雀花（药用部位：全草）。

| 形态特征 | 茎高约 70 cm，被稍向下斜展的硬毛，等距离生叶。茎中部叶有稍长柄；叶片五角形，长约 5.7 cm，宽约 8 cm，3 深裂至距基部约 8 mm 处，中深裂片菱形，下部全缘，在中部 3 裂，二回裂片有三角状卵形牙齿，侧深裂片斜扇状楔形，不等 2 裂至近中部，两面被糙伏毛；叶柄比叶片稍长。总状花序有 7 ~ 8 花；轴疏被短伏毛和近开展的长糙毛；基部苞片 3 裂，其他苞片披针形或椭圆状卵形；花梗长 1 ~ 2.7 cm，密被短伏毛；小苞片距花 1 ~ 7 mm，椭圆状卵形或卵形，长 5.5 ~ 7 mm，宽 2 ~ 3 mm，渐尖，背面多少密被短糙伏毛；萼片脱落，蓝紫色，椭圆形或椭圆状倒卵形，长 1 ~ 1.3 cm，

外面有短糙伏毛，距圆筒状钻形，长 1.2 ~ 1.3 cm，基部直径 2 ~ 2.5 mm；花瓣上部内面有疏柔毛；退化雄蕊黑色，瓣片比爪短，圆卵形，2 浅裂，腹面中央被淡黄色长髯毛；雄蕊无毛；心皮 3，无毛或子房疏被短柔毛。蓇葖果长约9 mm；种子倒圆锥状四面体形，长约 1.5 mm，密生成层排列的鳞状横翅。花期8 月。

| **生境分布** | 生于海拔 1 900 m 左右的山坡草地。分布于新疆精河县、温泉县等。

| **功能主治** | 清热镇痛，杀虫。

毛茛科 Ranunculaceae 翠雀属 Delphinium

伊犁翠雀花
Delphinium iliense Huth

| 药 材 名 | 翠雀花（药用部位：全草或根）。

| 形态特征 | 茎高 22 ~ 80 cm，疏被平展或稍向下斜展的白色硬毛，通常不分枝。基生叶数片，有长柄，茎生叶常 1（~ 4），有较短柄；叶片肾形或近五角形，长 3 ~ 6.5 cm，宽 5.5 ~ 11 cm，3 深裂稍超过中部，中央深裂片菱形或楔状菱形，3 浅裂，有卵形疏牙齿，侧深裂片斜扇形，不等 2 裂至近中部，两面疏被糙毛；叶柄长达 12 cm，被与茎相同的毛。总状花序狭，有 5 ~ 12 花；轴无毛或下部疏被糙毛；基部苞片 3 裂或披针形，长约 2 cm，其他苞片较小，狭披针形，长 0.7 ~ 1.2 cm，边缘有平展的白色长毛；花梗长 1 ~ 3.2 cm，无毛；小苞片生于花梗上部距花 3 ~ 5 mm 处，狭披针形或线状倒披针形，长约 7 mm，

宽约 1.2 mm，边缘疏被白色长毛；萼片蓝紫色，上萼片卵形，其他萼片倒卵形，长 1.2 ～ 1.7 cm，无毛或先端疏被缘毛，距圆筒状钻形，与萼片近等长或稍短于萼片；花瓣黑色，近无毛；退化雄蕊黑色，瓣片宽卵形，2 浅裂，上部疏被长缘毛，腹面有黄色髯毛，爪比瓣片稍短；雄蕊无毛。心皮 3，近无毛。种子仅沿棱有翅。花期 7 ～ 8 月。

| **生境分布** | 生于天山西部、海拔 1 800 m 左右的灌丛草地。分布于新疆霍城县、特克斯县、昭苏县等。

| **功能主治** | 清热止痛，杀虫，祛风湿，镇惊。

昆仑翠雀花

Delphinium kunlunshanicum C. Y. Yang & B. Wang

| 药 材 名 |

翠雀花（药用部位：全草或根）。

| 形态特征 |

茎高 30 ～ 40 cm，基部直径 3 ～ 4 mm，疏被开展的白色长硬毛，不分枝。基生叶约 5，具长柄；叶片肾形，长 3.5 ～ 5.5 cm，宽 7.5 ～ 10 cm，基部深波状，两面沿脉疏被短硬毛，3 深裂至距基部 1.3 ～ 2.4 cm，中裂片阔菱形，先端急尖，中部以上 3 浅裂，中部裂片三角状卵形，具粗齿，牙齿椭圆形或卵形，先端钝，有细突尖，侧裂片斜扇形，近中部不对称 2 裂，位于上方的裂片与中裂片相似，但较小，位于下方的裂片亦呈不对称 2 裂；叶柄长 8 ～ 10 cm，被开展的白色长硬毛，基部具鞘。总状花序长 22 cm，有约 10 花，花序轴直，伸展，中部以上具 2 小苞片的花梗，被短柔毛及开展的密的淡黄色腺毛和混生疏的白色毛；基部苞片 3 深裂，其余苞片不裂，线形或狭披针形，长 0.9 ～ 1.6 cm，无柄，被白色长硬毛；小苞片线形，长 5 ～ 7 mm，宽 1 ～ 1.2 mm，被短柔毛和长硬毛；花倾斜或近水平开展，蓝紫色，长 3 ～ 3.5 cm；上萼片卵形，侧萼片倒卵形，下萼片船状卵形，长 1.5 cm，有黄色腺点和短硬毛，距较长，长 1.5 ～ 2 cm，圆柱状锥形，基部直径 2.5 ～ 3 mm，末端稍弯；花瓣黑色，先端 2 浅裂，无毛；退化雄蕊黑色，瓣片阔卵形，长约 4 mm，先端 2 裂，边缘有长睫毛，腹面中央有白色髯毛，爪较瓣片长，被短柔毛，基部具小的附属物；雄蕊长 6 mm，花丝下部有疏柔毛；心皮 3，子房密被短柔毛。

| **生境分布** | 生于海拔 3 800 m 的山坡草地。分布于新疆叶城县等。

| **功能主治** | 清热止痛，杀虫。

毛茛科 Ranunculaceae 翠雀属 Delphinium

帕米尔翠雀花
Delphinium lacostei Danguy

| 药 材 名 | 翠雀花（药用部位：全草或根）。

| 形态特征 | 茎高 6 ～ 10 cm，上部被短柔毛，茎单一。叶片宽 2 ～ 4 cm，基部心形，初生裂片短于叶片半径的 60%，中央裂片宽楔形或宽倒卵形；小叶 3，上部具牙齿，先端锐尖，末级小叶狭卵形；下部叶通常不枯萎。伞房花序长约 2 cm，有 2 ～ 3 花；苞片披针形，3 浅裂或不裂；花梗约 1.5 cm，被短柔毛；小苞片生于花梗中部附近，线形，长 8 ～ 10 mm；萼片蓝色，背面被短柔毛，距圆锥形，长 4 ～ 6 mm，基部直径 3 ～ 5 mm；其他萼片长 1.5 ～ 2.3 cm；花瓣 2 裂，具长缘毛，瓣片近圆形；退化雄蕊 2，半裂至近中部，腹面具黄色髯毛，花丝无毛；心皮 5，子房密被短柔毛。花期 9 月。

| **生境分布** | 生于海拔 4 300 m 左右的山坡草地。分布于新疆塔什库尔干塔吉克自治县等。

| **功能主治** | 清热止痛，杀虫。

毛茛科 Ranunculaceae 翠雀属 *Delphinium*

船苞翠雀花 *Delphinium naviculare* W. T. Wang

| 药 材 名 | 翠雀花（药用部位：全草或根）。

| 形态特征 | 茎高约 70 cm，下部被开展或稍向下斜展的长硬毛，中部以上变无毛，不分枝。基生叶及茎下部叶有长柄；叶片肾状五角形，长 3.3 ~ 4.3 cm，宽 5.2 ~ 5.6 cm，3 深裂，中深裂片菱状倒梯形或菱形，急尖，3 浅裂，二回裂片有少数卵形粗齿，侧深裂片斜扇形，不等 2 裂至近中部，两面疏被长糙毛；叶柄长为叶片的 3 ~ 4 倍，被与茎相同的毛。总状花序狭长，长约 30 cm，有多数花；轴及花梗无毛；下部苞片 3 裂，长 1.4 ~ 1.7 cm，其他苞片船状卵形，长 7 ~ 10 mm；花梗直展，长 1 ~ 3 cm；小苞片与花邻接或近邻接，船状卵形或椭圆形，长 4 ~ 5 mm，宽 2 ~ 2.5 mm，渐尖，无毛或疏生短缘毛；

萼片紫色，上萼片宽椭圆形，长约 1.2 cm，无毛或先端疏被缘毛，距圆锥状钻形，长 1.2 ~ 1.3 cm，无毛，直；花瓣黑色，无毛；退化雄蕊黑色，瓣片与爪近等长，长圆形，2 裂至近中部，上部有长缘毛，腹面有淡黄色髯毛；雄蕊无毛；心皮 3，无毛。花期 8 月。

| **生境分布** | 生于海拔 1 700 m 左右的山地草坡。分布于新疆昭苏县、巩留县、特克斯县等。

| **功能主治** | 清热止痛，杀虫。

毛茛科 Ranunculaceae 翠雀属 Delphinium

假深蓝翠雀花 *Delphinium pseudocyananthum* C. Y. Yang & B. Wang

药材名

翠雀花（药用部位：全草或根）。

形态特征

茎高约 90 cm，下部被贴伏微柔毛，上部无毛，约 2 分枝。叶片宽约 7 cm，基部心形；初生裂片短于叶片半径的 60%；中心裂片 3，菱形或宽，开裂，上部的疏生小裂片具牙齿，先端锐尖；下部小叶狭卵形；近端叶通常枯萎。总状花序长 18 ~ 22 cm，浓密多花，密被贴伏微柔毛；下部苞片 3，深裂，上部的不裂，线形；花梗 5 ~ 10 mm，上部小苞片狭线形，长 5 ~ 7 mm；萼片蓝紫色，背面密被贴伏微柔毛，钻形，长 1.3 ~ 1.5 cm，近直，基部直径 2.8 ~ 3 mm，其他萼片长 1.2 ~ 1.3 cm；花瓣 2 裂，无毛，瓣片卵形；退化雄蕊 2 浅裂，具黄色髯毛，具缘毛。花丝无毛。心皮 3，子房密被微柔毛。花期 7 月。

生境分布

生于海拔 950 m 左右的山地河谷。分布于新疆哈巴河县等。

| **功能主治** | 清热止痛，杀虫。

毛茛科 Ranunculaceae 翠雀属 Delphinium

和丰翠雀花 *Delphinium sauricum* Schischk.

| 药 材 名 |

翠雀花（药用部位：全草或根）。

| 形态特征 |

草本。高 30 ~ 80 cm。茎直径 3 ~ 6 mm，
被短糙伏毛。基生叶、茎生叶均具长柄；
叶片圆肾形或五角形，长 6 ~ 9 cm，宽
9 ~ 14 cm，3 深裂至近基部，中央深裂片
近倒卵形或菱形，3 浅裂或 3 深裂，有卵形
或三角形小裂片，侧深裂片较大，近扇形，
不等 2 深裂，两面有短毛；叶柄与叶片近等
长。总状花序约有 10 花；苞片条形或钻形；
轴无毛；花梗长 1.5 ~ 3.5 cm，只在顶部有
短伏毛，上部有长 2.5 ~ 3.5 mm 的小苞片；
萼片蓝紫色，外面密被短柔毛，上萼片宽卵
形，距钻形，比萼片稍长，长 15 mm；其他
萼片椭圆形或椭圆状卵形；花瓣无毛；退化
雄蕊褐色；瓣片长 5 mm，2 浅裂，腹面有
淡黄色髯毛；雄蕊无毛；心皮 3 ~ 4，子房
密被短柔毛。

| 生境分布 |

生于海拔 1 700 ~ 2 100 m 的山坡草地。分
布于新疆和布克赛尔蒙古自治县等。

| **功能主治** | 祛风除湿，止痛，杀虫止痒。

毛茛科 Ranunculaceae 翠雀属 Delphinium

天山翠雀花
Delphinium tianshanicum W. T. Wang

| 药 材 名 |　翠雀花（药用部位：全草或根）。

| 形态特征 |　茎高（40 ～）60 ～ 115 cm，被稍向下斜展的白色硬毛，等距离生叶。基生叶在开花时通常枯萎，与茎下部叶有长柄；叶片五角状肾形，长 6 ～ 9 cm，宽 9 ～ 14 cm，3 深裂，中央深裂片菱状倒梯形或宽菱形，急尖，在中部之上 3 浅裂，有少数锐牙齿，侧深裂片斜扇形，不等 2 裂至近中部，两面被稍密的糙伏毛；叶柄长为叶片的 1.5 ～ 5 倍。顶生总状花序有 8 ～ 15 花；轴和花梗密被反曲的短糙伏毛；基部苞片 3 裂，其他苞片披针状线形，长 0.8 ～ 1.4 cm；花梗长 2 ～ 6 cm；小苞片距花 1.5 ～ 6 mm，线形或披针状线形，长 5.5 ～ 9 mm，宽 0.6 ～ 1 mm，背面有短糙伏毛；萼片脱落，蓝紫色，卵形或倒卵形，

长 1.1 ~ 1.5 cm，外面密被短糙伏毛，距圆筒状钻形，长 1.1 ~ 1.4 cm，基部直径约 3 mm；花瓣黑色，微凹；退化雄蕊黑色，瓣片近卵形，2 裂，上部有长缘毛，腹面有黄色髯毛；雄蕊无毛；心皮 3，子房密被短糙伏毛。蓇葖果长 0.9 ~ 1.1 cm；种子倒圆锥状四面体形，长 1.5 mm，密生成层排列的鳞状横翅。花期 7 ~ 8 月。

| 生境分布 |　生于海拔 1 700 ~ 2 700 m 的山坡草地及林缘。分布于新疆奇台县、阜康市、乌鲁木齐县、玛纳斯县、沙湾市、巴里坤哈萨克自治县等。

| 功能主治 |　泻火止痛，杀虫，祛风湿。

毛茛科 Ranunculaceae 碱毛茛属 *Halerpestes*

水葫芦苗

Halerpestes cymbalaria (Pursh) Green

| 药 材 名 | 水葫芦苗（药用部位：全草）。

| 形态特征 | 多年生草本。高 3 ~ 12 cm，匍匐茎细长，节上生根和叶，无毛，横走。叶全部基生；叶片纸质，多近圆形，或肾形、宽卵形，长 0.5 ~ 2.5 宽稍大于长，基部圆心形、截形或宽楔形，边缘有 3 ~ 7(~ 11)圆齿，有时 3 ~ 5 裂，无毛；叶柄长 2 ~ 12 cm，稍有毛。花葶 1 ~ 4，高 5 ~ 15 cm，无毛；苞片线形；花小，直径 6 ~ 8 mm；萼片绿色，卵形，长 3 ~ 4 mm，无毛，反折；花瓣 5，狭椭圆形，与萼片近等长，先端圆形，基部有长约 1 mm 的爪，爪上端有点状蜜槽；花药长 0.5 ~ 0.8 mm，花丝长约 2 mm；花托圆柱形，长约 5 mm，有短柔毛。聚合果椭圆球形，直径约 5 mm；瘦果小而极多，斜倒卵形，

长 1.2 ~ 1.5 mm，两面稍鼓起，有 3 ~ 5 纵肋，无毛，喙极短，呈点状。花果期 5 ~ 9 月。

| **生境分布** | 生于盐碱沼泽地或湿草地。分布于新疆布尔津县、阜康市、玛纳斯县、沙湾市、博乐市、伊宁市、和静县、库尔勒市、库车市、莎车县、策勒县等。

| **功能主治** | 祛风湿，止痛，镇惊。

毛茛科 Ranunculaceae 碱毛茛属 *Halerpestes*

长叶碱毛茛 *Halerpestes ruthenica* (Jacq.) Ovcz.

| **药材名** | 长叶碱毛茛（药用部位：全草）。

| **形态特征** | 多年生草本。匍匐茎长达 30 cm 以上。叶簇生；叶片卵状或椭圆状梯形，长 1.5 ~ 5 cm，宽 0.8 ~ 2 cm，基部宽楔形、截形至圆形，不分裂，先端有 3 ~ 5 圆齿，常有 3 基出脉，无毛；叶柄长 2 ~ 14 cm，近无毛，基部有鞘。花葶高 10 ~ 20 cm，单一或上部分枝，有 1 ~ 3 花，生疏短柔毛；苞片线形，长约 1 cm；花直径约 1.5 cm；萼片 5，绿色，卵形，长 7 ~ 9 mm，多无毛；花瓣 6 ~ 12，黄色，倒卵形，长 0.7 ~ 1 cm，基部渐狭成爪少，槽点状；花药长约 0.5 mm，花丝长约 3 mm；花托圆柱形，有柔毛。聚合果卵球形，长 8 ~ 12 mm，宽约 8 mm；瘦果极多，紧密排列，斜倒卵形，长 2 ~ 3 mm，无毛，

边缘有狭棱，两面有 3 ～ 5 分歧的纵肋，喙短而直。花果期 5 ～ 8 月。

| **生境分布** | 生于盐碱沼泽地或湿草地。分布于新疆阜康市、呼图壁县、玛纳斯县、沙湾市、伊吾县、巴里坤哈萨克自治县、和静县、焉耆回族自治县等。

| **功能主治** | 祛风湿，利水消肿，解毒，温中止痛。

毛茛科 Ranunculaceae 黑种草属 Nigella

黑种草 *Nigella damascena* L.

| 药 材 名 | 黑种草子（药用部位：种子）。

| 形态特征 | 植株全部无毛。茎高 25 ~ 50 cm，不分枝或上部分枝。叶为二至三回羽状复叶，末回裂片狭线形或丝形，先端锐尖。花直径约 2.8 cm，下面有叶状总苞；萼片蓝色，卵形，先端锐渐尖，基部有短爪；重瓣品种的花瓣与萼片形状相同；心皮通常 5，子房合生至花柱基部。蓇葖果椭圆球形，长约 2 cm。

| 生境分布 | 栽培于富含有机质、排水良好的砂壤土中。新疆和田地区（墨玉县、洛浦县、于田县、民丰县）、喀什地区等有栽培。

| 功能主治 | 补肾健脑，通经，通乳，利尿。用于耳鸣健忘，经闭乳少，热淋，石淋。

| 毛茛科 | Ranunculaceae | 黑种草属 | Nigella

腺毛黑种草

Nigella glandulifera Freyn et Sint.

| **药 材 名** | 黑种草（药用部位：全草或果实、种子）。

| **形态特征** | 茎高 35 ～ 50 cm，有少数纵棱，被短腺毛和短柔毛，上部分枝。叶为二回羽状复叶，茎中部叶有短柄；叶片卵形，长约 5 cm，宽约 3 cm，羽片约 4 对，近对生，末回裂片线形或线状披针形，宽 0.6 ～ 1 mm，表面无毛，背面疏被短腺毛。花直径约 2 cm；萼片白色或带蓝色，卵形，长约 1.2 cm，宽约 6 mm，基部有短爪，无毛；花瓣约 8，长约 5 mm，有短爪，上唇小，比下唇稍短，披针形，下唇 2 裂超过中部，裂片宽菱形，先端近球状变粗，基部有蜜槽，边缘有少数柔毛；雄蕊长约 8 mm，无毛，花药椭圆形，长约 1.6 mm；心皮 5，子房合生至花柱基部，散生圆形小鳞状突起，花柱与子房

等长。蒴果长约 1 cm，有圆鳞状突起，宿存花柱与果实近等长；种子三棱形，长约 2.5 mm，有横皱。

| **生境分布** | 生于温暖和阳光充足的环境，土壤以肥沃疏松的砂质壤土为宜。新疆有栽培。

| **功能主治** | 散寒通经，活血健脑。通乳，利尿。用于耳鸣健忘，经闭乳少，热淋，石淋，白癜风，疥疮。

毛茛科 Ranunculaceae 鸦跖花属 Oxygraphis

鸦跖花
Oxygraphis kamchatica (DC.) R. R. Stewart

| **药 材 名** | 鸦跖花（药用部位：花）。

| **形态特征** | 植株高 2 ~ 9 cm，有短根茎；须根细长，簇生。叶全部基生，卵形、倒卵形至椭圆状长圆形，长 0.3 ~ 3 cm，宽 5 ~ 25 mm，全缘，有 3 出脉，无毛，常有软骨质边缘；叶柄较宽扁，长 1 ~ 4 cm，基部鞘状，最后撕裂成纤维状残存。花葶 1 ~ 3（~ 5），无毛；花单生，直径 1.5 ~ 3 cm；萼片 5，宽倒卵形，长 4 ~ 10 mm，近革质，无毛，果后增大，宿存；花瓣橙黄色或表面白色，10 ~ 15，披针形或长圆形，长 7 ~ 15 mm，宽 1.5 ~ 4 m，有 3 ~ 5 脉，基部渐狭成爪，蜜槽呈杯状凹穴；花药长 0.5 ~ 1.2 mm；花托较宽扁。聚合果近球形，直径约 1 cm；瘦果楔状菱形，长 2.5 ~ 3 mm，宽 1 ~ 1.5 mm，有 4

纵肋，背肋明显，喙顶生，短而硬，基部两侧有翼。花果期 6 ～ 8 月。

| **生境分布** | 生于高山草甸。分布于新疆乌鲁木齐县、玛纳斯县等。。

| **资源情况** | 野生资源丰富，栽培资源稀少。

| **采收加工** | 7 ～ 8 月采收，洗净，晒干。

| **功能主治** | 微苦，寒。归肺、肝经。活血化瘀，清热燥湿。用于头部外伤，瘀血疼痛，疮疡。

| **用法用量** | 内服研末，1.5 ～ 3 g；或煎汤，6 ～ 9 g。

毛茛科 Ranunculaceae 芍药属 *Paeonia*

芍药
Paeonia lactiflora Pall.

| 药 材 名 | 赤芍（药用部位：种子、根）。

| 形态特征 | 多年生草本。根粗壮，分枝黑褐色。茎高 40 ～ 70 cm。下部茎生叶为二回三出复叶，上部茎生叶为三出复叶；小叶狭卵形、椭圆形或披针形，先端渐尖，基部楔形或偏斜，边缘具白色骨质的细齿，两面无毛，背面沿脉疏生短柔毛。花数朵，生茎顶和叶腋，有时仅先端 1 花开放，而近先端叶腋处有发育不好的花芽，直径 8 ～ 11.5 cm；苞片 4 ～ 5，披针形，大小不等；萼片 4，宽卵形或近圆形，长 1 ～ 1.5 cm，宽 1 ～ 1.7 cm；花瓣 9 ～ 13，倒卵形，长 3.5 ～ 6 cm，宽 1.5 ～ 4.5 cm，白色，有时基部具深紫色斑块；花丝长 0.7 ～ 1.2 cm，黄色；花盘浅杯状，包裹心皮基部，先端裂片钝圆；心

皮（2 ~）4 ~ 5，无毛。蓇葖果长 2.5 ~ 3 cm，直径 1.2 ~ 1.5 cm，先端具喙。花期 5 ~ 6 月，果期 8 月。

| 生境分布 | 生于海拔 1 000 ~ 2 300 m 的山坡草地。新疆各地均有栽培。

| 采收加工 | 生长 3 年以上可采收，一般以 4 ~ 5 年为宜；种子，4 ~ 5 年可采收。根，春、秋季采挖，除去根茎、须根及泥沙，晒干。

| 功能主治 | 清热凉血，散瘀止痛。用于热入营血，温毒发斑，吐血，目赤肿痛，肝郁胁痛，经闭痛经，癥瘕腹痛，跌扑损伤，痈肿疮疡。

| 用法用量 | 内服煎汤，6 ~ 12 g。

毛茛科 Ranunculaceae 拟耧斗菜属 Paraquilegia

乳突拟耧斗菜 Paraquilegia anemonoides (Willd.) Engl. ex Ulbr.

| 药 材 名 | 假耧斗菜（药用部位：全草）。

| 形态特征 | 根茎粗壮,有时在上部分枝,生出数丛枝叶。叶多数,为一回三出复叶,无毛；叶片三角形,宽 1 ~ 2 cm,小叶近肾形,长约 7 mm,宽约10 mm,具长 1.5 ~ 4 mm 的小叶柄,3 全裂或 3 深裂,一回中裂片楔状宽倒卵形,先端 3 浅裂或具 3 粗圆齿,一回侧裂片斜卵形,不等 2 裂,二回裂片具 1 ~ 2 粗圆齿,表面绿色,背面浅绿色；叶柄长 1.5 ~ 6 cm。花葶 1 至数条,比叶高,长 6 ~ 9 cm；苞片 2,生于花下,不分裂,倒披针形,或 3 全裂,长 5 ~ 9 mm,基部有膜质鞘；花直径 2 cm 或更大；萼片浅蓝色或浅堇色,宽椭圆形至倒卵形,长约 13 mm,宽约 8 mm,先端钝；花瓣倒卵形,长约 5 mm,先端微凹；

花药长约 1 mm, 花丝长 3 ~ 8 mm; 心皮通常 5, 无毛。蓇葖果直立, 连同长 2 mm 的细喙共长 10 ~ 12 mm, 基部有宿存萼片; 种子少数, 长椭圆形至椭圆形, 长 1.6 ~ 2 mm, 灰褐色, 表面密被乳突状的小疣状突起。花果期 6 ~ 8 月。

| **生境分布** | 生于海拔 2 600 ~ 3 400 m 的山地岩石缝或山区草原。分布于新疆木垒哈萨克自治县、奇台县、阜康市、玛纳斯县、昭苏县、乌恰县等。

| **功能主治** | 祛风湿, 祛痒止痛。

蒙古白头翁 *Pulsatilla ambigua* (Turcz. ex Hayek) Juz.

| **药 材 名** | 白头翁（药用部位：根）。

| **形态特征** | 植株高 16 ~ 22 cm。根茎直径 5 ~ 8 mm。基生叶 6 ~ 8，有长柄，与花同时发育；叶片卵形，长 2 ~ 3.2 cm，宽 1.2 ~ 3.2 cm，3 全裂，一回中全裂片有细柄，宽卵形，又 3 全裂，二回中全裂片有细柄，五角形，二回细裂，末回裂片披针形，宽 0.8 ~ 1.5 mm，有 1 ~ 2 小齿，二回侧全裂片和一回侧全裂片相似，无柄，表面近无毛，背面有稀疏长柔毛；叶柄长 3 ~ 10 cm。花葶 1 ~ 2，直立，有柔毛；苞片 3，基部合生成长约 2 mm 的短筒，长 1.5 ~ 2.8 cm，裂片披针形或线状披针形，全缘或有 1 ~ 2 小裂片，背面有柔毛；花梗长约 4 cm，结果时长达 16 cm；花直立；萼片紫色，长圆状卵形，长

2.2 ～ 2.8 cm，宽约 8 mm，先端微尖，外面有密绢状毛；雄蕊长约为萼片长的 1/2。聚合果直径 4 ～ 4.5 cm；瘦果卵形或纺锤形，长约 2.5 mm，有长柔毛，宿存花柱长 2.5 ～ 3 cm，下部有向上斜展的长柔毛，上部有近贴伏的短柔毛。花期 6 月。

| 生境分布 | 生于海拔 1 800 ～ 3 000 m 的山地草甸或林缘。分布于新疆布尔津县、哈巴河县、塔城市、托里县、沙湾市、精河县等。

| 资源情况 | 野生资源丰富，栽培资源一般。

| 采收加工 | 春、秋季采挖，除去泥沙，干燥。

| 功能主治 | 清热解毒，凉血止痢。用于热毒血痢，阴痒带下。

| 用法用量 | 内服煎汤，9 ～ 15 g。

毛茛科 Ranunculaceae 白头翁属 Pulsatilla

钟萼白头翁 *Pulsatilla campanella* Fisch. ex Krylov

| 药 材 名 | 白头翁（药用部位：根）。

| 形态特征 | 植株开花时高 14 ~ 20 cm，结果时高达 40 cm。根茎直径 2.5 ~ 4 mm。基生叶 5 ~ 8，开花时已长大，有长柄，为三回羽状复叶；叶片卵形或狭卵形，长 2.8 ~ 6 cm，宽 2 ~ 3.5 cm，羽片 3 对，斜卵形，羽状细裂，末回裂片狭披针形或狭卵形，宽约 1 mm，先端急尖，表面近无毛，背面有疏柔毛；叶柄长 2.5 ~ 12 cm，有长柔毛。花葶 1 ~ 2，直立，有柔毛；总苞长约 1.8 cm，筒长约 2 mm；苞片 3 深裂，深裂片狭披针形，不分裂或有 3 小裂片，背面有长柔毛；花梗长 2.5 ~ 4.5 cm，结果时长达 22 cm；花稍下垂；萼片紫褐色，椭圆状卵形或卵形，长 1.4 ~ 1.9 cm，宽 8 ~ 9 mm，先端稍向外弯，外

面有绢状绒毛。聚合果直径约 5 cm；瘦果纺锤形，长约 4 mm，有长柔毛，宿存花柱长 1.5 ~ 2.4 cm，下部密被开展的长柔毛，上部有贴伏的短柔毛。花期 5 ~ 6 月。

| 生境分布 | 生于海拔 1 800 ~ 3 700 m 的山地草坡。分布于新疆青河县、奇台县、乌鲁木齐县、玛纳斯县、博乐市、昭苏县、和静县、温宿县、乌恰县、塔什库尔塔吉克自治县等。

| 资源情况 | 野生资源丰富，栽培资源一般。

| 采收加工 | 春、秋季采挖，除去泥沙，干燥。

| 功能主治 | 清热解毒，凉血止痢。用于热毒血痢，阴痒带下。

| 用法用量 | 内服煎汤，9 ~ 15 g。

毛茛科 Ranunculaceae | 白头翁属 Pulsatilla

细叶白头翁
Pulsatilla turczaninovii Krylov & Serg.

| **药 材 名** | 白头翁（药用部位：根）。

| **形态特征** | 植株高 15 ~ 25 cm。基生叶 4 ~ 5，有长柄，为三回羽状复叶，开花时开始发育；叶片狭椭圆形，有时卵形，长 7 ~ 8.5 cm，宽 2.5 ~ 4 cm，羽片 3 ~ 4 对，下部的有柄，上部的无柄，卵形，2 回羽状细裂，末回裂片线状披针形或线形，有时卵形，宽 1 ~ 1.5（~ 2.5）mm，先端常锐尖，边缘稍反卷，表面无毛，背面疏被柔毛；叶柄长 5 ~ 8 cm，有柔毛。花葶有柔毛；总苞钟形，长 2.8 ~ 3.4 cm，筒长 5 ~ 6 mm；苞片细裂，末回裂片线形或线状披针形，宽 1 ~ 1.5 mm，背面有柔毛；花梗长约 1.5 cm，结果时长达 15 cm；花直立；萼片蓝紫色，卵状长圆形或椭圆形，长 2.2 ~ 4.2 cm，

宽 1 ~ 1.3 cm，先端微尖或钝，背面有长柔毛。聚合果直径约 5 cm；瘦果纺锤形，长约 4 mm，密被长柔毛，宿存花柱长约 3 cm，有向上斜展的长柔毛。花果期 5 ~ 7 月。

| **生境分布** | 生于草原、山地草坡或林边。分布于新疆布尔津县、哈巴河县、和布克赛尔蒙古自治县等。

| **资源情况** | 野生资源较丰富，栽培资源稀少。

| **采收加工** | 春、秋季采挖，除去泥沙，干燥。

| **功能主治** | **中医** 清热解毒，凉血止痢。用于热毒血痢，阴痒带下。
　　　　　　　蒙医 清热解毒，凉血止痢。用于细菌性痢疾，阿米巴痢疾，痔疮出血，淋巴结结核等。

| **用法用量** | 内服煎汤，9 ~ 15 g。

毛茛科 Ranunculaceae 毛茛属 Ranunculus

五裂毛茛 *Ranunculus acer* L.

| 药 材 名 |　毛茛（药用部位：全草或根）。

| 形态特征 |　多年生草本。全株被白色细长毛，尤以茎及叶柄上为多。须根多数，肉质，细柱状。茎直立，高 50 ~ 90 cm。基生叶具叶柄，柄长 7 ~ 15 cm；叶片掌状或近五角形，长 3 ~ 6 cm，宽 4 ~ 7 cm，常 3 深裂，裂片椭圆形至倒卵形，中央裂片又 3 裂，两侧裂片又作大小不等的 2 裂，先端齿裂，具尖头；茎生叶具短柄或无柄，3 深裂，裂片倒卵形至菱状卵形，至茎上部渐狭成线状披针形，两面均有紧贴的灰白色细长柔毛。花与叶相对侧生，单一或数朵生于茎顶，具长梗；花直径 2 cm；萼片 5，长圆形或长卵形，先端钝圆，淡黄色，外面密被白色细长毛；花瓣 5，黄色，阔倒卵形或微凹，基部钝或阔楔

形，具蜜槽；雄蕊多数，花药长圆形，纵裂，花丝扁平，与花药几等长；心皮多数，离生，柱头单一。聚合瘦果近球形或卵圆形；瘦果稍歪，卵圆形，表面淡褐色，两面稍隆起，密布细密小凹点，基部稍宽，边缘有狭边，先端有短喙。花果期 6 ~ 8 月。

| 生境分布 | 生于天山西部、阿尔泰山、海拔 600 ~ 1 900 m 的河谷草甸。分布于新疆布尔津县、哈巴河县、昭苏县等。

| 资源情况 | 野生资源一般，栽培资源稀少。

| 采收加工 | 夏、秋季采收，切段，鲜用或晒干。

| 功能主治 | 利湿，消肿，止痛，退翳，截疟，杀虫。用于黄疸，哮喘，疟疾，偏头痛，牙痛，鹤膝风，风湿关节痛，目生翳膜，瘰疬，疮痈肿毒。

毛茛科 Ranunculaceae 毛茛属 Ranunculus

宽瓣毛茛
Ranunculus albertii Regel & Schmalh

| 药 材 名 | 毛茛（药用部位：全草或根）。

| 形态特征 | 多年生草本。根茎短，簇生多数须根。茎高 8 ~ 20 cm，近直立，单一或有 1 ~ 2 分枝，上部散生白色柔毛。基生叶数枚，叶片肾圆形，长 1 ~ 3 cm，宽稍大于长，基部圆截形或浅心形，不分裂，边缘有圆齿，无毛或疏生缘毛；叶柄长 2 ~ 8 cm，生白柔毛或无毛，基部有宽鞘；茎生叶 2 ~ 3，5 ~ 7（~ 9）掌状中裂，裂片长圆形，先端钝或稍尖，大多无毛，基部呈鞘状抱茎；上部叶无柄，叶片较小，3 ~ 5 深裂，裂片线状披针形。花单生于茎顶，直径 2 ~ 3 cm；花梗与萼片外面散生白色或浅黄色柔毛；萼片宽卵形，长 5 ~ 9 mm，带紫色；花瓣 5 ~ 8，宽倒卵形，长 8 ~ 14 mm，宽与长近相等，先端截圆形或有

1 ～ 2 凹缺，基部有短宽的爪，蜜槽呈棱形；花药长圆形，长约 2 mm，花丝稍长于花药；花托生白色细柔毛。聚合果卵球形，直径约 5 mm；瘦果卵球形，长1.5 ～ 1.8 mm，宽约 1.5 mm，稍大于厚，无毛，背腹纵肋不明显，喙短直或稍弯。花期 6 ～ 7 月，果期 8 月。

| **生境分布** | 生于海拔 2 700 ～ 3 600 m 的山谷湿草地或阴坡草地。分布于新疆新源县、巩留县、昭苏县、和静县等。

| **资源情况** | 野生资源丰富，栽培资源一般。

| **采收加工** | 夏、秋季采收，切段，鲜用或晒干。

| **功能主治** | 利湿，消肿，止痛，退翳，截疟，杀虫。用于黄疸，哮喘，疟疾，偏头痛，牙痛，鹤膝风，风湿关节痛，目生翳膜，瘰疬，疮痈肿毒。

| **用法用量** | 外用适量，捣敷；或煎汤洗。

| **附　　注** | 本种与邻近种的区别在于本种基生叶肾圆形，茎生叶 5 ～ 7 掌状中裂，花大，花梗、萼片及花托生白色柔毛。

毛茛科 Ranunculaceae 毛茛属 Ranunculus

巴里坤毛茛 *Ranunculus balikunensis* J. G. Liu

| 药 材 名 |

毛茛（药用部位：全草或根）。

| 形态特征 |

多年生草本。高 30 ～ 70 cm。须根多数，簇生。茎直立，具分枝，中空，有开展或贴伏的柔毛。基生叶为单叶；叶柄长达 15 cm，有开展的柔毛；叶片圆心形或五角形，长、宽 3 ～ 10 cm，基部心形或截形，通常 3 深裂不达基部，中央裂片倒卵状楔形、宽卵形或菱形，3 浅裂，边缘有粗齿或缺刻，侧裂片不等地 2 裂，两面被柔毛，下面或幼时毛较密；茎下部叶与基生叶相同；茎上部叶较小，3 深裂，裂片披针形，有尖牙齿；最上部叶宽线形，全缘，无柄。聚伞花序有多数花，疏散；花两性，直径 1.5 ～ 2.2 cm；花梗长达 8 cm，被柔毛；萼片 5，椭圆形，长 4 ～ 6 mm，被白柔毛；花瓣 5，倒卵状圆形，长 6 ～ 11 mm，宽 4 ～ 8 mm，黄色，基部有爪，长约 0.5 mm，蜜槽鳞片长 1 ～ 2 mm；雄蕊多数，花药长约 1.5 mm，花托短小，无毛；心皮多数，无毛，花柱短。瘦果斜卵形，扁平，长 2 ～ 2.5 mm，无毛，喙长约 0.5 mm。花果期 6 月。

| **生境分布** | 生于田野、路边、水沟边草丛中或山坡湿草地。分布于新疆巴里坤哈萨克自治县等。

| **资源情况** | 野生资源一般，栽培资源较少。药材来源于野生。

| **采收加工** | 夏、秋季采收，切段，鲜用或晒干。

| **功能主治** | 辛，温；有毒。归肝、胆、心、胃经。清热解毒，凉血镇痛，截疟，止咳。用于黄疸，哮喘，疟疾，偏头痛，牙痛，鹤膝风，风湿关节痛，目生翳膜，瘰疬，疮痈肿毒。

| **用法用量** | 外用适量，捣敷；或煎汤洗。

毛茛科 Ranunculaceae 毛茛属 Ranunculus

鸟足毛茛

Ranunculus brotherusii Freyn

| 药 材 名 |

毛茛（药用部位：全草或根）。

| 形 态 特 征 |

多年生草本。须根簇生。茎直立，高
3 ~ 10 cm，单一或分枝，有柔毛。基生
叶多数，叶片肾圆形，长 6 ~ 10 mm，宽
6 ~ 16 mm，3 深裂或裂达基部，中裂片
长圆状倒卵形或披针形，全缘或有 3 齿，
侧裂片 2 中裂至 2 深裂，散生柔毛，先端
稍尖，基部截形或宽楔形；叶柄细，长
2 ~ 4 cm，生柔毛，老后呈纤维状残存；
下部叶与基生叶相似，上部叶无柄，3 ~ 5
深裂，裂片再不等地 2 ~ 3 裂，末回裂片
线形。花单生于茎顶，直径约 1 cm；花梗
长 1 ~ 3 cm，果期长达 6 cm，生柔毛；萼
片卵形，长 3 ~ 4 mm，背面生柔毛；花瓣
5，长卵圆形，长 5 ~ 6 mm，基部有细爪，
蜜槽点状；花药长约 1 mm；花托圆柱形，
果期长约 4 mm，无毛。聚合果矩圆形，长
5 ~ 6 mm，长约为宽的 2 倍；瘦果卵球形，
长 1 ~ 1.3 mm，无毛，喙直伸或先端弯，
长 0.5 ~ 0.8 mm。花果期 7 ~ 8 月。

| 生境分布 | 生于海拔 2 800 ~ 3 200 m 的高山草甸。分布于新疆奇台县、乌鲁木齐县、玛纳斯县、沙湾市、霍城县、昭苏县等。

| 资源情况 | 野生资源丰富。药材来源于野生。

| 采收加工 | 夏、秋季采收，切段，鲜用或晒干。

| 功能主治 | 清热解毒，凉血镇痛，截疟，止咳。用于黄疸，哮喘，疟疾，偏头痛，牙痛，鹤膝风，风湿关节痛，目生翳膜，瘰疬，疮痈肿毒。

| 用法用量 | 外用适量，捣敷；或煎汤洗。

| 附　　注 | 本种与邻近种的区别在于本种植株矮小，侧裂片 2 ~ 3 中裂至深裂，而非三出复叶。

毛茛科 Ranunculaceae 毛茛属 Ranunculus

茴茴蒜
Ranunculus chinensis Bunge

| **药材名** | 毛茛（药用部位：全草或根）。

| **形态特征** | 一年生草本。须根多数簇生。茎直立粗壮，高 20 ～ 70 cm，直径超过 5 mm，中空，有纵条纹，分枝多，与叶柄均密生开展的淡黄色糙毛。基生叶与下部叶有长达 12 cm 的叶柄，三出复叶，叶片宽卵形至三角形，长 3 ～ 8（～ 12） cm，小叶 2 ～ 3 深裂，裂片倒披针状楔形，宽 5 ～ 10 mm，上部有不等的粗齿或缺刻或 2 ～ 3 裂，先端尖，两面伏生糙毛，小叶柄长 1 ～ 2 cm 或侧生小叶柄较短，生开展的糙毛；上部叶较小，或叶柄较短，叶片 3 全裂，裂片有粗牙齿或再分裂。花序有较多疏生的花；花梗贴生糙毛；花直径 6 ～ 12 mm；萼片狭卵形，长 3 ～ 5 mm，外面生柔毛；花瓣 5，宽卵圆形，与萼片近等

长或稍长，黄色或上面白色，基部有短爪，蜜槽有卵小鳞片；花药长约 1 mm；花托在果期显著伸长，圆柱形，长达 1 cm，密生短柔毛。聚合果长圆形，直径 6 ~ 10 mm；瘦果扁平，长 3 ~ 3.5 mm，宽约 2 mm，宽为厚的 5 倍以上，无毛，边缘有宽约 0.2 mm 的棱，喙极短，呈点状，长 0.1 ~ 0.2 mm。花果期 5 ~ 9 月。

| **生境分布** | 生于平原沟边和田边。分布于新疆察布查尔锡伯自治县、霍城县、巩留县、策勒县等。

| **资源情况** | 野生资源丰富。药材来源于野生。

| **采收加工** | 夏、秋季采收，切段，鲜用或晒干。

| **功能主治** | 辛，温；有毒。归肝、胆、心、胃经。清热解毒，凉血镇痛，截疟，止咳。用于黄疸，哮喘，疟疾，偏头痛，牙痛，鹤膝风，风湿关节痛，目生翳膜，瘰疬，疮痈肿毒。

| **用法用量** | 外用适量，捣敷；或煎汤洗。

毛茛科 Ranunculaceae 毛茛属 Ranunculus

大叶毛茛
Ranunculus grandifolius C. A. Mey

| 药 材 名 | 毛茛（药用部位：全草或根）。

| 形态特征 | 多年生草本。根茎粗壮，有多数须根簇生。茎直立，高
30 ~ 60 cm，直径达 5 mm，有分枝，生开展的糙毛，上部有贴伏的
短毛。基生叶多数，叶片大，肾状五角形，长与宽均达 10 cm 左右，
基部心形，3 ~ 5 深裂，中裂片宽菱形，3 中裂，上部疏生牙齿或缺
刻，先端尖，侧裂片不等地 2 裂，裂片边缘贴盖，两面伏生柔毛或
下面毛较密，叶柄长 5 ~ 20 cm，生开展的糙毛，基部有宽鞘抱茎，
有时带紫色；上部叶具短柄至无柄，叶片较小，3 全裂，裂片披针形。
花较多而大，直径 2.5 ~ 3 cm；萼片宽卵形，长约 6 mm，外面生柔毛；
花瓣 5 ~ 8，橙黄色，长 12 ~ 15 mm，宽达 10 mm，先端圆或有凹

缺，基部有窄爪，蜜槽被小鳞片覆盖；花药椭圆形，长 1.2 ～ 1.5 mm，外轮花丝长达 5 mm，一般的长约 3 mm；花托无毛。聚合果球形，直径约 1 cm；瘦果扁平，长约 3.5 mm，宽达 3 mm，边缘有棱，无毛，喙粗，直或稍弯，长约 0.7 mm。花果期 4 ～ 7 月。

| 生境分布 | 生于海拔 1 600 ～ 2 000 m 的山坡和溪边的草地。分布于新疆富蕴县、霍城县、尼勒克县、昭苏县等。

| 资源情况 | 野生资源较丰富。药材来源于野生。

| 采收加工 | 夏、秋季采收，切段，鲜用或晒干。

| 功能主治 | 辛，温；有毒。归肝、胆、心、胃经。清热解毒，凉血镇痛，截疟，止咳。用于黄疸，哮喘，疟疾，偏头痛，牙痛，鹤膝风，风湿关节痛，目生翳膜，瘰疬，疮痈肿毒。

| 用法用量 | 外用适量，捣敷；或煎汤洗。

毛茛科 Ranunculaceae 毛茛属 Ranunculus

毛茛
Ranunculus japonicus Thunb.

| 药 材 名 | 毛茛（药用部位：全草或根）。

| 形态特征 | 多年生草本。须根多数簇生。茎直立，高 30 ~ 70 cm，中空，有槽，具分枝，生开展或贴伏的柔毛。基生叶多数；叶片圆心形或五角形，长与宽均为 3 ~ 10 cm，基部心形或截形，通常 3 深裂不达基部，中裂片倒卵状楔形、宽卵圆形或菱形，3 浅裂，边缘有粗齿或缺刻，侧裂片不等地 2 裂，两面贴生柔毛，下面或幼时的毛较密；叶柄长达 15 cm，生开展柔毛。下部叶与基生叶相似，渐向上叶柄变短，叶片较小，3 深裂，裂片披针形，有尖牙齿或再分裂；最上部叶线形，全缘，无柄。聚伞花序有多数花，疏散；花直径 1.5 ~ 2.2 cm；花梗长达 8 cm，贴生柔毛；萼片椭圆形，长 4 ~ 6 mm，生白柔毛；

花瓣 5，倒卵状圆形，长 6 ~ 11 mm，宽 4 ~ 8 mm，基部有长约 0.5 mm 的爪，蜜槽鳞片长 1 ~ 2 mm；花药长约 1.5 mm；花托短小，无毛。聚合果近球形，直径 6 ~ 8 mm；瘦果扁平，长 2 ~ 2.5 mm，上部最宽处与长近相等，约为厚的 5 倍以上，边缘有宽约 0.2 mm 的棱，无毛，喙短直或外弯，长约 0.5 mm。花果期 4 ~ 9 月。

| 生境分布 | 生于海拔 1 800 m 左右的山地河谷、草地。分布于新疆乌鲁木齐县等。

| 资源情况 | 野生资源较少。药材来源于野生。

| 采收加工 | 7 ~ 8 月采收，洗净，阴干或鲜用。

| 功能主治 | 辛、微苦，温；有毒。归肝、胆、心、胃经。利湿，消肿，止痛，退翳，截疟，杀虫。用于胃痛，黄疸，疟疾，淋巴结结核，翼状胬肉，角膜云翳。

| 用法用量 | 外用适量，捣敷；或煎汤洗。

单叶毛茛
Ranunculus monophyllus Ovcz.

| 药 材 名 | 毛茛（药用部位：全草或根）。

| 形态特征 | 多年生草本。根茎斜升，长 1 ～ 3 cm，簇生多数细瘦的须根。茎直立，单一或上部有 1 ～ 2 分枝，高 20 ～ 30 cm，无毛。基生叶通常 1，有时较多，叶片圆肾形，长 1.5 ～ 3 cm，宽 1.5 ～ 5 cm，基部心形，不分裂，边缘有细密锯齿或粗圆齿，齿端有小硬点，无毛或边缘与叶脉稍有毛；叶柄长 5 ～ 15 cm，无毛，基部有鞘，常有 2 无叶的苞片存在。茎生叶 1 ～ 2，无柄，叶片长 2 ～ 4 cm，3 ～ 7 掌状全裂或深裂，裂片披针形至线形，宽 2 ～ 4 mm，全缘。花单生，直径约 1.5 cm；萼片椭圆形，长 4 ～ 5 mm，外面生疏柔毛；花瓣 5，黄色或上面变白色，倒卵圆形，长 6 ～ 7 mm，宽约 5 mm，基部狭窄

成爪，蜜槽呈杯状袋穴；花药长圆形，长 1.5 ～ 2 mm；花托生细毛。聚合果卵球形，直径 6 ～ 10 mm；瘦果卵球形，较扁，长约 2 mm 或较大，稍扁，有背肋和腹肋，密生短毛，喙长约 1 mm，直伸或钩状。花果期 5 ～ 7 月。

| 生境分布 | 生于海拔 1 400 ～ 2 400 m 的山地林缘及林间草地。分布于新疆特克斯县、新源县、巩留县、塔城市、青河县等。

| 资源情况 | 野生资源一般。药材来源于野生。

| 采收加工 | 夏、秋季采集，切段，鲜用或晒干。

| 功能主治 | 辛，温；有毒。归肝、胆、心、胃经。清热解毒，凉血镇痛，截疟，止咳。用于黄疸，哮喘，疟疾，偏头痛，牙痛，鹤膝风，风湿关节痛，目生翳膜，瘰疬，疮痈肿毒。

| 用法用量 | 外用适量，捣敷；或煎汤洗。

毛茛科 Ranunculaceae 毛茛属 Ranunculus

云生毛茛

Ranunculus nephelogenes Edgew.

|药 材 名|

毛茛（药用部位：全草或根）。

|形态特征|

多年生草本。茎直立，高 3 ~ 12 cm，单一呈葶状或有 2 ~ 3 腋生短分枝，近无毛。基生叶多数，叶片呈披针形至线形，或外层的呈卵圆形，长 1 ~ 5 cm，宽 2 ~ 8 mm，全缘，基部楔形，有 3 ~ 5 脉，近革质，通常无毛；叶柄长 1 ~ 4 cm，有膜质长鞘。茎生叶 1 ~ 3，无柄，叶片线形，全缘，有时 3 深裂，长 1 ~ 4 cm，宽 0.5 ~ 5 mm，无毛。花单生于茎顶或短分枝先端，直径 1 ~ 1.5 cm；花梗长 2 ~ 5 cm 或果期伸长，有金黄色细柔毛；萼片卵形，长 3 ~ 5 mm，常带紫色，有 3 ~ 5 脉，外面生黄色柔毛或无毛，边缘膜质；花瓣 5，倒卵形，长 6 ~ 8 mm，有短爪，蜜槽呈杯状袋穴；花药长 1 ~ 1.5 mm；花托在果期伸长增厚，呈圆柱形，疏生短毛。聚合果长圆形，直径 5 ~ 8 mm；瘦果卵球形，长约 1.5 mm，宽约 1 mm，宽为厚的 1.5 倍，无毛，有背腹纵肋，喙直伸，长约 1 mm。花果期 6 ~ 8 月。

| **生境分布** | 生于海拔 3 000 ～ 4 800 m 的高山草甸、沼泽湿地及河滩砾石地。分布于新疆若羌县等。

| **资源情况** | 野生资源较少。药材来源于野生。

| **采收加工** | 夏、秋季采集，切段，鲜用或晒干。

| **功能主治** | 辛，温；有毒。归肝、胆、心、胃经。清热解毒，凉血镇痛，截疟，止咳。用于黄疸，哮喘，疟疾，偏头痛，牙痛，鹤膝风，风湿关节痛，目生翳膜，瘰疬，痈疮肿毒。

| **用法用量** | 外用适量，捣敷；或煎汤洗。

毛茛科 Ranunculaceae 毛茛属 Ranunculus

裂叶毛茛 *Ranunculus pedatifidus* Sm.

| 药 材 名 | 毛茛（药用部位：全草或根）。

| 形态特征 | 多年生草本。根茎短，须根多数簇生。茎高 15 ~ 25 cm，有分枝，疏生长柔毛。基生叶有长柄；叶片近圆形或心状五角形，长、宽均为 1.5 ~ 3.5 cm，7 ~ 15 掌状深裂，裂片线状披针形，有不等齿裂，先端有钝点，生柔毛；叶柄长 2 ~ 5 cm，密生柔毛，基部有膜质鞘，老后成纤维状残存。茎生叶数枚，无柄或有鞘状短柄，叶片 3 ~ 5 全裂或再深裂，末回裂片线形，长 1 ~ 3 cm，宽 1 ~ 2 mm，全缘，疏生长柔毛。花较大，直径 2 ~ 2.5 cm；花梗密生长柔毛，于果期伸长达 8 cm；萼片卵圆形，长约 5 mm，外面密生白柔毛，边缘膜质；花瓣 5 ~ 7，宽倒卵形，长 8 ~ 12 mm，有多数细密脉纹，下部渐

窄成短爪，蜜槽呈杯形袋穴；花药长圆形，长 2 ~ 2.2 mm；花托在果期伸长呈圆柱形，长达 1 cm，直径 2 ~ 3 mm，密生短毛。聚合果长圆形，直径 5 ~ 7 mm，长约 1.2 cm；瘦果卵球形，稍扁，密生短毛至近无毛，长 1.5 ~ 2 mm，宽与长近等，约为厚的 2 倍，有背肋和腹肋，喙细弯，长 0.5 ~ 0.7 mm。花果期 5 ~ 7 月。

| 生境分布 | 生于海拔 1 800 ~ 2 900 m 的山地阳坡草地。分布于新疆乌鲁木齐市及温宿县、塔什库尔干塔吉克自治县、额敏县、沙湾市、哈巴河县等。

| 资源情况 | 野生资源丰富。药材来源于野生。

| 采收加工 | 夏、秋季采集，切段，鲜用或晒干。

| 功能主治 | 辛，温；有毒。归肝、胆、心、胃经。清热解毒，凉血镇痛，截疟，止咳。用于黄疸，哮喘，疟疾，偏头痛，牙痛，鹤膝风，风湿关节痛，目生翳膜，瘰疬，痈疮肿毒。

| 用法用量 | 外用适量，捣敷；或煎汤洗。

毛茛科 Ranunculaceae 毛茛属 Ranunculus

多花毛茛 *Ranunculus polyanthemos* L.

| 药 材 名 | 毛茛（全草或根）。

| 形态特征 | 多年生草本。根茎短缩，簇生多数伸长的须根。茎直立，高
30～80 cm。有较多分枝，生开展长柔毛。基生叶多数；叶片圆心形，
长与宽均为 3～6 cm，3 全裂，裂片 1～2 回 3 深裂，末回裂片线
形或长圆状披针形，宽 3～5 mm，上部有不等的 2～3 浅裂或牙齿，
两面生疣基柔毛，背面色较浅；叶柄长 5～15 cm，生开展的疣基柔
毛，老后成纤维状残存。下部叶与基生叶相似而较小，3～5 深裂，
裂片狭长，有齿或浅裂，无柄或有鞘状短柄；上部叶片小，2～5 深
裂，裂片线形，宽约 2 mm，全缘或有数齿。聚伞花序有多数花；
花直径约 2.5 cm；花梗密生长柔毛；萼片卵形，长 5～7 mm，外面

密生长柔毛；花瓣 5 ~ 7，黄色或橙黄色，宽倒卵形，长 1 ~ 1.4 cm，先端全缘或有凹缺，基部爪短宽，蜜槽鳞片倒卵形，长 1 ~ 1.5 mm；花药长圆形，长 1.5 ~ 2 mm，花丝长为花药的 2 倍；花托棒状，密生白柔毛。聚合果球形或卵球形，直径约 1 cm；瘦果扁平，长 3 ~ 3.8 mm，宽 2.5 ~ 3 mm，无毛，边缘有明显棱翼，喙短，基部宽扁，先端弯，长 0.3 ~ 0.8 mm。花果期 5 ~ 8 月。

| 生境分布 | 生于海拔 1 500 ~ 2 500 m 的山坡或沼泽草地。分布于新疆尼勒克县等。

| 资源情况 | 野生资源一般。药材来源于野生。

| 采收加工 | 夏、秋季采集，切段，鲜用或晒干。

| 功能主治 | 辛，温；有毒。归肝、胆、心、胃经。清热解毒，凉血镇痛，截疟，止咳。用于黄疸，哮喘，疟疾，偏头痛，牙痛，鹤膝风，风湿关节痛，目生翳膜，瘰疬，痈疮肿毒。

| 用法用量 | 外用适量，捣敷；或煎汤洗。

毛茛科 Ranunculaceae 毛茛属 Ranunculus

天山毛茛
Ranunculus popovii Ovcz.

| 药 材 名 | 毛茛（药用部位：全草或根）。

| 形态特征 | 多年生草本。茎高达 12 cm，密被淡黄色柔毛。基生叶约 4，叶五角形或宽卵形，长 0.9 ~ 1.4 cm，宽 0.9 ~ 1.8 cm，基部近平截或截状心形，3 深裂，中裂片窄倒卵形或长椭圆形，不裂或 3 浅裂，侧裂片斜倒卵形或斜扇形，不等 2 裂，上面无毛，下面疏被毛，叶柄长 2 ~ 2.8 cm；茎生叶较小，掌状全裂。单花顶生；花托被毛；萼片 5，圆卵形，长约 4 mm；花瓣 5，倒卵形，长 5 ~ 6 mm；雄蕊多数。瘦果斜椭圆状球形，长 1.2 ~ 2 mm，疏被柔毛；宿存花柱长 0.8 ~ 1 mm。花期 7 ~ 8 月。

| 生境分布 | 生于海拔 2 700 ~ 3 100 m 的高山和亚高山草甸。分布于新疆乌鲁木

齐县、阜康市、精河县、奇台县和静县等。

| **资源情况** | 野生资源一般。药材来源于野生。

| **采收加工** | 夏、秋季采集，切段，鲜用或晒干。

| **功能主治** | 辛，温；有毒。归肝、胆、心、胃经。清热解毒，凉血镇痛，截疟，止咳。用于黄疸，哮喘，疟疾，偏头痛，牙痛，鹤膝风，风湿关节痛，目生翳膜，瘰疬，痈疮肿毒。

| **用法用量** | 外用适量，捣敷；或煎汤洗。

毛茛科 Ranunculaceae 毛茛属 Ranunculus

美丽毛茛

Ranunculus pulchellus C. A. Mey.

| 药 材 名 | 毛茛（药用部位：全草）。

| 形态特征 | 多年生草本植物。须根伸长。茎直立或斜升，高 10 ~ 20 cm，单一或上部有 1 ~ 2 分枝，无毛或有柔毛。基生叶多数，椭圆形至卵状长圆形，长 1 ~ 3 cm，宽 5 ~ 15 mm，基部楔形，有 3 ~ 7 齿裂或缺刻，先端稍尖，质地较厚，无毛或有柔毛；叶柄长 2 ~ 6 cm，无毛或疏生柔毛，基部有膜质宽鞘。茎生叶 2 ~ 3，叶片 3 ~ 5 深裂，裂片线形，长 1.5 ~ 3 cm，宽 1 ~ 2 mm，全缘，无毛或生柔毛，具短柄至无柄。花单生于茎顶或腋生于短分枝先端，直径 1 ~ 1.5 cm；花梗细长，伏生金黄色柔毛；萼片椭圆形，长 3 ~ 5 mm，常带紫色，外面生黄色柔毛，边缘膜质；花瓣 5 ~ 6，黄色或上面白色，倒卵形，

长为萼片的 2 倍，基部有窄爪，蜜槽呈杯状袋穴，边缘稍有分离；花药长圆形，长约 1.5 mm，花丝与花药近等长；花托于果期伸长成长圆形，无毛或先端有短毛。聚合果椭圆形，直径约 5 mm；瘦果卵球形，长 1.5 ~ 2 mm，宽约 1.2 mm，宽约为厚的 2 倍，无毛，边缘有纵肋，喙直伸，长约 1 mm，腹面和先端有柱头面，向背弯弓。花果期 6 ~ 8 月。

| 生境分布 | 生于海拔 1 600 ~ 2 300 m 的河谷草甸。分布于新疆乌鲁木齐市及青河县、玛纳斯县等。

| 资源情况 | 野生资源一般。药材来源于野生。

| 采收加工 | 夏、秋季采集，切段，鲜用或晒干。

| 功能主治 | 辛，温；有毒。归肝、胆、心、胃经。清热解毒，凉血镇痛，截疟，止咳。用于黄疸，哮喘，疟疾，偏头痛，牙痛，鹤膝风，风湿关节痛，目生翳膜，瘰疬，痈疮肿毒。

| 用法用量 | 外用适量，捣敷；或煎汤洗。

毛茛科 Ranunculaceae 毛茛属 Ranunculus

沼地毛茛 *Ranunculus radicans* C. A. Mey.

| 药 材 名 | 毛茛（药用部位：全草）。

| 形态特征 | 水生多年生草本。茎伸长匍匐，节上生根，上部有分枝。叶片肾状圆形，长与宽均为 1 ~ 2.5 cm，基部深心形至截形，3 中裂至 3 深裂，裂片倒卵状楔形，2 ~ 3 浅裂至中裂，先端稍尖，质地较厚，伏生短毛或无毛；叶柄细，数倍长于叶片，基部扩大成膜质耳状的宽鞘抱茎。上部叶较小，3 深裂，裂片长圆形至线形，全缘，有短柄至无柄。花顶生或与上部叶对生，直径约 1 cm；花梗较细短；萼片卵形，长约 3 mm，疏生柔毛，边缘白膜质，开展；花瓣 5，倒卵形，长约 6 mm，基部有窄爪，蜜槽呈杯状凹穴位于爪的上端；花托生短毛。聚合果近球形，直径 3 ~ 5 mm；瘦果卵球形，稍扁，长 1 ~ 1.5 mm，

无毛，喙短直或弯，长约 0.2 mm。花果期 6 ~ 8 月。

| **生境分布** | 生于溪沟边和沼泽湿草甸。分布于新疆布尔津县、昭苏县等。

| **资源情况** | 野生资源一般。药材来源于野生。

| **采收加工** | 夏、秋季采集，切段，鲜用或晒干。

| **功能主治** | 辛，温；有毒。归肝、胆、心、胃经。清热解毒，凉血镇痛，截疟，止咳。用于黄疸，哮喘，疟疾，偏头痛，牙痛，鹤膝风，风湿关节痛，目生翳膜，瘰疬，痈疮肿毒。

| **用法用量** | 外用适量，捣敷；或煎汤洗。

毛茛科 Ranunculaceae 毛茛属 Ranunculus

扁果毛茛
Ranunculus regelianus Ovcz.

| 药 材 名 | 毛茛（药用部位：全草）。

| 形态特征 | 多年生草本植物。须根稍粗厚，多数簇生。茎直立，高
15 ~ 25 cm，单一或上部有 1 ~ 2 分枝，生开展的疣基白柔毛。基
生叶多数；叶片长圆形至宽卵形，长 3 ~ 6 cm，宽 2 ~ 4 cm，为
羽状复叶，小叶有向上渐短生柔毛的小叶柄，小叶片 3 全裂，裂片
再 3 ~ 5 深裂，末回裂片长圆形至线形，宽 1 ~ 2 mm，全缘或有
齿，先端稍尖，两面疏生长柔毛；叶柄长 3 ~ 5 cm，有开展的疣基
长柔毛，基部扩大成鞘，老后撕裂成褐色纤维围绕着茎基。茎生叶
1 或 2，位于茎的中部以上，叶片 3 深裂，裂片线形，长约 1 cm，
宽 0.5 ~ 1.5 mm，全缘，生柔毛，近无柄。花单生茎顶或分枝先端，

直径 2.2 ~ 3 cm；花梗长 3 ~ 6 cm，密生柔毛；萼片椭圆形，长约 7 mm，外面生长柔毛，边缘宽膜质；花瓣 5，倒卵形，长 10 ~ 15 mm，宽约 10 mm，有多数细脉纹，基部有长约 1 mm 的窄爪，蜜槽鳞片呈椭圆形，长约 1.5 mm，位于爪的上端；花药长约 1.5 mm，花丝细长；花托短棒状无毛。聚合果长圆形；瘦果极扁平，很薄，长约 5 mm，边缘有宽达 1 mm 的宽翼，无毛，喙稍长，先端弯卷成钩状，长约 0.5 mm。花果期 4 ~ 7 月。

| 生境分布 | 生于海拔 1 100 m 左右的阳坡草地和山前平原荒漠草原。分布于新疆新源县、托里县、裕民县、温泉县、察布查尔锡伯自治县等。

| 资源情况 | 野生资源较丰富。药材来源于野生。

| 采收加工 | 夏、秋季采集，切段，鲜用或晒干。

| 功能主治 | 辛，温；有毒。归肝、胆、心、胃经。清热解毒，凉血镇痛，截疟，止咳。用于黄疸，哮喘，疟疾，偏头痛，牙痛，鹤膝风，风湿关节痛，目生翳膜，瘰疬，痈疮肿毒。

| 用法用量 | 外用适量，捣敷；或煎汤洗。

毛茛科 Ranunculaceae 毛茛属 Ranunculus

匍枝毛茛
Ranunculus repens L.

| 药 材 名 | 毛茛（药用部位：全草）。

| 形态特征 | 多年生草本。根茎短，簇生多数粗长须根。茎下部匍匐地面，节处
生根并分枝，上部直立，高 30 ～ 60 cm，粗壮，中空，有纵条纹，
通常无毛。叶为三出复叶，基生叶和下部叶有长柄；叶片宽卵圆形，
长与宽均为 3 ～ 9 cm，小叶有长 0.5 ～ 3 cm 的小叶柄，3 深裂或 3
全裂，裂片菱状楔形，再不等 2 ～ 3 中裂，边缘有粗锯齿或缺刻，
先端尖，大多无毛；叶柄长 3 ～ 6 cm，基部扩大呈膜质宽鞘，无毛。
下部叶与基生叶相似；上部叶较小，裂片线形，有短柄至无柄。花
序有疏花；花直径 2 ～ 2.5 cm；萼片卵形，长 5 ～ 7 mm，无毛或疏
生柔毛；花瓣 5 ～ 8，橙黄色至黄色，卵形至宽倒卵形，长 8 ～ 12 mm，

宽 6 ~ 8 mm，基部渐狭成爪，蜜槽有鳞片覆盖；花药长约 1.2 mm，花丝长约为 3 mm；花托长圆形，生白柔毛。聚合果卵球形，直径约 8 mm；瘦果扁平，长 2 ~ 3 mm，无毛，边缘有棱，喙直或外弯，长 0.5 ~ 1 mm。花果期 5 ~ 8 月。

| 生境分布 | 生于海拔 600 ~ 1 700 m 的沟边草地。分布于新疆新源县、特克斯县、裕民县、哈巴河县、富蕴县、尼勒克县等。

| 资源情况 | 野生资源一般。药材来源于野生。

| 采收加工 | 夏、秋季采集，切段，鲜用或晒干。

| 功能主治 | 辛，温；有毒。归肝、胆、心、胃经。退黄，定喘，截疟，镇痛，消翳。用于黄疸，哮喘，疟疾，偏头痛，牙痛，鹤膝风，风湿关节痛，目生翳膜，瘰疬，痈疮肿毒。

毛茛科 Ranunculaceae 毛茛属 Ranunculus

掌裂毛茛 *Ranunculus rigescens* Turcz. ex Ovcz.

| 药 材 名 | 毛茛（药用部位：全草或根）。

| 形态特征 | 多年生草本。根茎短硬或较长，簇生多数须根。茎直立，高
10 ~ 20 cm，无毛或生柔毛，常自下部分枝，基部残存枯叶柄。基
生叶 2 型，有些叶片卵圆形，长、宽均为 1 ~ 3 cm，边缘有 5 ~ 11
深齿裂，中央裂齿较大，全缘或有小齿，质地较厚，近无毛；有的
叶片掌状深裂，裂片宽披针形，多全缘；叶柄长 3 ~ 5 cm，无毛或
生柔毛，基部有膜质长鞘；茎生叶 3 ~ 5 全裂，裂片线形，长 1 ~
3 cm，宽 1 ~ 3 mm，全缘，有时侧裂片 2 ~ 3 深裂，先端有钝点，
无毛或生柔毛，有短柄至无柄。花较多，单生于茎顶和多数腋生分
枝的顶端，直径 1 ~ 1.5 cm；花梗长 1 ~ 3 cm，果期伸长达 9 cm，

密生白柔毛；萼片卵圆形，长 3 ~ 5 mm，外面生柔毛；花瓣 5 ~ 7，倒卵形，长 5 ~ 8 mm，有时先端有凹缺，基部有窄爪，蜜槽呈杯状袋穴；花药长圆形，长约 2 mm；花托在果期伸长增大成圆柱形，长约 6 mm，长约为宽的 2 倍，密生短毛。聚合果长圆形，直径约 7 mm；瘦果卵球形，稍扁，长 1 ~ 1.5 mm，生细毛或近无毛，喙直伸或弯，长约 0.5 mm。花果期 5 ~ 7 月。

| 生境分布 | 生于海拔 1 700 ~ 2 200 m 的河谷沟边草地。分布于新疆昭苏县、和静县等。

| 资源情况 | 野生资源稀少。药材来源于野生。

| 采收加工 | 7 ~ 8 月采收，洗净，鲜用或阴干。

| 功能主治 | 辛，温；有毒。归心、胃、肝、胆经。利湿退黄，消肿，止痛，退翳，截疟，杀虫。用于胃痛，黄疸，疟疾，淋巴结结核，翼状胬肉，角膜云翳。

| 用法用量 | 外用适量，捣敷；或煎汤洗。

毛茛科 Ranunculaceae 毛茛属 Ranunculus

石龙芮
Ranunculus sceleratus L.

| **药 材 名** | 石龙芮（药用部位：全草）。

| **形态特征** | 一年生草本。须根簇生。茎直立，高 10 ~ 50 cm，直径 2 ~ 5 mm，有时粗达 1 cm，上部多分枝，具多数节，下部节上有时生根，无毛或疏生柔毛。基生叶多数；叶肾状圆形，长 1 ~ 4 cm，宽 1.5 ~ 5 cm，基部心形，3 深裂不达基部，裂片倒卵状楔形，不等地 2 ~ 3 裂，先端钝圆，有粗圆齿，无毛；叶柄长 3 ~ 15 cm，近无毛。茎生叶多数，下部叶与基生叶相似，上部叶较小，3 全裂，裂片披针形至线形，全缘，无毛，先端钝圆，基部扩大呈膜质宽鞘抱茎。聚伞花序有多数花；花小，直径 4 ~ 8 mm；花梗长 1 ~ 2 cm，无毛；萼片椭圆形，长 2 ~ 3.5 mm，背面有短柔毛；花瓣 5，倒卵形，等长或稍长于花

萼，基部有短爪；蜜槽呈棱状袋穴；雄蕊 10 多枚，花药卵形，长约 0.2 mm；花托在果期伸长增大成圆柱形，长 3 ~ 10 mm，直径 1 ~ 3 mm，生短柔毛。聚合果长圆形，长 8 ~ 12 mm，为宽的 2 ~ 3 倍；瘦果极多数，近白枚，紧密排列，倒卵球形，稍扁，长 1 ~ 1.2 mm，无毛，喙短至近无，长 0.1 ~ 0.2 mm。花果期 5 ~ 8 月。

| 生境分布 | 生于河沟边及平原湿地。分布于新疆乌鲁木齐市及察布查尔锡伯自治县、巩留县、沙湾市、玛纳斯县、温泉县、焉耆回族自治县等。

| 资源情况 | 野生资源丰富。药材来源于野生。

| 采收加工 | 夏季采收，洗净，晒干或鲜用。

| 功能主治 | 苦、辛，寒；有毒。归心、肺经。清热解毒，消肿散结。用于痈疖肿毒，毒蛇咬伤，痰核瘰疬，风湿关节肿痛，牙痛，疟疾。

| 用法用量 | 内服煎汤，3 ~ 10 g。外用适量，捣汁涂；或煎膏涂。

| 附　　注 | 本种与邻近种的区别在于本种基生叶和下部叶的叶片 3 深裂不达基部，聚伞花序疏散，花直径约 1.5 cm，花托无毛，瘦果扁平，长约 2.5 mm。

新疆毛茛

Ranunculus songoricus Schrenk

| 药 材 名 | 毛茛（药用部位：全草或根）。

| 形态特征 | 多年生草本。根茎斜生，须根多数簇生。茎直立或渐升，高
20 ~ 35 cm，自下部分枝，无毛或上部有短毛。基生叶数枚；叶片
近心状圆形或五角形，直径 1.5 ~ 3.5 cm，基部圆心形，3 深裂至 3
全裂，裂片倒卵状楔形，有圆齿裂或 3 ~ 5 浅裂，质地较厚，无毛；
叶柄长 3 ~ 10 cm，近无毛，基部有膜质长鞘。茎生叶无柄，3 ~ 5
深裂，裂片长圆状披针形至线形，长 1 ~ 3 cm，无毛。花单生，直
径约 2 cm；花梗细长，生白短毛；萼片椭圆形，长 5 ~ 7 mm，带
紫褐色，外面有黄白色柔毛；花瓣 5，宽倒卵形，长 8 ~ 10 mm，
基部楔形成长约 1 mm 的爪，蜜槽呈棱状或先端边缘稍分离；花药

长约 2 mm；花托长圆形，生白色短毛。聚合果卵球形，直径约 5 mm；瘦果卵球形，稍扁，长约 2 mm，宽约 1.2 mm，无毛，喙长约 1 mm，先端呈钩状弯曲。花果期 6 ~ 8 月。

| 生境分布 | 生于海拔 1 800 ~ 2 200 m 的河谷沟边草地。分布于新疆博乐市、霍城县等。

| 资源情况 | 野生资源一般。药材来源于野生。

| 采收加工 | 夏、秋季采收，一般鲜用。

| 功能主治 | 辛，温；有毒。归肝、胆、心、胃经。利湿退黄，消肿，止痛，退翳，截疟，杀虫。用于胃痛，黄疸，疟疾，淋巴结结核，翼状胬肉，角膜云翳。

| 用法用量 | 外用适量，捣敷；或煎汤洗。

毛茛科 Ranunculaceae 毛茛属 Ranunculus

棱边毛茛
Ranunculus submarginatus Ovcz.

| 药 材 名 | 毛茛（药用部位：全草或根）。

| 形态特征 | 多年生草本。须根簇生。茎直立，高 30 cm 左右，有分枝，生开展的白色柔毛。基生叶有长柄；叶片圆心形，长与宽均为 3 ~ 4 cm，3 深裂达离基部 5 mm 处，裂片菱状楔形，彼此不邻接，边缘有不规则牙齿，先端尖，侧裂片不等 2 裂，两面贴生柔毛或背面毛较密；叶柄长 5 ~ 10 cm，生开展白毛，基部有长鞘。下部叶与基生叶相似；上部叶 3 全裂，裂片窄披针形至线形，长 1 ~ 2 cm，宽 1 ~ 2 mm，多全缘，无柄。花序具疏花；花直径约 2 cm；花梗贴生短毛；萼片卵形，长约 5 mm，先端稍尖，外面生柔毛，开展；花瓣 5，倒卵形，长 1 ~ 1.2 cm，有多数细密脉纹，先端圆或有微凹缺。下部渐狭成

短爪，蜜槽鳞片先端微凹；花药长约 2 mm；花托短棒状，密生白柔毛。聚合果近球形，直径约 7 mm；瘦果扁平，长 3 ~ 3.5 mm，宽约 2.5 mm，宽约为厚的 5 倍，无毛，边缘有宽约 0.3 mm 或上部 0.1 mm 的棱，喙长 0.7 ~ 1 mm，基部较宽扁，先端稍弯。花果期 6 ~ 8 月。

| **生境分布** | 生于海拔 2 600 m 左右的针叶林林下山沟阴湿草地。分布于新疆布尔津县（喀纳斯湖）等。

| **资源情况** | 野生资源一般。药材来源于野生。

| **采收加工** | 夏、秋季采收，一般鲜用。

| **功能主治** | 辛，温；有毒。归肝、胆、心、胃经。利湿退黄，消肿，止痛，退翳，截疟，杀虫。用于胃痛，黄疸，疟疾，淋巴结结核，翼状胬肉，角膜云翳。

| **用法用量** | 外用适量，捣敷；或煎汤洗。

毛茛科 Ranunculaceae 唐松草属 Thalictrum

高山唐松草 Thalictrum alpinum L.

| **药 材 名** | 马尾黄连（药用部位：根及根茎）。

| **形态特征** | 多年生小草本。全部无毛。叶4～5或更多，均基生，为2回羽状三出复叶；叶片长1.5～4cm；小叶薄革质，有短柄或无柄，圆菱形、菱状宽倒卵形或倒卵形，长和宽均为3～5mm，基部圆形或宽楔形，3浅裂，浅裂片全缘，脉不明显；叶柄长1.5～3.5cm。花葶1～2，高6～20cm，不分枝；总状花序长2.2～9cm；苞片小，狭卵形；花梗向下弯曲，长1～10mm；萼片4，脱落，椭圆形，长约2mm；雄蕊7～10，长约5mm，花药狭长圆形，长约1.2mm，先端有短尖头，花丝丝形；心皮3～5，柱头约与子房等长，箭头状。瘦果无柄或有不明显的柄，狭椭圆形，稍扁，长约3mm，有8粗纵

肋。花果期 7 ~ 8 月。

| **生境分布** | 生于海拔 3 000 m 以上的高山和亚高山草甸。分布于新疆乌鲁木齐市、吐鲁番市及和静县、塔什库尔干塔吉克自治县、策勒县、塔城市、奇台县、阜康市、乌恰县等。

| **资源情况** | 野生资源丰富。药材来源于野生。

| **采收加工** | 夏、秋季采挖，洗净，晒干。

| **功能主治** | 苦，寒。归胃、肝、心经。清热燥湿，杀菌止痢。用于头痛目赤，泄泻痢疾，疮疡。

| **用法用量** | 内服煎汤，3 ~ 10 g。外用适量，研末调敷。

毛茛科 Ranunculaceae 唐松草属 Thalictrum

黄唐松草

Thalictrum flavum L.

| **药 材 名** | 马尾黄连（药用部位：根及根茎）。

| **形态特征** | 植株全部无毛。茎高约 1.5 m，等距地生叶。叶为三回羽状复叶；茎中部叶长约 30 cm，有柄，顶生小叶楔状倒卵形或狭倒卵形，长 4 ~ 7 cm，宽 2.5 ~ 5.5 cm，基部圆形或钝，上部有 3 粗齿或 3 浅裂，侧生小叶稍斜，狭卵形或狭椭圆形，边缘有 1 ~ 2 齿或全缘；茎上部叶长 9 ~ 15 cm，小叶较狭长，楔形或楔状倒披针形，长达 4 cm，宽达 1.8 cm，基部楔形或钝，上部有 3 个狭三角形的锐齿或小裂片；叶柄鞘有膜质翅。圆锥花序塔形，长约 25 cm，有多数密集的花；苞片狭线形或钻形，长约 2.5 mm；花梗细，长 5 ~ 10 mm；萼片 4，狭卵形，长约 4 mm，脱落；雄蕊长约 8 mm，花药线形，

长约 2.5 mm，先端有不明显的小尖头，花丝丝形；心皮约 10，柱头翅正三角形。花果期 7 ～ 8 月。

| 生境分布 | 生于海拔 1 500 m 左右的山地河谷灌丛和的山地溪边草地。分布于新疆塔城市、托里县、阿勒泰市、青河县等。

| 资源情况 | 野生资源丰富。药材来源于野生。

| 采收加工 | 秋季采挖，去泥沙，鲜用或晒干。

| 功能主治 | 苦，寒。清热燥湿，杀菌止痢。用于湿热泻痢，黄疸，疮疡肿毒，目赤肿痛，感冒发热，恶性肿瘤。

| 用法用量 | 内服煎汤，3 ～ 15 g，或研末，或制成冲剂。外用适量，鲜品捣敷；或煎汤洗；或干品研末撒；或制成软膏敷。

毛茛科 Ranunculaceae 唐松草属 Thalictrum

腺毛唐松草 *Thalictrum foetidum* L.

| 药 材 名 |

马尾黄连（药用部位：根及根茎）。

| 形态特征 |

根茎短，须根密集。茎高 15 ~ 100 cm，无毛或幼时有短柔毛后变无毛，上部分枝或不分枝。基生叶、茎下部叶在开花时枯萎或不发育。茎中部叶有短柄，为三回近羽状复叶；叶片长 5.5 ~ 12 cm；小叶草质，顶生小叶菱状宽卵形或卵形，长 4 ~ 15 mm，宽 3.5 ~ 15 mm，先端急尖或钝，基部圆楔形或圆形，有时浅心形，3 浅裂，裂片全缘或有疏齿，表面脉稍凹陷，背面脉稍隆起，沿脉网有短柔毛和腺毛，偶而无毛；叶柄短，有鞘，托叶膜质，褐色。圆锥花序有少数或多数花；花梗细，长 5 ~ 12 mm，通常有白色短柔毛和极短的腺毛；萼片 5，淡黄绿色，卵形，长 2.5 ~ 4 mm，宽约 1.5 mm，外面常有疏柔毛；花药狭长圆形，长 2.5 ~ 3.5 mm，先端有短尖，花丝上部狭线形，下部丝形；心皮 4 ~ 8，子房常有疏柔毛，无柄，柱头三角状箭头形。瘦果半倒卵形，扁平，长 3 ~ 5 mm，有短柔毛，有 8 条纵肋，宿存柱头长约 1 mm。花果期 6 ~ 8 月。

| 生境分布 | 生于海拔 1 700～3 200 m 的山地阳坡草地和灌丛中。分布于新疆乌鲁木齐市及和静县、塔什库尔干塔吉克自治县、策勒县、特克斯县、托里县、巴里坤哈萨克自治县、奇台县、哈巴河县、玛纳斯县等。

| 资源情况 | 野生资源丰富。药材来源于野生。

| 采收加工 | 9～11 月至翌年 1～2 月采挖，抖去泥沙，剪去苗茎，晒至八成干，搓去外层棕色栓皮，再晒干。

| 功能主治 | 苦，寒。归心、肝、大肠经。清热燥湿，杀菌止痢。用于湿热泻痢，黄疸，疮疡肿毒，目赤肿痛，感冒发热，恶性肿瘤。

| 用法用量 | 内服煎汤，3～15 g，或研末，或制成冲剂。外用适量，鲜品捣敷；或煎汤洗；或干品研末撒；或制成软膏敷。

毛茛科 Ranunculaceae 唐松草属 *Thalictrum*

紫堇叶唐松草 *Thalictrum isopyroides* C. A. Mey.

|药材名|

马尾黄连（药用部位：根及根茎）。

|形态特征|

植株全部无毛。茎高 20 ~ 40 cm。基生叶约 3，与茎下部叶均有短粗柄，为四回三出羽状复叶；叶片长约 4.5 cm；小叶厚，稍肉质，顶生小叶有短柄，宽菱形，长和宽均为 4 mm，3 深裂，裂片披针状条形或狭倒披针形，全缘，脉不明显，侧生小叶较小，无柄，不等 2 深裂或不分裂；叶柄长 1 ~ 1.8 cm，有狭鞘。圆锥花序顶生，长 12 ~ 20 cm，有稀疏的花；苞片卵形；花梗与轴成 45° 角斜展，果期长达 4.8 cm；萼片 4，淡绿色，卵形，长约 2 mm；雄蕊 5 ~ 8，花药狭长圆形，长约 1.5 mm，先端有短尖头，花丝丝形，长约 2.5 mm；心皮 3 ~ 5，无柄，花柱长约 0.5 mm，柱头生花柱腹面，有翅，箭头状三角形。瘦果狭椭圆形，长约 4 mm，有 8 粗纵肋，宿存柱头长约 0.6 mm。花期 6 月。

|生境分布|

生于海拔 1 500 m 左右的多石砾山坡。分布于新疆巩留县、霍城县、察布查尔锡伯自治县、巴里坤哈萨克自治县、玛纳斯县等。

| **资源情况** | 野生资源一般。药材来源于野生。

| **采收加工** | 9 ~ 11 月至翌年 1 ~ 2 月采挖，抖去泥沙，剪去苗茎，晒至八成干，搓去外层棕色栓皮，再晒干。

| **功能主治** | 苦，寒。归心、肝、大肠经。清热燥湿，杀菌止痢。用于湿热泻痢，黄疸，疮疡肿毒，目赤肿痛，感冒发热，恶性肿瘤。

| **用法用量** | 内服煎汤，3 ~ 15 g；或研末；或制成冲剂。外用适量，鲜品捣敷；或煎汤洗；或干品研末撒；或制成软膏敷。

毛茛科 Ranunculaceae 唐松草属 Thalictrum

亚欧唐松草 *Thalictrum minus* L.

| 药 材 名 | 马尾黄连（药用部位：根及根茎）。

| 形态特征 | 植株全部无毛。茎下部叶有稍长柄或短柄，茎中部叶有短柄或近无柄，为四回三出羽状复叶；叶片长达 20 cm；小叶纸质或薄革质，顶生小叶楔状倒卵形、宽倒卵形、近圆形或狭菱形，长 0.7 ~ 1.5 cm，宽 0.4 ~ 1.3 cm，基部楔形至圆形，3 浅裂或有疏牙齿，偶而不裂，背面淡绿色，脉不明显隆起或只中脉稍隆起，脉网不明显；叶柄长达 4 cm，基部有狭鞘。圆锥花序长达 30 cm；花梗长 3 ~ 8 mm；萼片 4，淡黄绿色，脱落，狭椭圆形，长约 3.5 mm；雄蕊多数，长约 6 mm，花药狭长圆形，长约 2 mm，先端有短尖头，花丝丝形；心皮 3 ~ 5，无柄，柱头正三角状箭头形。瘦果狭椭圆状球形，稍扁，

长约 3.5 mm，有 8 纵肋。花期 6 ~ 7 月。

| **生境分布** | 生于海拔 1 600 ~ 2 700 m 的林间空地及山坡草地。分布于新疆乌鲁木齐市及玛纳斯县、奇台县、青河县、霍城县、昭苏县、巴里坤哈萨克自治县等。

| **资源情况** | 野生资源一般。药材来源于野生。

| **采收加工** | 9 ~ 11 月至翌年 1 ~ 2 月采挖，抖去泥沙，剪去苗茎，晒至八成干，搓去外层棕色栓皮，再晒干或鲜用。

| **功能主治** | 苦，寒。归心，肝，大肠经。清热燥湿，杀菌止痢。用于湿热泻痢，黄疸，疮疡肿毒，目赤肿痛，感冒发热，恶性肿瘤。

| **用法用量** | 内服煎汤，3 ~ 15 g；或研末；或制成冲剂。外用适量，鲜品捣敷；或煎汤洗；或干品研末撒；或制成软膏敷。

瓣蕊唐松草 *Thalictrum petaloideum* L.

| **药 材 名** | 马尾黄连（药用部位：根及根茎）。

| **形态特征** | 植株全部无毛。茎高 20 ~ 80 cm，上部分枝。基生叶数个，有短或稍长柄，为三至四回三出或羽状复叶；叶片长 5 ~ 15 cm；小叶草质，形状变异很大，顶生小叶倒卵形、宽倒卵形、菱形或近圆形，长 3 ~ 12 mm，宽 2 ~ 15 mm，先端钝，基部圆楔形或楔形，3 浅裂至 3 深裂，裂片全缘，叶脉平，脉网不明显，小叶柄长 5 ~ 7 mm；叶柄长 10 cm，基部有鞘。花序伞房状，有少数或多数花；花梗长 0.5 ~ 2.5 cm；萼片 4，白色，早落，卵形，长 3 ~ 5 mm；雄蕊多数，长 5 ~ 12 mm，花药狭长圆形，长 0.7 ~ 1.5 mm，先端钝，花丝上部倒披针形，比花药宽；心皮 4 ~ 13，无柄，花柱短，腹面密生柱

头组织。瘦果卵形，长 4 ~ 6 mm，有 8 纵肋，宿存花柱长约 1 mm。花期 6 ~ 7 月。

| **生境分布** | 生于海拔 1 800 ~ 2 100 m 的林缘和山坡草地。分布于新疆精河县、昭苏县、新源县等。

| **资源情况** | 野生资源一般。药材来源于野生。

| **采收加工** | 夏、秋季采挖，除去茎叶及泥土，切段，晒干或鲜用。

| **功能主治** | 苦，寒。清热燥湿，杀菌止痢。用于黄疸性肝炎，腹泻，痢疾，渗出性皮炎等。

| **用法用量** | 内服煎汤，9 ~ 15 g。外用适量，研末撒；或鲜品捣敷。

毛茛科 Ranunculaceae 唐松草属 *Thalictrum*

箭头唐松草 *Thalictrum simplex* L.

| **药 材 名** | 马尾黄连（药用部位：根及根茎）。

| **形态特征** | 植株全部无毛。茎高 54 ~ 100 cm，不分枝或在下部分枝。茎生叶向上近直展，为二回羽状复叶；茎下部的叶片长 20 cm，小叶较大，圆菱形、菱状宽卵形或倒卵形，长 2 ~ 4 cm，宽 1.4 ~ 4 cm，基部圆形，3 裂，裂片先端钝或圆形，有圆齿，脉在背面隆起，脉网明显，茎上部叶渐变小，小叶倒卵形或楔状倒卵形，基部圆形、钝或楔形，裂片先端急尖；茎下部叶有稍长柄，上部叶无柄。圆锥花序长 9 ~ 30 cm，分枝与轴成 45° 角斜上层；花梗长达 7 mm；萼片 4，早落，狭椭圆形，长约 2.2 mm；雄蕊约 15，长约 5 mm，花药狭长圆形，长约 2 mm，先端有短尖头，花丝丝形；心皮 3 ~ 6，无柄，

柱头宽三角形。瘦果狭椭圆球形或狭卵球形，长约 2 mm，有 8 纵肋。花期 7 月。

| **生境分布** | 生于海拔 1 400 ~ 2 400 m 间的山地草坡或沟边。分布于新疆乌鲁木齐市及托里县、霍城县、特克斯县、尼勒克县、青河县、富蕴县、阿勒泰市、哈巴河县、塔城市、沙湾市、昭苏县等。

| **资源情况** | 野生资源较丰富。药材来源于野生。

| **采收加工** | 9 ~ 11 月至翌年 1 ~ 2 月采挖，抖去泥沙，剪去苗茎，晒至八成干，搓去外层棕色栓皮，再晒干或鲜用。

| **功能主治** | 苦，寒。归心、肝、大肠经。清热燥湿，杀菌止痢。用于湿热泻痢，黄疸，疮疡肿毒，目赤肿痛，感冒发热，恶性肿瘤。

| **用法用量** | 内服煎汤，3 ~ 15 g；或研末；或制成冲剂。外用适量，鲜品捣敷；或煎汤洗；或干品研末撒；或制成软膏敷。

毛茛科 Ranunculaceae 唐松草属 Thalictrum

东亚唐松草 *Thalictrum thunbergii* DC.

| **药 材 名** | 马尾黄连（药用部位：根）。

| **形态特征** | 植株全部无毛。茎下部叶有稍长柄或短柄，茎中部叶有短柄或近无柄，为四回三出羽状复叶；叶片长达 20 cm；小叶纸质或薄革质，较亚欧唐松草要大，顶生小叶楔状倒卵形、宽倒卵形、近圆形或狭菱形，长和宽均为 1.5 ~ 4（~ 5）cm，基部楔形至圆形，3 浅裂或有疏牙齿，偶而不裂，背面有白粉，粉绿色，脉隆起，脉网明显；叶柄长 4 cm，基部有狭鞘。圆锥花序长 30 cm；花梗长 3 ~ 8 mm；萼片 4，淡黄绿色，脱落，狭椭圆形，长约 3.5 mm；雄蕊多数，长约 6 mm，花药狭长圆形，长约 2 mm，先端有短尖头，花丝丝形；心皮 3 ~ 5，无柄，柱头正三角状箭头形。瘦果狭椭圆球形，稍扁，

长约 3.5 mm，有 8 纵肋。花期 6 ～ 7 月。

| **生境分布** | 生于丘陵或山地林边或山谷沟。分布于新疆北部。

| **资源情况** | 野生资源一般。药材来源于野生。

| **采收加工** | 9 ～ 11 月至翌年 1 ～ 2 月采挖，抖去泥沙，剪去苗茎，晒至八成干，搓去外层棕色栓皮，再晒干或鲜用。

| **功能主治** | 苦，寒。归心，肝，大肠经。清热燥湿，杀菌止痢。用于牙痛，急性皮炎，湿疹。

| **用法用量** | 内服煎汤，3 ～ 15 g；或研末；或制成冲剂。外用适量，鲜品捣敷；或煎汤洗；或干品研末撒；或制成软膏敷。

阿尔泰金莲花 *Trollius altaicus* C. A. Mey.

| 药 材 名 | 金莲花（药用部位：花、地上部分）。

| 形态特征 | 植株全体无毛。茎高 26 ~ 70 cm，疏生 3 叶。基生叶 2 ~ 5，长 10 ~ 40 cm，有长柄；叶片形状与长白金莲花相似，五角形，长 3.5 ~ 6 cm，宽 6.5 ~ 11 cm，基部心形，3 全裂，全裂片多少覆压，中央全裂片菱形，3 裂近中部，二回裂片有小裂片和锐牙齿，侧全裂片 2 深裂近基部，上面深裂片与中全裂片相似并近等大，脉近平；叶柄长 7 ~ 36 cm，基部具狭鞘。花单独顶生，直径 3 ~ 5 cm；萼片（10 ~）15 ~ 18，橙色，干时不变绿色，倒卵形或宽倒卵形，长 1.6 ~ 2.5 cm，宽 0.9 ~ 2 cm，先端圆形，常疏生小齿，有时全缘；花瓣比雄蕊稍短或与雄蕊等长，线形，先端渐变狭，长 6 ~ 13 mm，

宽约 1 mm；雄蕊长 7 ~ 13 mm，花药长 3 ~ 4 mm；心皮约 16，花柱紫色。聚合果直径约 1.2 mm；蓇葖果长约 1 cm，宽约 3.5 mm，喙长约 1 mm；种子长约 1.2 mm，椭圆球形，黑色，有不明显纵棱。花期 5 ~ 7 月，果期 8 月。

| **生境分布** | 生于海拔 1 200 ~ 1 500 m 的山坡草地及林下。分布于新疆尼勒克县、昭苏县、青河县、布尔津县、额敏县、和布克赛尔蒙古自治县等。

| **资源情况** | 野生资源丰富，栽培资源一般。药材来源于野生和栽培。

| **采收加工** | 夏季花盛开时采收，晾干。

| **功能主治** | 苦，微寒。归肺、胃经。清热解毒，消炎镇痛。用于感冒发热，咽喉肿痛，口疮，牙龈肿痛，牙龈出血，目赤肿痛，疔疮肿毒，急性鼓膜炎，急性淋巴管炎。

| **用法用量** | 内服煎汤，3 ~ 6 g；或泡水代茶饮。外用适量，煎汤含漱。

准噶尔金莲花 *Trollius dschungaricus* Regel

| 药 材 名 | 金莲花（药用部位：花）。

| 形态特征 | 植株全部无毛。茎高（10 ~ ）20 ~ 50 cm，疏生 2 ~ 3 叶。基生叶 3 ~ 7，有长柄；叶片五角形，长 1.5 ~ 4.5 cm，宽 2 ~ 7.5 cm，基部心形，3 深裂至距基部 1 ~ 2 mm 处，深裂片互相覆压，有时近邻接，中央深裂片宽椭圆形或椭圆状倒卵形，上部 3 浅裂，裂片互相多少覆压，边缘生小裂片及不整齐小牙齿，侧深裂片斜扇形，不等 2 深裂，2 回裂片互相多少覆压；叶柄长 6 ~ 28 cm，基部具狭鞘。花通常单独顶生，有时 2 ~ 3 花组成聚伞花序，直径 3 ~ 5.4 cm；花梗长 5 ~ 15 cm；萼片 8 ~ 13，黄色或橙黄色，干时不变绿色，倒卵形或宽倒卵形，有时狭倒卵形，长 1.5 ~ 2.6 cm，宽 0.8 ~ 1.6 cm，

先端圆形，生少数小齿或近全缘；花瓣比雄蕊稍短或与花丝近等长，线形，先端圆形或带匙形，长 7 ~ 8 mm，宽约 1 mm；雄蕊长 0.9 ~ 1.4 cm，花药长 3 ~ 3.5 mm；心皮 12 ~ 18，花柱淡黄绿色。蓇葖果长 1 ~ 1.2 cm，宽约 2 mm，喙长约 1.2 mm；种子长约 1.5 mm，椭圆球形，黑色，光滑。花期 6 ~ 8 月，果期 9 月。

| **生境分布** | 生于海拔 1 700 ~ 2 400 m 的林缘草地或林下。分布于新疆昭苏县、和静县、鄯善县、塔什库尔干塔吉克自治县、阜康市、木垒哈萨克自治县、奇台县等。

| **资源情况** | 野生资源较丰富。药材来源于野生。

| **采收加工** | 6 ~ 7 月花盛开时采收，晾干。

| **功能主治** | 苦，凉。归肺、胃经。清热解毒，消炎镇痛。用于呼吸道炎症，急性中耳炎，急性鼓膜炎，急性结膜炎，急性淋巴管炎，慢性扁桃体炎。

| **用法用量** | 内服煎汤，3 ~ 6 g；或泡水代茶饮。外用煎汤，含漱。

淡紫金莲花 *Trollius lilacinus* Bunge

| **药 材 名** | 金莲花（药用部位：全草或花）。

| **形态特征** | 植株全部无毛。须根粗壮，长达 12 cm，直径达 2.5 mm。茎高
10 ~ 28 cm，疏生 2 叶。基生叶 3 ~ 6，在开花时常尚未抽出或刚
刚抽出，有长柄；叶片五角形，长 1.8 ~ 2.5 cm，宽 2.8 ~ 4 cm，
基部心形，3 全裂，中央全裂片菱形，3 裂至中部或近羽状深裂，二
回裂片具少数小裂片及三角形或宽披针形的锐牙齿，侧全裂片斜扇
形，不等 2 深裂近基部，脉平或上面稍下陷；叶柄长 4 ~ 7 cm，基
部具狭鞘。茎生叶具鞘状短柄或几无柄，比基生叶小。花单独顶生，
直径 2.5 ~ 3.5 cm；萼片 15 ~ 18，淡紫色、淡蓝色或白色，倒卵
形、宽椭圆形、椭圆形或卵形，长 1.2 ~ 1.6 cm，宽 0.55 ~ 1.4 cm，

先端圆形，有时急尖或微钝，生不明显小齿；花瓣约 8，比雄蕊稍短，宽线形，先端钝或圆形，长 5 ~ 6 mm，宽 1.2 ~ 1.5 mm；雄蕊长 5 ~ 7 mm，花药长约 2 mm；心皮 6 ~ 11。蓇葖果长约 1.2 cm，宽约 2 mm，喙长 2 ~ 2.5 mm；种子长约 1 mm，椭圆球形，光滑，有少数不明显纵棱。花期 7 ~ 8 月，果期 8 ~ 9 月。

| **生境分布** | 生于海拔 2 600 ~ 3 500 m 的高山草甸和山坡草地。分布于新疆乌鲁木齐市及温宿县、奇台县、特克斯县、沙湾市、霍城县、昭苏县、阜康市等。

| **资源情况** | 野生资源一般。药材来源于野生。

| **采收加工** | 夏季花盛开时采收，晾干。

| **功能主治** | 微苦，寒。归肺、胃经。清热解毒，消炎镇痛。用于呼吸道感染，尿路感染，痤疮。

| **用法用量** | 内服煎汤，3 ~ 6 g；或泡水当茶饮。外用适量，煎汤含漱。

小檗科 Berberidaceae 小檗属 Berberis

黄芦木
Berberis amurensis Rupr.

| 药 材 名 | 刺黄连（药用部位：根皮、茎皮）。

| 形态特征 | 落叶灌木。高 2 ~ 3.5 m。老枝淡黄色或灰色，稍具棱槽，无疣点；节间长 2.5 ~ 7 cm；茎刺 3 分叉，稀单一，长 1 ~ 2 cm。叶纸质，倒卵状椭圆形、椭圆形或卵形，长 5 ~ 10 cm，宽 2.5 ~ 5 cm，先端急尖或圆形，基部楔形，上面暗绿色，中脉和侧脉凹陷，网脉不显，背面淡绿色，无光泽，中脉和侧脉微隆起，网脉微显，叶缘平展，每边具 40 ~ 60 细刺齿；叶柄长 5 ~ 15 mm。总状花序具 10 ~ 25 花，长 4 ~ 10 cm，无毛；总花梗长 1 ~ 3 cm；花梗长 5 ~ 10 mm；花黄色；萼片 2 轮，外萼片倒卵形，长约 3 mm，宽约 2 mm，内萼片与外萼片同形，长 5.5 ~ 6 mm，宽 3 ~ 3.4 mm；花瓣椭圆形，长 4.5 ~ 5 mm，

宽 2.5 ~ 3 mm，先端浅缺裂，基部稍呈爪状，具 2 分离腺体；雄蕊长约 2.5 mm，药隔先端不延伸，平截；胚珠 2。浆果长圆形，长约 10 mm，直径约 6 mm，红色，先端不具宿存花柱，不被白粉或仅基部微被霜粉。花期 4 ~ 5 月，果期 8 ~ 9 月。

| 生境分布 |　栽培种。新疆乌鲁木齐市有栽培。

| 资源情况 |　栽培资源一般。药材来源于栽培。

| 采收加工 |　全年均可采收，根皮除去须根，洗净，茎皮除去残叶、杂质，晒干。

| 功能主治 |　苦，寒。归肝、胃经。清热解毒，利湿。用于感冒发热，咽喉肿痛，肠炎，痢疾，黄疸，高血压，痨嗽咯血，跌打损伤，牙痛。

| 用法用量 |　内服煎汤，9 ~ 15 g。外用适量，研末调敷。

小檗科 Berberidaceae 小檗属 Berberis

异果小檗 *Berberis heteropoda* Schrenk

| 药 材 名 |

刺黄连（药用部位：根皮、茎皮）。

| 形态特征 |

落叶灌木。高 2 ~ 3 m。枝暗红色，圆柱形，无疣点。茎刺单生或 3 分叉，淡紫红色，近圆柱形，长 5 ~ 30 mm。叶厚纸质，倒卵状椭圆形，长 2 ~ 6 cm，宽 1 ~ 4 cm，先端圆形，基部阔楔形，上面绿色，中脉扁平或微隆起，侧脉隆起，背面淡绿色，微有光泽，中脉微隆起，侧脉 2 ~ 4 对，显著，两面网脉隆起，无毛，不被白粉，叶缘平展，全缘，或偶有不明显的刺齿；叶柄长 3 ~ 10 mm。总状花序或伞形总状花序由 4 ~ 9 花组成，长 2 ~ 5 cm，基部常有数花簇生，光滑无毛；花梗长 9 ~ 17 mm；苞片卵状披针形，长 1.5 ~ 3 mm；花黄色；萼片 2 轮，外萼片椭圆形，长约 5 mm，宽约 4 mm，先端圆形，内萼片倒卵形，长约 7 mm，宽约 5 mm；花瓣倒卵状匙形，长约 6 mm，宽约 4 mm，先端圆形，全缘，基部楔形，具 2 分离腺体；雄蕊长约 4.5 mm，药隔延伸，先端突尖；胚珠 4 ~ 6，具梗。浆果近球形，黑色，长 10 ~ 12 mm，直径 9 ~ 10 mm，先端不具宿存花柱，微被白粉。花期 5 ~ 6 月，果期

7 ~ 10 月。

| **生境分布** | 生于海拔 1 700 ~ 2 900 m 的山前灌丛及中山带的河岸两边。分布于新疆乌鲁木齐市及霍城县、巩留县、新源县、昭苏县、特克斯县、阜康市、博乐市、温泉县、阿克苏市、温宿县、阿克陶县、莎车县、察布查尔锡伯自治县、塔城市、沙湾市、阿勒泰市、富蕴县、石河子市等。

| **资源情况** | 野生资源丰富。药材来源于野生。

| **采收加工** | 全年均可采收，根皮除去须根，洗净，茎皮除去残叶、杂质，晒干。

| **功能主治** | 苦，寒。归肝、胃经。清热燥湿，泻火解毒，消炎止痢。用于感冒发热，咽喉肿痛，肠炎，痢疾，黄疸，高血压，痨嗽咯血，跌打损伤，牙痛。

| **用法用量** | 内服煎汤，9 ~ 15 g。外用适量，研末调敷。

小檗科 Berberidaceae 小檗属 Berberis

喀什小檗
Berberis kaschgarica Rupr.

| 药 材 名 | 刺黄连（药用部位：根皮）。

| 形态特征 | 落叶灌木。高约 1 m。枝圆柱形，紫红色，光滑无毛，有光泽；节间约 1 cm；茎刺 3 分叉，长 1 ～ 2.5 cm，淡黄色，腹面具浅槽。叶纸质，倒披针形，长 10 ～ 25 mm，宽 2 ～ 5 mm，先端急尖，具 1 刺尖头，基部楔形，上面绿色，中脉微隆起，侧脉 2 ～ 3 对，不显著，背面淡绿色，中脉隆起，两面网脉不显，不被白粉，叶缘平展，全缘，或偶具 1 ～ 2 刺锯齿；近无柄。总状花序具 5 ～ 9 花，长 1.5 ～ 3 cm；总花梗基部常有 1 至数花簇生，无毛；花梗长 4 ～ 10 mm，簇生花梗长达 13 mm；苞片卵状三角形，长约 2 mm；花黄色；小苞片披针形，长约 1.5 mm；萼片 2 轮，外萼片椭圆形，长约 3 mm，宽约 1.5 mm，

内萼片倒卵形，长约 4.5 mm，宽约 3 mm；花瓣长圆形，长约 4 mm，宽约 2 mm，先端缺裂，基部楔形，具 2 分离腺体；雄蕊长约 2.5 mm，药隔不延伸，先端平截；子房长约 2.3 mm，含胚珠 5。浆果卵球形，黑色，长约 8 mm，直径约 6 mm，先端具明显宿存花柱，不被白粉。花期 5 ~ 6 月，果期 6 ~ 8 月。

| 生境分布 |　生于海拔 2 200 ~ 4 200 m 的灌木荒漠及高寒荒漠。分布于新疆喀什市、塔什库尔干塔吉克自治县、库车市、麦盖提县、阿克陶县、乌恰县、叶城县、皮山县、和田市、策勒县、且末县、于田县等。

| 资源情况 |　野生资源较丰富。药材来源于野生和栽培。

| 采收加工 |　全年均可采收，根除去须根，洗净，晒干。

| 功能主治 |　苦，寒。归肝、胃经。清热燥湿，散瘀止痛，消炎退黄。用于感冒发热，咽喉肿痛，肠炎，痢疾，黄疸，高血压，痨嗽咯血，跌打损伤，牙痛。

| 用法用量 |　内服煎汤，9 ~ 15 g。外用适量，研末调敷。

小檗科 Berberidaceae 小檗属 *Berberis*

圆叶小檗

Berberis nummularia Bunge

| 药 材 名 | 刺黄连（药用部位：根皮、茎皮）。

| 形态特征 | 带刺的落叶灌木。老树皮灰色，新树皮红褐色，高 1.5 ~ 4.4 m，茎直立，无主枝，多分枝，分枝 85 ~ 200。根系为主根系，侧根从主根地下 10 ~ 40 cm 处长出。单叶互生，倒卵形或椭圆形，长 1.5 ~ 3.7 cm，宽 0.6 ~ 1.3 cm，先端圆或急尖，基部渐窄或楔形成柄，全缘，叶革质，叶面光滑，呈深绿色，叶底呈灰绿色，网状脉清楚；叶柄长 0.4 ~ 1.8 cm；叶刺 1 ~ 3 叉，一年生萌枝上的叶刺 5 ~ 6 叉，刺长 1 ~ 3.1 cm。伞形花序长 2.2 ~ 3.8 cm，花多，黄色，花序，每花有苞 2，披针状线形，长 1.5 ~ 2 mm，宿存；萼片 3 ~ 4，中间为黄色，周边浅红色，花瓣状，倒卵形，长约 3 mm，宽约 1.5 mm，先端圆；

花冠 2 轮，每轮有 6 花瓣，花瓣长圆形或勺状，长 4 ~ 4.5 mm，宽 2 ~ 2.5 mm；
花冠下部有 1 对黄色椭圆形蜜腺；雄蕊 6，长约 2.5 mm，分别与花冠对生，花
药与花丝基部结合；雌蕊 1，子房筒状，花柱近无，柱头盘状。果实为浆果，椭
圆形，淡红色，成熟后深红色，不易脱落，果柄轴长 2.2 ~ 3.6 cm，结 18 ~ 35
果实；果柄宿存，斜展开，长 4 ~ 7 mm；果实有 2 种子，种子椭圆形或窄长卵
形，两端尖，不易分裂，长 3 ~ 4 mm。花期 4 ~ 5 月，果期 5 ~ 7 月。

| 生境分布 | 生于海拔 1 100 ~ 2 050 m 的山地灌丛及草原带。分布于新疆精河县、奇台县、
伊宁市、察布查尔锡伯自治县、新源县、巩留县、特克斯县、和硕县、和静县、
焉耆回族自治县、阿克苏市、阿合奇县、乌恰县、阿图什市、阿克陶县、英吉沙县、
皮山县、和田市、策勒县等。

| 资源情况 | 野生资源较丰富。药材来源于野生。

| 采收加工 | 全年均可采收，根皮除去须根，洗净，茎皮除去残叶、杂质，晒干。

| 功能主治 | 苦，寒。归肝、胃经。清热燥湿，散瘀止痛，消炎退黄。用于急性肠炎，黄疸，
痢疾，热痹，肺炎，痈肿疮疖，结膜炎，血崩等。

| 用法用量 | 内服煎汤，9 ~ 15 g。外用适量，研末调敷。

小檗科 Berberidaceae 小檗属 Berberis

细叶小檗

Berberis poiretii C. K. Schneid.

| 药 材 名 | 刺黄连（药用部位：根皮）。

| 形态特征 | 落叶灌木。高 1 ~ 2 m。老枝灰黄色，幼枝紫褐色，生黑色疣点，具条棱；茎刺缺如或单一，有时 3 分叉，长 4 ~ 9 mm。叶纸质，倒披针形至狭倒披针形，偶披针状匙形，长 1.5 ~ 4 mm，宽 5 ~ 10 mm，先端渐尖或急尖，具小尖头，基部渐狭，上面深绿色，中脉凹陷，背面淡绿色或灰绿色，中脉隆起，侧脉和网脉明显，两面无毛，叶缘平展，全缘，偶中上部边缘具数枚细小刺齿；近无柄。穗状总状花序具 8 ~ 15 花，长 3 ~ 6 cm，常下垂；花梗长 3 ~ 6 mm，无毛；花黄色；苞片条形，长 2 ~ 3 mm；小苞片 2，披针形，长 1.8 ~ 2 mm；萼片 2 轮，外萼片椭圆形或长圆状卵形，长约 2 mm，宽 1.3 ~ 1.5 mm，

内萼片长圆状椭圆形，长约 3 mm，宽约 2 mm；花瓣倒卵形或椭圆形，长约 3 mm，宽约 1.5 mm，先端锐裂，基部微缢缩，略呈爪状，具 2 分离腺体；雄蕊长约 2 mm，药隔先端不延伸，平截；胚珠通常单生，有时 2。浆果长圆形，红色，长约 9 mm，直径 4 ~ 5 mm，先端无宿存花柱，不被白粉。花期 5 ~ 6 月，果期 7 ~ 9 月。

| 生境分布 | 生于海拔 600 ~ 2 300 m 的山地灌丛、砾质地、草原化荒漠、山沟河岸或林下。分布于新疆阿尔泰山脉、天山山脉等。

| 资源情况 | 野生资源一般。药材来源于野生。

| 采收加工 | 全年均可采收，根皮除去须根，洗净，晒干。

| 功能主治 | 苦，寒。归胃、肝经。清热燥湿，泻火解毒。用于感冒发热，咽喉肿痛，肠炎，痢疾，黄疸，高血压，痨嗽咯血，跌打损伤，牙痛。

| 用法用量 | 内服煎汤，9 ~ 15 g。外用适量，研末调敷。

小檗科 Berberidaceae 小檗属 Berberis

西伯利亚小檗

Berberis sibirica Pall.

| 药 材 名 |

刺黄连（药用部位：根皮、茎皮）。

| 形态特征 |

落叶灌木。高 0.5 ~ 1 m。老枝暗灰色，无毛；幼枝被微柔毛，具条棱，带红褐色；茎刺 3 ~ 5（~ 7）分叉，细弱，长 3 ~ 11 mm，有时刺基部增宽，略呈叶状。叶纸质，倒卵形、倒披针形或倒卵状长圆形，长 1 ~ 2.5 cm，宽 5 ~ 8 mm，先端圆钝，具刺尖，基部楔形，上面深绿色，背面淡黄绿色，不被白粉，两面中脉、侧脉和网脉明显隆起，侧脉 4 ~ 5 对，斜上至近叶缘，叶缘有时略呈波状，每边具 4 ~ 7 硬直刺状牙齿；叶柄长 3 ~ 5 mm。花单生；花梗长 7 ~ 12 mm，无毛；萼片 2 轮，外萼片长圆状卵形，长约 4 mm，宽 2 mm，内萼片倒卵形，长约 4.5 mm，宽约 2.5 mm；花瓣倒卵形，长约 4.5 mm，宽约 2.5 mm，先端浅缺裂，基部具 2 分离的腺体；雄蕊长 2.5 ~ 3 mm，药隔先端平截；胚珠 5 ~ 8。浆果倒卵形，红色，长 7 ~ 9 mm，直径 6 ~ 7 mm，先端无宿存花柱，不被白粉。花期 5 ~ 7 月，果期 8 ~ 9 月。

| **生境分布** | 生于海拔 1 400 ～ 1 800 m 的山地及砾石质坡地。分布于新疆青河县、富蕴县、福海县、布尔津县、哈巴河县、吉木乃县、裕民县、托里县等。 |

| **资源情况** | 野生资源较丰富，栽培资源一般。药材来源于野生和栽培。 |

| **采收加工** | 全年均可采收，根皮除去须根，洗净，晒干，茎皮除去残叶、杂质，晒干。 |

| **功能主治** | 苦，寒。归胃、肝经。清热燥湿，散瘀止痛，消炎退黄。 |

| **用法用量** | 内服煎汤，9 ～ 15 g。外用适量，研末调敷。 |

小檗科 Berberidaceae 牡丹草属 Gymnospermium

阿尔泰牡丹草

Gymnospermium altaicum (Pall.) Spach

| 药 材 名 | 狮足草（药用部位：块根）。

| 形态特征 | 多年生小草本。植株高约 15 cm。根茎块状，近球形，直径约 1.5 cm；地上茎直立，无毛，草质，草绿色。茎生叶 1，生于茎顶，1 回三出复叶，薄质，小叶掌状 4 ~ 5 全裂，裂片长圆形或长圆状披针形，长 2 ~ 2.5 cm，宽 0.7 ~ 1 cm，全缘，先端钝圆，上面绿色，背面淡绿色；托叶 2，长约 7 mm，宽约 4 mm，全缘。总状花序顶生，单一，长 4 ~ 5 cm，具花 7 ~ 9，具总梗，长约 1.5 cm；苞片阔椭圆形或卵形，长 7 ~ 9 mm，宽 6 ~ 7 mm；花梗细弱，长约 1 cm；花黄色；萼片 6，椭圆形，花瓣状，长约 8 mm，宽约 3 mm；花瓣 6，与萼片对生，黄褐色，纵向半筒形，先端两侧具芒齿，长约 2 mm；雄蕊 6，与花

瓣对生，长约 4 mm，花丝纤细，长约 2.2 mm，花药瓣裂；雌蕊长约 4.5 mm，柱头小，花柱长约 2.5 mm，子房 1 室，含胚珠 4，倒卵形，基生。蒴果未见。花果期 4 ~ 5 月。

| **生境分布** | 生于海拔 1 200 m 左右的山脚、路边。分布于新疆塔城市及阿尔泰山脉等。

| **资源情况** | 野生资源一般。药材来源于野生。

| **功能主治** | 苦、微涩；有小毒。止痛，止血，止吐，活血，散瘀健胃。用于慢性胃炎，胃溃疡，胃痛，腹胀。

小檗科 Berberidaceae 牡丹草属 Gymnospermium

牡丹草

Gymnospermium microrrhynchum (S. Moore) Takht.

| 药 材 名 | 牡丹草（药用部位：块茎）。

| 形态特征 | 多年生草本。高约 30 cm。根茎块状，直径约 2 cm；地上茎直立，草质多汁，禾秆黄色，顶生 1 叶。叶为三出或二回三出羽状复叶，草质，小叶具柄，长约 2 cm，叶片 3 深裂至基部，裂片长圆形至长圆状披针形，长 3 ～ 4 cm，全缘，先端钝圆，上面绿色，背面淡绿色；托叶大，2，先端 2 ～ 3 浅裂。总状花序顶生，单一，具花 5 ～ 10，花序梗长约 8 cm；花梗纤细，下部花梗长 2 ～ 2.5 cm，上部花梗较短；苞片宽卵形，长约 5 mm，宽约 6 mm；花淡黄色；萼片 5 ～ 6，倒卵形，长约 5 mm，宽约 3 mm，先端钝圆；花瓣 6，蜜腺状，长约 3 mm，先端平截；雄蕊 6，长约 4 mm；雌蕊基部具短柄或近无柄，子房卵形，

胚珠 2 ～ 3，花柱极短，柱头平截。蒴果扁球形，直径约 6 mm，5 瓣裂至中部。种子通常 2，压扁。花期 4 ～ 5 月，果期 5 ～ 6 月。

| 生境分布 | 生于海拔 490 ～ 800 m 的荒漠地带的蒿属荒漠中。分布于新疆阜康市、玛纳斯县、沙湾市、奎屯市、呼图壁县等。

| 资源情况 | 野生资源一般。药材来源于野生。

| 功能主治 | 苦，平。行气止血，活血通瘀。用于经行腹痛，心律不齐。

罂粟科 Papaveraceae 白屈菜属 Chelidonium

白屈菜 Chelidonium majus L.

| **药 材 名** | 白屈菜（药用部位：全草或根皮）。

| **形态特征** | 多年生草本。高 30 ~ 60（~ 100）cm。主根粗壮，圆锥形，侧根多，暗褐色。茎聚伞状多分枝，分枝常被短柔毛，节上较密，后变无毛。基生叶少，早凋落，叶片倒卵状长圆形或宽倒卵形，长 8 ~ 20 cm，羽状全裂，全裂片 2 ~ 4 对，倒卵状长圆形，具不规则的深裂或浅裂，裂片边缘圆齿状，表面绿色，无毛，背面具白粉，疏被短柔毛；叶柄长 2 ~ 5 cm，被柔毛或无毛，基部扩大成鞘；茎生叶叶片长 2 ~ 8 cm，宽 1 ~ 5 cm；叶柄长 0.5 ~ 1.5 cm；其他同基生叶。伞形花序多花；花梗纤细，长 2 ~ 8 cm，幼时被长柔毛，后变无毛；苞片小，卵形，长 1 ~ 2 mm。花芽卵圆形，直径 5 ~ 8 mm；

萼片卵圆形，舟状，长 5 ~ 8 mm，无毛或疏生柔毛，早落；花瓣倒卵形，长约 1 cm，全缘，黄色；雄蕊长约 8 mm，花丝丝状，黄色，花药长圆形，长约 1 mm；子房线形，长约 8 mm，绿色，无毛，花柱长约 1 mm，柱头 2 裂。蒴果狭圆柱形，长 2 ~ 5 mm，直径 2 ~ 3 mm，具通常比果短的柄。种子卵形，长约 1 mm 或更小，暗褐色，具光泽及蜂窝状小格。花果期 5 ~ 9 月。

| 生境分布 | 生于海拔 500 ~ 2 000 m 的山坡草甸、林缘。分布于新疆乌鲁木齐市及布尔津县、阿勒泰市、塔城市、额敏县、博乐市、伊宁市、新源县、精河县、沙湾市、石河子市、玛纳斯县、阜康市、和静县等。

| 资源情况 | 野生资源丰富。药材来源于野生。

| 采收加工 | 盛花期采收，割取地上部分，晒干或鲜用。

| 功能主治 | 苦、辛，微温；有毒。归肺、心、肾经。通经理气，止血，消炎镇痛。用于胃肠疼痛，黄疸，水肿，疥癣疮肿，蛇虫咬伤。

| 用法用量 | 内服煎汤，3 ~ 6 g。外用适量，捣汁涂；或研末调涂。

罂粟科 Papaveraceae 紫堇属 Corydalis

真堇 *Corydalis capnoides* (L.) Pers.

| 药 材 名 | 紫堇（药用部分：全草或块茎）。

| 形态特征 | 一年生草本。高 20 ~ 40 cm。主根圆柱形，长达 8 cm，直径约 3 mm，具少数侧根。茎直立，具棱，有多数伸展的分枝，基部被残枯的叶基。基生叶早枯，叶柄长约 6 cm，基部扩大成披针形的鞘，叶片薄，宽卵形，长约 2 cm，2 回 3 出分裂，第一回全裂片具短柄，倒卵形，2 ~ 3 深裂或浅裂，小裂片狭倒卵形或楔形，先端钝，背面具白粉，叶脉极细；茎生叶多数，疏离，互生，均具叶柄，下部叶柄长约 8 cm，向上渐短，基部均具狭鞘，叶片宽卵形，下部者长 4 ~ 5 cm，3 回 3 出分裂，第一回全裂片具较长的柄，第二回具短柄，3 ~ 6 深裂或浅裂，末回裂片倒卵形、倒披针形或长圆形。总状花

序生于茎及分枝先端，长 1.5 ～ 3 cm，有 6 ～ 8 花；苞片下部者同上部茎生叶，向上裂片渐减，至最上部者线形；花梗纤细，明显短于苞片；萼片近圆形，长不足 1 mm，膜质，上端缺刻状尖裂；花瓣淡黄色，有时先端淡绿色，上花瓣长 1.1 ～ 1.3 cm，花瓣舟状卵形，先端急尖，背部无鸡冠状突起，距圆筒形，短于花瓣，末端略渐狭，稍下弯，下花瓣长约 8 mm，花瓣短，无鸡冠状突起，爪宽条形，长约 6 mm，内花瓣长约 7 mm，花瓣近倒卵形，具 1 侧生囊，爪近线形，比花瓣长；雄蕊束长约 6 mm，花药极小，花丝披针形，蜜腺体贯穿距的 3/5；子房线形，长 4 ～ 5 mm，胚珠数枚，排成 1 列，花柱比子房短，柱头略斜出，扁四方形，具 6 乳突。蒴果线状长圆形，长 1.5 ～ 2.5 cm，直径 1.5 ～ 2 mm，有 6 ～ 10 种子，排成 1 列。种子近肾形，长约 1.5 mm，黑色，具光泽。花果期 6 ～ 8 月。

| **生境资源** | 生于海拔 2 000 ～ 2 300 m 的森林带的林下。分布于新疆乌鲁木齐市及阿勒泰市、巴里坤哈萨克自治县、阜康市、米东区等。

| **资源情况** | 野生资源较丰富。药材来源于野生。

| **采收加工** | 全草，夏季采集，晒干或鲜用。块茎，秋季采挖，洗净，晒干。

| **功能主治** | 苦、涩，凉；有毒。归肺、肾、脾经。行气止痛，活血散瘀。用于中暑头痛，腹痛，尿痛，肺结核咯血，外用于化脓性中耳炎，脱肛，疮疡肿毒，蛇咬伤。

| **用法用量** | 内服煎汤，4 ～ 10 g。外用适量，鲜品捣敷；或干品煎汤洗。

罂粟科 Papaveraceae 紫堇属 Corydalis

新疆元胡 *Corydalis glaucescens* Regel

| 药 材 名 | 元胡（药用部位：全草或根）。

| 形态特征 | 多年生草本。上升至直立，高（6 ~）10 ~ 25 cm。块茎圆球形，直径 1 ~ 2.5 cm。茎基部以上具 1 鳞片，腋内常具分枝，鳞片上部具 2 ~ 3 叶。叶苍白色，较薄，叶柄约与叶片等长，叶片 2 回 3 出，一回小叶有时 5，二回小叶 3，具短柄，3 裂至 3 深裂，有时掌状 4 ~ 5 裂，裂片全缘，卵圆形至披针形，长 4 ~ 5 mm，宽 2 ~ 3 mm。总状花序明显高出叶，疏具 5 ~ 12（~ 22）花；苞片全缘，菱状卵圆形至披针形，约与花梗等长或稍短。花梗纤细，长 5 ~ 15 mm（栽培条件下可长达 25 mm）；花近平展，紫红色、粉红色至白色，龙骨状突起部位暗紫红色至淡绿色；萼片小；外花瓣较宽展，先端微

凹。上花瓣长 2 ~ 2.5 cm；距长 1 ~ 1.4 (~ 1.7) cm，渐狭，稍上弯；蜜腺体短，长 1 ~ 1.5 mm，末端钝。下花瓣具宽展的瓣片和较短的爪，具浅囊。内花瓣长 7 ~ 9 mm，具较宽的苍白色鸡冠状突起。柱头近圆形，具 8 乳突。蒴果披针形，长 1.1 ~ 1.7 cm，宽 3 ~ 4 mm。种子直径 1.7 ~ 2 mm，种阜带状，狭而长，基部呈不均匀的淡棕色。

| **生境分布** | 生于海拔 1 300 ~ 1 800 m 的灌丛中、林下和山坡。分布于新疆塔城市、新源县、巩留县等。

| **资源情况** | 野生资源丰富。药材来源于野生。

| **采收加工** | 夏初茎叶枯萎时采收，去净泥土，水煮 2 ~ 3 分钟，捞出，晒干。

| **功能主治** | 辛、苦，温。归肝、脾经。行气止痛，活血散瘀。用于气滞血瘀所致胸胁、脘腹疼痛，经闭，痛经，产后瘀阻，跌扑肿痛。

| **用法用量** | 内服煎汤，3 ~ 10 g；或研末，1.5 g。

新疆黄堇 *Corydalis gortschakovii* Schrenk

| **药 材 名** | 元胡（药用部位：全草或根）。

| **形态特征** | 多年生丛生灰绿色草本。高 10 ~ 40（~ 80）cm。主根粗大，具多头根茎。根茎上部具棕色鳞片和叶柄残基。茎具棱，不分枝或少分枝，通常具 1 ~ 2 叶。基生叶多数，稍低于茎；叶柄约与叶片等长，基部鞘状宽展；叶片长圆形，2 回羽状全裂；一回羽片 4 ~ 5 对，具短柄；二回羽片 3 ~ 5，近无柄，卵圆形至宽卵形，羽状分裂，裂片倒卵形，长（2 ~ ）4 ~ 7 mm，宽 1.5 ~ 4 mm，近具短尖。茎生叶与基生叶同形，有时近 1 回羽状全裂。总状花序长 3 ~ 10 cm，多花，密集，近穗状圆柱形。苞片叶状或倒卵状楔形，羽状分裂，上部的近披针形，全缘，全部稍长于花梗。花梗长 1 ~ 2 cm，果期弧形下弯。萼片小，

直径约 1 mm，具齿。花冠橙黄色，长 1.8 ~ 2.5 cm。外花瓣具高而伸出瓣片先端的鸡冠状突起。上花瓣较宽展，渐尖；距圆筒形，约与花瓣等长；蜜腺体约贯穿距长的 1/2。下花瓣基部多少呈浅囊状。内花瓣近匙形，具鸡冠状突起；爪较宽展，约与瓣片等长。雄蕊束近长圆形，渐尖，具 3 脉。子房长圆形，约与花柱等长；柱头扁四方形，先端圆钝，微凹，具 2 短柱状突起，两侧基部下延。蒴果下弯，长圆形，长（8 ~）10 ~ 15 mm，宽 3 mm，具 2 列种子。种子 8 ~ 10，直径约 1.5 mm，黑亮。

| 生境分布 | 生于海拔 2 200 ~ 3 000 m 的森林带到高山草原。分布于新疆巩留县、霍城县、乌恰县、新源县、温泉县等。

| 资源情况 | 野生资源较丰富。药材来源于野生。

| 采收加工 | 夏初茎叶枯萎时采收，除去须根，洗净，置沸水中煮或蒸至恰无白心时，取出，晒干。

| 功能主治 | 辛、苦，温。归肝、脾经。活血，行气，止痛。用于肺结核咯血，遗精，疮毒，胸胁，脘腹疼痛，胸痹心痛，经闭痛经，产后瘀阻，跌扑肿痛。

| 用法用量 | 内服煎汤，3 ~ 10 g；研末吞服，每次 1.5 ~ 3 g。

薯根延胡索 *Corydalis ledebouriana* Kar. & Kir.

| 药 材 名 | 元胡（药用部位：全草或根及根茎）。

| 形态特征 | 多年生草本。高 10 ~ 20 cm。具球状块根，外被易脱落的棕褐色鳞片状外皮，内为黄色，直径 1.5 ~ 3 cm。茎直立，1 至数个，不分枝。叶对生，2 回 3 出全裂，小裂片椭圆形或倒卵形，有柄，基部楔形，全缘，先端钝圆。总状花序顶生，高出叶序约 1 倍；苞片椭圆形或卵形，全缘；花梗短于苞片；花冠紫红色，具囊状的距，约等长于花冠，向上弧形弯曲。蒴果线形，具长喙。花期 4 ~ 5 月，果期 6 月。

| 生境分布 | 生于海拔 800 ~ 1 500 m 的山地灌丛。分布于新疆裕民县、霍城县、阜康市等。

| **资源情况** | 野生资源丰富，栽培资源一般。药材来源于野生和栽培。

| **采收加工** | 夏季初茎叶枯萎时采挖，除去须根，洗净，置沸水中煮或蒸至恰无白心时取出，晒干。

| **功能主治** | 行气止痛，活血散瘀。用于胸胁、脘腹疼痛，胸痹心痛，经闭痛经，产后瘀阻，跌扑肿痛。

罂粟科 Papaveraceae 紫堇属 Corydalis

阿山黄堇 *Corydalis nobilis* (L.) Pers.

| 药 材 名 | 紫堇（药用部位：全草或根）。

| 形态特征 | 多年生丛生草本。高 50 ~ 80 cm。主根粗大，老时变空，纵裂，先端具鳞片。茎发自鳞片和基生叶腋，下部裸露，上部或中部以上具叶，不分枝或少分枝，具棱。基生叶约与茎等长，具长柄；叶片近卵圆形，长 15 ~ 20 cm，宽 10 ~ 15 cm，2 回羽状全裂；一回羽片具柄；二回羽片具短柄至无柄，卵圆形或楔形，基部下延，约长 3.5 cm，宽 3 cm，3 深裂；裂片再分成大小不等的小裂片；末回裂片长圆形。茎生叶与基生叶同形，具短柄。总状花序短，多花、密集。下部苞片叶状，楔形，约长 3 cm，宽 2 cm，分裂，上部的披针形，全缘。花梗长 6 ~ 17 mm。萼片卵圆形，具尾状短尖，近具齿。花黄色，

先端多少带橙黄色，内花瓣先端暗紫色。上花瓣长 2～2.2 cm，具浅鸡冠状突起；距圆筒形，较粗，约与瓣片等长，末端圆钝，稍下弯；蜜腺体约贯穿距长的 2/3。下花瓣长约 8 mm，舟状，渐尖。内花瓣长约 7 mm，爪约与瓣片等长。雄蕊束披针形，具 3 纵脉。子房长圆形或狭椭圆形，约与花柱等长；柱头近圆形，具 8 乳突。蒴果卵圆形或椭圆形，长 1～1.2 cm，宽约 5 mm，具 2 列种子。种子黑亮，直径约 2 mm；种阜狭，长约 1 mm。

| 生境分布 | 生于海拔 1 900 m 的山区林下或河谷。分布于新疆布尔津县、塔城市、裕民县等。

| 资源情况 | 野生资源较丰富。药材来源于野生。

| 采收加工 | 春、夏季采收，除去杂质，洗净，阴干或鲜用。

| 功能主治 | 苦、涩，凉；有毒。归肺、肾、脾经。用于结核咯血，遗精，疮毒。

| 用法用量 | 内服煎汤，4～10 g。外用适量，捣敷；或研末调敷；或煎汤洗。

罂粟科 Papaveraceae 紫堇属 Corydalis

长距元胡

Corydalis schanginii (Pall.) B. Fedtsch.

| **药 材 名** | 元胡（药用部位：全草或根及根茎）。

| **形态特征** | 多年生草本。高 10 ~ 35 cm，上升或近直立。块茎圆球形或长圆形，直径（1.5 ~）3 ~ 4 cm，质淡灰色。茎基部以上具 1 鳞片，不分枝或鳞片腋内具 1 小枝，常具 2 叶。叶苍白色，较厚，叶柄短，约等于叶片长的 1/3，叶片 2 回三出，具全缘或深裂小叶，裂片卵圆形至披针形，常急尖。总状花序明显高出叶，具 5 ~ 25 花（栽培条件下常多达 30 花），先密集，后疏离。苞片卵圆状披针形至线状披针形，全缘，约与花梗等长。花梗纤细，长 5 ~ 15 mm，果期长达 10 ~ 20 mm。萼片小。花红紫色，狭而长。外花瓣狭，渐尖，具色暗的纵脉而龙骨状凸起部位尤为明显。上花瓣长 3 ~ 4 cm；距长 2.1 ~ 2.8 cm，渐狭，直或末端常弯曲；蜜腺体长约 5 mm，下花瓣

直，无囊。内花瓣 1.4 ~ 1.6（~ 1.8）cm，先端暗紫色。柱头近四方形，具 6 ~ 8 乳突，基部下延。蒴果线形，长 1.8 ~ 2.5 cm，宽 2 ~ 3 mm，具 4 ~ 8 种子。种子平滑，长约 2.5 mm，稍狭，种阜带状，长而狭，基部淡棕色。

| 生境分布 | 生于海拔 800 m 的荒漠地带的石质山坡。分布于新疆乌鲁木齐市及博乐市、阿勒泰市、塔城市、和布克赛尔蒙古自治县、尼勒克县等。

| 资源情况 | 野生资源较丰富。药材来源于野生。

| 采收加工 | 5 月中下旬采挖。除去泥沙，按不同大小，分别放入开水中，烫至内无白心、中心呈黄色时捞出，晒干。

| 功能主治 | 辛、苦，温。归肝、脾经。活血镇痛，破瘀顺气。用于胸胁，脘腹疼痛，胸痹心痛，经闭痛经，产后瘀阻，跌扑肿痛。

| 用法用量 | 内服煎汤，3 ~ 10 g；或研末吞服，1.5 ~ 3 g。

罂粟科 Papaveraceae 紫堇属 Corydalis

直茎黄堇

Corydalis stricta Stephan ex Fisch.

| 药 材 名 | 黄堇（药用部位：全草或根）。

| 形态特征 | 多年生灰绿色丛生草本。高 30 ~ 60 cm，具主根和多头根茎。根茎具鳞片和多数叶柄残基。茎具棱，劲直，多少具白粉，不分枝或少分枝，疏具叶。基生叶长 10 ~ 15 cm，具长柄，叶片 2 回羽状全裂，一回羽片约 4 对，具短柄，二回羽片约 3，宽卵圆形，约长 1.2 cm，宽 1 ~ 1.2 cm，质较厚而多少具白粉，3 深裂，裂片卵圆形，近具短尖，有时羽片较小，2 回 3 深裂，末回裂片狭披针形至狭卵圆形，约长 3 ~ 6 mm，宽 1 ~ 3 mm，质较薄，无白粉。茎生叶与基生叶同形，具短柄至无柄。总状花序密具多花，约长 3 ~ 7 cm，宽 2 ~ 4 cm。苞片狭披针形，长 6 ~ 8 mm，近白色。花梗长 4 ~ 5 mm，果期不

伸长，下弯。花黄色，背部带浅棕色。萼片卵圆形，长 2 ~ 4 mm，有时基部具流苏状齿。外花瓣不宽展，具短尖，无鸡冠状突起，上花瓣长 1.6 ~ 1.8 cm；距短囊状，约占花瓣全长的 1/5；蜜腺体粗短，长约 1 mm。下花瓣长约 1.4 cm。内花瓣长约 1.2 cm，具鸡冠状突起。雄蕊束披针形，具中肋。柱头小，近圆形，具 10 乳突。蒴果长圆形，长 1.5 ~ 2 cm，宽 3 ~ 4 mm，下垂。花期 5 ~ 6 月。

| **生境分布** | 生于海拔 900 ~ 2 200 m 的荒漠草原到山地荒漠草原。分布于新疆乌鲁木齐市及和静县、温宿县、塔什库尔干塔吉克自治县等。

| **资源情况** | 野生资源较丰富，栽培资源一般。药材来源于野生和栽培。

| **采收加工** | 5 ~ 8 月采收，晒干。

| **功能主治** | 苦、涩，寒；有毒。归肺、肝、膀胱经。用于结核咯血，遗精，疮毒。湿热泄泻，痢疾，黄疸，目赤肿痛，聤耳流脓，疮毒，疥癣，毒蛇咬伤。

| **用法用量** | 内服煎汤，3 ~ 6 g，鲜者 15 ~ 30 g；或捣汁。外用适量，捣敷；或用根以酒、醋磨汁搽。

罂粟科 Papaveraceae 烟堇属 *Fumaria*

短梗烟堇 *Fumaria vaillantii* Loisel.

药材名

烟堇（药用部位：种子、根）。

形态特征

一年生草本。高 10 ~ 40 cm，无毛。主根圆柱形，长 5 ~ 6 cm 或更长，直径 1 ~ 2 mm，具侧根和纤细状细根。茎自基部分枝，具纵棱。基生叶数枚，叶片多回羽状分裂，小裂片线形、线状长圆形或狭披针形，长 0.5 ~ 1.5 cm，叶柄长 3 ~ 4 cm，基部具短鞘；茎生叶多数，叶片同基生叶，叶柄较短。总状花序顶生和对叶生，长 1.5 ~ 2 cm，多花，密集排列；花序梗短粗或近无；苞片钻形，长 1.5 ~ 2.5 mm；花梗长 1.5 ~ 2.5 mm。萼片小，长 0.5 ~ 1 mm，具撕裂状齿，早落；花瓣粉红色或淡紫红色，上花瓣长 5 ~ 6 mm，花瓣片膜质，先端暗紫色，背部具鸡冠状突起，距短粗，长约 1 mm，直径约 1.2 mm，略上升，下花瓣舟状狭长圆形，长 4 ~ 5 mm，先端圆，暗紫色，中部较狭，膜质，内花瓣近匙形，长 3.5 ~ 4.5 mm，膜质，先端圆，具尖头，上部深紫色；雄蕊束长 3.5 ~ 4.5 mm，花丝下部合生，花药极小；子房卵形，长约 1 mm，花柱丝状，长 2 ~ 3 mm，柱头具 2 乳突。果序长 2 ~ 3 mm；

坚果圆球形，直径 1.5 ～ 2 mm，果皮具小瘤状皱纹；果柄长 2 ～ 3 mm，与苞片近等长或稍长。花果期 5 ～ 8 月。

| **生境分布** | 生于海拔 500 ～ 1 200 m 的绿洲的田边、宅旁、低山草甸。分布于新疆乌鲁木齐市及布尔津县、温泉县、伊宁市、新源县、玛纳斯县、呼图壁县、库尔勒市、和静县等。

| **资源情况** | 野生资源丰富。药材来源于野生。

| **功能主治** | 舒筋活血，祛风湿，退虚热。用于反胃，腹痛，泻痢，脱肛。

罂粟科 Papaveraceae 海罂粟属 Glaucium

天山海罂粟 *Glaucium elegans* Fisch. & C. A. Mey.

| 药 材 名 |

野罂粟（药用部位：全草或果实）。

| 形态特征 |

一年生草本。高 10 ~ 20 cm。主根圆柱状，延长，上部直径 2 ~ 4 mm。茎直立，二叉分枝，具白粉，无毛。基生叶多数，叶片倒卵状长圆形，长 4 ~ 8 cm，宽 1 ~ 5 cm，羽状浅裂，裂片宽卵形，边缘圆齿状，先端具刚毛状短尖头，两面无毛，具白粉；叶柄扁平，长 1.5 ~ 2.5 cm；茎生叶卵状近圆形，长 2 ~ 4 cm，宽 1 ~ 3 cm，基部心形，抱茎，边缘具浅波状齿。花单生于茎和分枝先端；花芽纺锤形，长 1 ~ 2 cm，直径 4 ~ 7 mm，通常具乳突状皮刺；花瓣宽倒卵形，长约 2 cm，橙黄色，基部带红色；雄蕊长 0.6 ~ 1.1 cm，花丝丝状，向基部渐增粗，花药长圆形，长约 1.8 mm；子房圆柱形，长约 1.5 cm，近无毛，近无花柱，柱头 2 裂。蒴果线状圆柱形，长 10 ~ 16 cm，直径约 2 mm，疏被近圆锥状皮刺，成熟时自基部向先端开裂；果柄粗壮，长 0.5 ~ 1 cm，具多数种子；种子肾状长圆形，长 1.7 ~ 2 mm，种皮呈蜂窝状，黑褐色。花果期 5 ~ 7 月。

| 生境分布 | 生于海拔 800 ～ 1 400 m 的荒漠地带的石质山坡。分布于新疆乌鲁木齐市及新源县、玛纳斯县等。

| 资源情况 | 野生资源较丰富。药材主要来源于野生。

| 采收加工 | 全草，夏、秋季采收，除去杂质，晒干。果实，秋季采收成熟果实，晒干。

| 功能主治 | 全草，止咳，止痛，催眠。用于慢性腹泻，慢性咳嗽，脱肛等。果实，酸、苦。止血消炎，发汗解毒，镇痛止咳。用于反胃，腹痛，泻痢，脱肛。

新疆海罂粟 *Glaucium squamigerum* Kar. & Kir.

| 药 材 名 |

野罂粟（药用部位：全草或果实）。

| 形态特征 |

二年生或多年生草本。高 20 ~ 40 cm。主根圆柱状，延长，上部直径 2 ~ 7 mm。茎 3 ~ 5，直立，不分枝，疏生白色皮刺。基生叶多数，叶片狭倒披针形，长 4 ~ 13 cm，宽 1 ~ 3 cm，大头羽状深裂，下部裂片三角形，上部裂片宽卵形、宽倒卵形或近圆形，边缘具不规则的锯齿或圆齿，齿端具软骨质的短尖头，两面灰绿色，幼时被皮刺，老时光滑；叶柄长 3 ~ 8 cm，扁平，基部鞘状，密集覆盖于茎基部，具皮刺或光滑；茎生叶 1 ~ 3，长 2 ~ 5 cm，宽 0.5 ~ 3 cm，羽状分裂或 2 回羽状 3 裂，裂片先端具软骨质尖头，具皮刺或光滑；无叶柄或具短柄。单花顶生；花梗圆柱形，被皮刺或光滑；苞片羽状 3 ~ 5 深裂；花芽卵圆形，长 1.5 ~ 2 cm，先端锐尖，边缘膜质，外面被多数鳞片状皮刺；花瓣近圆形或宽卵形，长 1.5 ~ 2.5 cm，金黄色；花丝丝状，长约 1 cm，花药长圆形，长约 1 mm；子房圆柱形，长 1 ~ 1.2 cm，密被刺状鳞片，柱头 2 裂，无柄。蒴果线状圆柱形，长 15 ~ 21 cm，直径 2 ~ 3 mm，具稀疏的刺状鳞片，成熟时自基部向先端开裂；果柄粗壮，长 12 ～ 18 cm，具多数种子；种子肾形，长约 1 mm，种皮呈蜂窝状，黑褐色。花果期 5 ～ 10 月。

| **生境分布** | 生于海拔 1 000 ～ 2 000 m 的石质山坡、山前平原、戈壁和丘陵。分布于新疆吐鲁番市、乌鲁木齐市及精河县、沙湾市、昭苏县、托里县、裕民县、博乐县、温泉县、乌苏市、昌吉市、霍城县、尼勒克县、特克斯县等。

| **资源情况** | 野生资源较丰富。药材主要来源于野生。

| **采收加工** | 全草，夏、秋季采收，除去杂质，晒干。果实，秋季采收成熟果实，晒干。

| **功能主治** | 全草，敛肺止咳，涩肠止泻，镇痛。果实，甘，平。清热解毒，镇痛止咳，止血止痢，敛疮。

罂粟科 Papaveraceae 角茴香属 Hypecoum

高山角茴香 Hypecoum alpinum Z. X. An

| 药 材 名 | 角茴香（药用部位：全草或根）。

| 形态特征 | 多年生草本。全株无毛，稍肉质，于根颈处分枝。茎平铺于地面，长 5 ~ 10 cm。叶全部基生，连柄长 1.5 ~ 4 cm，二回羽状叶，第一回为复叶，小叶 1 ~ 3 对，对生或互生，有短柄，第二回全裂或半裂，基部裂片下侧有锯齿或再具 1 裂片，末级裂片披针形、长圆形或倒卵形，先端急尖或渐尖；叶柄扁，长 1 ~ 2 cm，基部宽，边缘膜质。聚伞花序，总状排列，花梗长 3 ~ 5 mm，基部与上部各有 1 对苞片，下部苞片羽状全裂，长 3 ~ 8 mm，裂片披针形或窄长卵形，渐尖，基部每侧 3 丝状裂片，横向披裂，上部苞片 3 ~ 5 裂，裂片丝状，长约 1 mm，萼片 2，宽卵形至椭圆形，长 3 ~ 4 mm，上中部近膜质；花瓣白色，外轮卵形至椭圆形，长 4 ~ 4.5 mm，先端背

侧略成龙骨状，稍带绿色，内轮倒三角形，长约 3.5 mm，上部 3 裂，中间裂片窄，上部略成兜状，两侧裂片宽，先端圆形，基部稍带绿色；雄蕊 4，花丝扁平，长约 2 mm，膜质，花药全着；雄蕊子房柱状，先端渐尖成花柱，柱头 2 裂，外卷。蒴果四棱状柱形，长 1.5 ~ 2 cm，果皮薄，子房 1 室，侧膜胎座 2。种子排列成 1 行，矩圆形，长约 1.2 mm，于种脐侧稍凹入；种脐位于斜侧端，黑褐色。花期 6 ~ 7 月，果期 7 ~ 8 月。

| **生境分布** | 生于海拔 4 450 m 的草甸草原上。分布于新疆若羌县等。

| **资源情况** | 野生资源较丰富，栽培资源一般。药材主要来源于栽培。

| **采收加工** | 夏、秋季采收全草，春季开花前采挖根，晒干。

| **功能主治** | 全草，苦、辛，凉。清热解毒。用于咽喉肿痛，目赤。根，苦，寒。清热解毒。用于急性咽喉炎，气管炎，咳嗽，目赤肿痛。

| **用法用量** | 全草，内服煎汤，10 ~ 15 g；或研末。根，内服煎汤，5 ~ 10 g。

罂粟科 Papaveraceae 角茴香属 Hypecoum

小花角茴香 *Hypecoum parviflorum* Kar. & Kir.

| 药 材 名 | 角茴香（药用部位：全草）。

| 形态特征 | 一年生草本。高 15 ~ 25 cm。主根细圆柱形，长 8 ~ 10 cm，直径 1 ~ 2 mm。花茎多数，圆柱形，直径 1 ~ 1.5 mm，二叉分枝。基生叶多数，叶片狭倒卵形，长 5 ~ 7 mm，2 回羽状细裂，小裂片线形，长 0.3 ~ 1 cm，宽约 1 mm，先端急尖，背面具白粉；叶柄扁平，基部具鞘。花小，排列成二歧聚伞花序；苞叶细裂，无柄；花梗长 0.5 ~ 1.5 cm，花后下垂；萼片宽卵形，长 1 ~ 1.5 mm；花瓣黄色，外面 2 瓣宽椭圆形，长约 5 mm，全缘，里面 2 瓣 3 裂，裂片近相等，中裂片匙形，具金黄色的流苏状缘毛；花丝长约 3 mm，扁平，宽约 0.5 mm，花药长圆形，长约 1 mm；子房狭圆柱形，长约

4 mm，花柱短，柱头 2 深裂。蒴果下垂，圆柱形，长 4 ~ 5 cm，两端渐狭，在外表皮下具关节，成熟时在关节处分离成数小节，每节具 1 种子；种子卵形，长约 2 mm，具小疣状突起。花果期 5 ~ 8 月。

| **生境分布** | 生于海拔 400 ~ 1 000 m 的荒漠地带。分布于新疆霍城县、玛纳斯县、阜康市等。

| **资源情况** | 野生资源丰富，栽培资源较丰富。药材主要来源于栽培。

| **采收加工** | 春季开花时采收，晒干。

| **功能主治** | 苦，寒。泻火，解热，镇咳。用于感冒发热，咳嗽，咽喉肿痛，肝热目赤，肝炎，胆囊炎，痢疾，关节疼痛。

罂粟科 Papaveraceae 高山罂粟属 *Oreomecon*

野罂粟

Oreomecon nudicaulis (L.) Banfi, Bartolucci, J.-M. Tison & Galasso

| 药 材 名 | 野罂粟（药用部位：种子）。

| 形态特征 | 多年生草本。高 20 ~ 60 cm。主根圆柱形，延长，上部直径 2 ~ 5 mm，向下渐狭或为纺锤状；根茎短，增粗，通常不分枝，密盖麦秆色、覆瓦状排列的残枯叶鞘。茎极缩短。叶全部基生，叶片卵形至披针形，长 3 ~ 8 cm，羽状浅裂、深裂或全裂，裂片 2 ~ 4 对，全缘或再次羽状浅裂或深裂，小裂片狭卵形、狭披针形或长圆形，先端急尖、钝或圆，两面稍具白粉，密被或疏被刚毛，极稀近无毛；叶柄长（1 ~ ）5 ~ 12 cm，基部扩大成鞘，被斜展的刚毛。花葶 1 或更多，圆柱形，直立，密被或疏被斜展的刚毛；花单生于花葶先端；花蕾宽卵形至近球形，长 1.5 ~ 2 cm，密被褐色刚毛，通常下垂；萼片 2，

舟状椭圆形，早落；花瓣 4，宽楔形或倒卵形，长 1.5～3 cm，边缘具浅波状圆齿，基部具短爪，淡黄色、黄色或橙黄色，稀红色；雄蕊多数，花丝钻形，长 0.6～1 cm，黄色或黄绿色，花药长圆形，长 1～2 mm，黄白色、黄色或带红色；子房倒卵形至狭倒卵形，长 0.5～1 cm，密被紧贴的刚毛，柱头 4～8，辐射状。蒴果狭倒卵形、倒卵形或倒卵状长圆形，长 1～1.7 cm，密被紧贴的刚毛，具 4～8 淡色的宽肋；柱头盘扁平，具疏离的缺刻状圆齿；种子多数，近肾形，褐色，表面具条纹和蜂窝状小孔穴。花果期 5～9 月。

| 生境分布 | 生于海拔 1 800～3 400 m 的森林带到高山草甸。分布于新疆乌鲁木齐市（天山区）、塔城地区及阿勒泰市、哈巴河县、布尔津县、温泉县、精河县等。

| 资源情况 | 野生资源较丰富。药材来源于野生。

| 采收加工 | 夏、秋季采收，除去须根及泥土，晒干。

| 功能主治 | 酸、微苦、涩、凉；有毒。清热利湿，祛风散寒，止咳。用于久咳喘息，泻痢，便血，脱肛，遗精，带下，头痛，胃痛，痛经。

| 用法用量 | 内服煎汤，3～6 g。

罂粟科 Papaveraceae 罂粟属 Papaver

灰毛罂粟 *Papaver canescens* Tolm.

| 药 材 名 | 野罂粟（药用部位：果实）。

| 形态特征 | 多年生草本。植株矮小，高 5 ~ 15（ ~ 20）cm，全株被刚毛。主根圆柱形，延长，上部直径 2 ~ 3 mm；根茎分枝或不分枝，密盖覆瓦状排列的残枯叶鞘。叶全部基生，叶片披针形至卵形，长 2 ~ 5 cm，宽 1 ~ 2 cm，羽状分裂，裂片 2 ~ 3 对，长圆形、椭圆形或披针形，全缘、再次 2 ~ 4 浅裂或深裂，两面被紧贴的刚毛；叶柄长 2 ~ 7 cm，扁平，被紧贴的刚毛，基部扩大成鞘。花葶 1 或更多，直立或弯曲，圆柱形，被紧贴或伸展的刚毛；花单生于花葶先端，直径 3 ~ 5 cm；花蕾椭圆形或椭圆状圆形，长 1 ~ 1.2 cm，被褐色或金黄色的刚毛；萼片 2，舟状宽卵形；花瓣 4，宽倒卵形或扇形，长 1.5 ~ 3 cm，黄

色或橘黄色；雄蕊多数，花丝丝状，长 7 ~ 10 mm，花药长圆形，长 1 ~ 2 mm，黄色；子房倒卵状长圆形，长 5 ~ 7 mm，直径 3 ~ 5 mm，被紧贴的刚毛，柱头约 6，辐射状。蒴果长圆形或倒卵状长圆形，长约 1 cm，被紧贴的刚毛；柱头盘扁平。花果期 6 ~ 8 月。

| **生境分布** | 生于海拔 2 700 ~ 2 900 m 的高山草甸。分布于新疆青河县、布尔津县等。

| **资源情况** | 野生资源一般，栽培资源稀少。药材来源于野生和栽培。

| **采收加工** | 夏、秋季采收，晒干。

| **功能主治** | 甘，平。止咳定喘，镇痛止泻。用于泄泻，痢疾，反胃。

| **用法用量** | 内服煎汤，3 ~ 6 g；或入丸、散剂。

罂粟科 Papaveraceae 罂粟属 Papaver

黑环罂粟 *Papaver pavoninum* Fisch. & C. A. Mey.

| **药 材 名** | 野罂粟（药用部位：果实）。

| **形态特征** | 一年生草本。全体被长刚毛。主根圆柱形，细长，向下渐狭。茎直立，高 20 ~ 45 cm，上部具少数分枝，密被伸展的长刚毛。基生叶叶片狭卵形至狭披针形，连同叶柄长 3 ~ 10 cm，1 回羽状深裂或全裂，裂片披针形，具疏齿，稀再次羽状深裂，两面疏被长刚毛，具长柄；下部茎生叶具长柄，上部茎生叶具短柄至近无柄，其他同基生叶。1 ~ 2 花生于茎或分枝先端；花梗长 3 ~ 7 cm，稍压扁，疏被长刚毛；花蕾卵圆形，长 1 ~ 1.2 cm，密被长刚毛，下垂；萼片 2，舟状，早落；花瓣 4，扇状倒卵形或近圆形，长 2 ~ 3.5 cm，红色，近基部具黑色宽环纹；雄蕊多数，花丝丝状，长 4 ~ 5 mm，向上渐

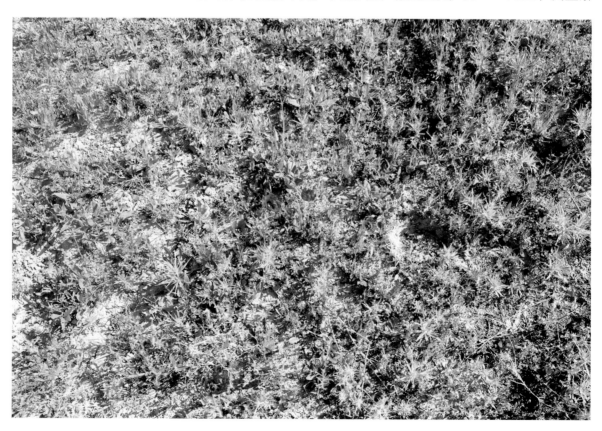

宽，深紫色，花药长圆形，长约 1 mm，淡紫色；子房卵形，长约 5 mm，直径约 3 mm，密被黄色刚毛，通常有 5 ～ 7 纵肋，柱头 5 ～ 7，辐射状。蒴果卵圆形或长圆形，长约 1 cm，具肋，密被黄色刚毛。花期 4 ～ 7 月。

| 生境分布 |　生于草原。分布于新疆新源县、伊宁市、尼勒克县等。

| 资源情况 |　野生资源一般。药材来源于野生。

| 采收加工 |　夏、秋季采收，除去须根及泥土，晒干。

| 功能主治 |　涩、苦。止咳定喘，镇痛止泻。敛肺止咳，涩肠止泻，镇痛。用于久咳喘息，泻痢，便血，脱肛，遗精，带下，头痛，胃痛，痛经。

罂粟科 Papaveraceae 罂粟属 Papaver

虞美人 *Papaver rhoeas* L.

| 药 材 名 | 虞美人（药用部位：果实、种子）。

| 形态特征 | 一年生草本。全体被伸展的刚毛，稀无毛。茎直立，高 25 ~ 90 cm，具分枝。叶片披针形或狭卵形，羽状分裂，裂片披针形。花单生于茎和分枝先端；花蕾长圆状倒卵形，下垂；萼片 2，宽椭圆形；花瓣 4，圆形、横向宽椭圆形或宽倒卵形，长 2.5 ~ 4.5 cm，全缘，稀圆齿状或先端缺刻状，紫红色，基部通常具深紫色斑点。蒴果宽倒卵形，长 1 ~ 2.2 cm，无毛，具不明显的肋；种子多数，肾状长圆形，长约 1 mm。花果期 3 ~ 8 月。

| 生境分布 | 栽培种。新疆各地均有栽培。

| 资源情况 | 栽培资源较丰富。药材来源于栽培。

| 采收加工 | 果实，夏、秋季果实干枯时采收，晒干。种子，采收褐色果实，撕开果皮，将种子抖入容器内，晒干。

| 功能主治 | 果实，镇咳，止泻，镇痛，镇静。用于咳嗽，腹泻等。种子，苦、涩、微寒。止咳定喘，镇痛止泻。用于咳嗽，痢疾，腹痛。

| 用法用量 | 内服煎汤。

罂粟科 Papaveraceae 罂粟属 Papaver

罂粟 *Papaver somniferum* L.

| **药 材 名** | 罂粟（药用部位：种子）。

| **形态特征** | 一年生草本。茎高 30 ～ 80 cm，分枝，有伸展的糙毛。叶互生，羽状深裂，裂片披针形或条状披针形，两面有糙毛。花蕾卵球形，有长梗，未开放时下垂；萼片绿色，花开后即脱落；花瓣 4，紫红色；基部常具深紫色斑，宽倒卵形或近圆形；花药黄色；雌蕊倒卵球形，柱头辐射状。花果期 3 ～ 11 月。

| **生境分布** | 栽培种。新疆各地均有栽培。

| **资源情况** | 栽培资源较丰富。药材主要来源于栽培。

| **采收加工** | 6～8月采收果实，剖取种子，晒干。

| **功能主治** | 甘，平。镇痛，止咳，止泻。用于肺虚久咳，疼痛，久痢，肾虚遗精，滑精。

| **用法用量** | 内服煎汤，3～6 g。

山柑科 Capparaceae 山柑属 Capparis

刺山柑 *Capparis spinosa* L.

| 药 材 名 | 老鼠瓜（药用部位：叶、果实、根皮）。

| 形态特征 | 多年生藤本小半灌木。倒圆锥形，高 30 ~ 50 cm。成株的主茎不明显，茎多分枝，平铺于地面或向上斜生，长 2 ~ 3 m。水平根较少，主根发达，根系粗壮，一年生植株根深达 3 m。叶片近革质，圆形、倒卵形或椭圆形，单叶互生，长 1 ~ 5 cm，宽 1 ~ 3.5 cm，先端常具刺尖；托叶变态成刺状。花腋生，大，有雄花和两性花；花冠直径 4 ~ 8 cm，白色或淡红色，多为白色。果实呈椭球形，表面有光泽，绿色，成熟的果实长 2 ~ 4 cm，宽 1.5 ~ 3 cm，自然开裂，果肉血红色；种子肾形，直径约 3 mm，具褐色斑点。花期 5 ~ 6 月，果期 6 ~ 8 月。

| 生境分布 | 生于荒漠地带的戈壁、沙地、石质山坡、山麓及农田附近。分布于新疆博乐市、乌苏市、沙湾市、玛纳斯县、达坂城区、伊宁市、伊州区、高昌区、托克逊县、和硕县、库尔勒市、和静县、阿克苏市、疏勒县等。

| 资源情况 | 野生资源较丰富。药材来源于野生。

| 采收加工 | 叶,入冬前采收。果实,秋季果实成熟时采收。根皮,夏、秋季采收,除去须根、泥土,晒干。

| 功能主治 | 辛、苦,温。祛风散寒,除湿止痛,消肿。外用于风湿性关节炎,疮毒。

| 用法用量 | 外用适量,研末,油调涂。

十字花科 Cruciferae 庭荠属 Alyssum

粗果庭荠

Alyssum dasycarpum Steph. ex Willd.

| 药 材 名 |

庭荠（药用部位：种子）。

| 形态特征 |

一年生草本。高 8 ~ 20 cm，被贴伏的星状毛。茎直立或于基部外倾，不分枝或于基部分枝。叶倒卵状长圆形，长 5 ~ 25 mm，宽 1.5 ~ 6.5 mm，先端急尖，基部渐窄成柄。花序单一或分枝，成密集总状花序，果期伸长；花萼近相等，直立，被长单毛，外轮的长圆形，长约 3 mm，宽约 1 mm，先端尖，内轮的条形，长约 3 mm，宽约 0.5 mm；花瓣黄色，长圆状楔形，长 2.5 ~ 3 mm；花丝近等长，长 2 ~ 2.5 mm，无翅与齿；子房被细小的星状毛，花柱宿存，长 1.5 ~ 2 mm，上细下粗，被分叉毛。短角果圆形至椭圆形，长 3 ~ 3.5 mm，宽约 2.5 mm，压扁，无边；果柄长约 1.5 mm，斜向上展开；种子每室 2，卵形，长约 1.5 mm，略压扁，有窄边。花期 5 月。

| 生境分布 |

生于海拔 400 ~ 1 300 m 的山坡、草地。分布于新疆福海县、新源县等。

| **资源情况** | 野生资源一般，栽培资源一般。药材主要来源于栽培。

| **采收加工** | 秋季采收，洗净，鲜用或晒干。

| **功能主治** | 辛，温。活血散瘀，消肿。用于吐血，便血，月经过多，目赤肿痛等。

十字花科 Cruciferae 庭荠属 Alyssum

新疆庭荠 *Alyssum minus* (L.) Rothm.

| **药 材 名** | 庭荠（药用部位：种子）。

| **形态特征** | 一年生草本。高 10 ~ 20 cm，被贴伏毛。茎直立，中、上部分枝，分枝斜向上展开。基生叶早落，倒卵状长圆形至长圆状条形，长 1.5 ~ 3 cm，宽 3 ~ 6 mm，先端尖，基部渐窄成柄。花序伞房状，果期伸长；萼片长圆状卵形，长 2 ~ 2.5 mm，宽 1 ~ 1.7 mm，外面有长辐枝星状毛，偶有 2 叉毛；花瓣黄色，前端 1/3 处缢缩，长 2.75 ~ 3 mm，宽约 1 mm，先端 2 裂，下部渐窄成爪；长雄蕊花丝自 1/3 处向下渐宽，短雄蕊花丝内侧有附片，附片先端有缺刻，向下渐窄，长约 1.5 mm，宽约 0.75 mm。短角果圆形，直径约 5 mm，压扁，有边，宽约 1 mm；花柱宿存。果瓣扁平，中间凸起；种子每

室 2，悬垂于室顶，淡棕褐色，卵状长圆形，长约 2.5 mm，有宽边。花期 5 月。

| **生境分布** | 生于海拔 1 000 ～ 2 000 m 的草原、山坡或草地。分布于新疆塔城市、霍城县、新源县、托里县等。

| **资源情况** | 野生资源较少，栽培资源稀少。药材主要来源于野生。

| **采收加工** | 秋季采收，洗净，鲜用或晒干。

| **功能主治** | 辛，温。活血散瘀，消肿。用于吐血，便血，月经过多，目赤肿痛等。

十字花科 Cruciferae 庭荠属 Alyssum

扭庭荠

Alyssum tortuosum Waldst. et Kit. ex Willd.

| 药 材 名 |

葶芥（药用部位：种子）。

| 形态特征 |

多年生草本。高 8 ~ 30 cm，密被星状毛。茎外倾而弯曲，基部木质化。叶长圆状倒卵形或长圆状披针形，基部渐窄。花序分枝成伞房状圆锥花序；萼片长约 2 mm；花瓣金黄色，长 2.5 ~ 3（~ 4）mm。短角果椭圆形或倒卵状长圆形，长 2.5 ~ 4.5 mm，偶长 5 ~ 6 mm，密被星状毛；果柄长 0.4 ~ 0.6 mm，斜向上展开；种子每室 1，长 1.2 ~ 1.5 mm，宽 0.6 ~ 1.2 mm，无边，红棕色。花期 4 ~ 6 月。

| 生境分布 |

生于海拔 900 ~ 1 600 m 的山地草原、石质山坡。分布于新疆哈密市等。

| 采收加工 |

夏季采收，洗净，鲜用或晒干。

| 功能主治 |

辛，温。活血散瘀，消肿。用于吐血，便血，月经过多，目赤肿痛等。

拟南芥 *Arabidopsis thaliana* (L.) Heynh.

| 药 材 名 | 拟南芥（药用部位：种子）。

| 形态特征 | 一年生细弱草本。紫白色，茎上常有纵槽，上部无毛，下部被单毛，偶杂有 2 叉毛。基生叶莲座状，倒卵形或匙形，长 1 ~ 5 cm，宽 3 ~ 15 mm，先端钝圆或略急尖，基部渐窄成柄，边缘有少数不明显的齿，两面均有 2 ~ 3 叉毛；茎生叶无柄，披针形、条形、长圆形或椭圆形，长 5 ~ 15（~ 50）mm，宽 1 ~ 2（~ 10）mm。花序为疏松的总状花序，果时可伸长达 20 cm；萼片长圆状卵形，长约 1.5 mm，先端钝，外轮的基部呈囊状，外面无毛或有少数单毛；花瓣白色，长圆状条形，长 2 ~ 3 mm，先端钝圆，基部线形。角果长 10 ~ 14 mm，宽不足 1 mm；果瓣两端钝或钝圆，有 1 中脉与稀

疏的网状脉，多为桔黄色或淡紫色；果柄伸展，长 3 ~ 6 mm；种子每室 1 行，卵形，小，红褐色。花期 4 ~ 6 月。

| **生境分布** | 生于平原地带。分布于新疆塔城市等。

| **资源情况** | 野生资源较少。药材主要来源于野生。

| **采收加工** | 植物干燥后脱下果荚，轻轻将种子揉出。

| **功能主治** | 味苦，凉。归肺经。清热化痰，利气止咳。用于咳嗽气喘，痰壅胸痞，呼吸困难。

十字花科 Cruciferae 南芥属 Arabis

硬毛南芥

Arabis hirsuta (L.) Scop.

| 药材名 | 芥子（药用部位：种子）。

| 形态特征 | 一年生或二年生草本。具硬单毛和分歧毛。茎直立，不分枝或于基部分枝。基生叶具短柄，长椭圆形或匙形，长1～6 cm，宽5～14 mm，先端钝圆，基部楔形，全缘或具疏浅齿；茎生叶互生，无柄，叶片卵状长圆形或宽披针形，基部抱茎或半抱茎，边缘具浅疏齿。总状花序顶生或腋生；花瓣白色。长角果线形，扁四棱状，长4～7 cm，直立，紧贴果序轴；种子褐色，卵形，长1～1.2 mm，边缘具窄翅。花期6～7月，果期7～8月。

| 生境分布 | 生于海拔1 000～2 000 m的森林带林下、林间空地。分布于新疆石河子市等。

| **资源情况** | 野生资源一般，栽培资源较少。药材主要来源于野生。

| **采收加工** | 秋季采收，洗净，鲜用或晒干。

| **功能主治** | 辛，热；有小毒。归肺、胃经。温中散寒，豁痰开窍，通络消肿。用于风寒呕吐，心腹冷痛，咳喘痰多，口噤，耳聋，喉痹，风湿痹痛，肢体麻木，经闭，痈肿，瘰疬。

十字花科 Cruciferae 山芥属 Barbarea

山芥

Barbarea orthoceras Lédeb.

| 药 材 名 | 芥子（药用部位：种子）。

| 形态特征 | 二年生草本。具高 25 ~ 60 cm，全株无毛。茎直立，下部常带紫色，单一或具少数分枝。基生叶及茎下部叶大头羽状分裂，先端裂片大，宽椭圆形或圆形，长 2 ~ 5.5 cm，宽 1 ~ 3 cm，先端圆形，基部圆形、楔形或心形，边缘呈微波状或具浅圆齿，侧裂片小，1 ~ 5 对，卵状三角形，长约 5 mm，先端圆；叶柄向基渐宽，基部耳状抱茎，叶柄及叶耳具缘毛。茎中上部叶向上渐短，侧裂片渐少，最上部叶无侧裂片，顶生裂片长圆形，边缘具疏钝锯齿；先端圆，无柄，基部耳状抱茎。总状花序顶生或腋生，花时伞房状，花后伸长；花梗长 3 ~ 4 mm；萼片窄长短圆形，淡黄色，长 2.5 ~ 3 mm，宽 0.5 ~ 1 mm，内轮先端外侧隆起成兜状，外轮基部成囊状，边缘均膜质；花瓣黄色，

长倒卵形，长 3 ~ 4.5 mm，宽 0.7 ~ 1.2 mm，先端圆，向下渐宽，基部具短爪。长角果线状四棱形，长 2 ~ 3.5 cm，紧贴果轴而密集着生，果实成熟时稍开展，果瓣隆起，中脉显著。种子椭圆形，长约 1.5 mm，宽约 0.5 mm，深褐色，表面具细网纹。花期 5 ~ 8 月。

| 生境分布 | 生于海拔 480 ~ 2 100 m 的草原带的河谷、山谷及森林带的林缘。分布于新疆乌鲁木齐及新源县等。

| 资源情况 | 野生资源一般。药材来源于野生。

| 采收加工 | 夏末秋初果实成熟时将植株连根拔起或采收果实，晒干后，打下种子，簸净果壳、枝、叶等杂质。

| 功能主治 | 辛，热。活血散瘀，消肿，温肺豁痰，利气，通络散结，止痛。用于寒痰喘咳，胸胁胀痛，痰滞经络，关节麻木、疼痛，痰湿流注，阴疽肿毒。

| 用法用量 | 内服煎汤，3 ~ 9 g。外用适量。

十字花科 Cruciferae 山芥属 Barbarea

欧洲山芥 *Barbarea vulgaris* (L.) W. T. Aiton

| **药 材 名** | 山芥菜（药用部位：种子）。

| **形态特征** | 二年生直立草本。高 20 ~ 70 cm，植株光滑无毛或具疏毛。茎具纵棱，单一或分枝。基生叶、茎下部叶大头羽状分裂，顶裂片大，椭圆形、近圆形或近心形，全缘或呈微波状，基部心形、圆形或宽楔形，长 2 ~ 4.5 cm，宽 1.5 ~ 4 cm，侧裂片 2 ~ 4 对，由上至下逐渐缩小，长椭圆形至线形，基部耳状抱茎；茎上部叶宽披针形或长卵形，边缘齿裂或不规则深裂，无柄，基部耳状抱茎。总状花序顶生，在茎上部集成圆锥状；萼片宽椭圆形，长 3.5 ~ 4.5 mm，宽 1 ~ 1.5 mm，边缘白色，膜质，内轮 2 萼片先端常隆起成兜状；花瓣黄色，长 4.5 ~ 6.5 mm，宽 1.5 ~ 2 mm，倒卵形或宽楔形，下部渐狭成爪。

长角果圆柱状四棱形，长 2 ～ 3.5 cm，中脉明显，幼时常弧曲，成熟后在果轴上斜上开展或直立着生；种子每室 1 行，椭圆形，无膜质边缘，暗褐色，具细网纹，子叶缘倚胚根。花果期 4 ～ 8 月。

| **生境分布** | 生于海拔 680 ～ 2 100 m 的草原带及森林带林缘。分布于新疆额敏县、玛纳斯县、伊宁县、新源县、巩留县、昭苏县等。

| **资源情况** | 野生资源较丰富。药材来源于野生。

| **功能主治** | 辛，温。温中散寒，豁痰开窍，通络消肿。用于风寒呕吐，心腹冷痛，咳喘痰多，口噤，耳聋，喉痹等。

| **用法用量** | 外用适量，捣敷。

十字花科 Cruciferae 团扇荠属 Berteroa

团扇荠 *Berteroa incana* (L.) DC.

| 药 材 名 |

团扇荠（药用部位：种子）。

| 形态特征 |

二年生草本。高 20 ~ 60（~ 80）cm，被分枝毛。叶与果瓣上的毛略呈贴伏状，并杂有长单毛。茎不分枝或于中、上部分枝。基生叶早枯；茎生叶向上渐小，下部叶长圆形，长 4 ~ 6 cm，宽 8 ~ 15 mm，先端钝圆或略尖，基部渐窄成柄，边缘具不明显的波状齿或齿，上部叶长圆形，长约 1 cm，宽 1 ~ 2 mm，先端渐尖，基部楔形，边缘有不明显的齿。花序伞房状，果期伸长；花梗长 5 ~ 8 mm；萼片直立，长圆形，长 2.7 ~ 3 mm，宽 1 ~ 1.5 mm，边缘白色，外轮的基部略呈囊状；花瓣白色，长 5 ~ 8 mm，先端 2 深裂，深达 2 mm，为花瓣长的 1/3 ~ 2/5，裂片先端圆，花瓣下部 1/3 为爪；长雄蕊花丝扁，向基部变宽，短雄蕊花丝单侧具齿；花柱宿存，长 3 ~ 3.5 mm，下部有星状毛，柱头头状，2 微裂。短角果椭圆形，长约 6 mm，宽 3 ~ 5 mm，压扁或稍膨胀，无毛；果瓣扁平；果柄长 7 ~ 9 mm，斜上升或贴近果序轴；种子每室多粒，圆形，黑褐色。花期 6 ~ 7 月。

| **生境分布** | 生于海拔 800 ～ 1 900 m 的草原及荒漠地带的周边、山麓、灌丛中。分布于新疆乌鲁木齐市、吐鲁番市及阿勒泰市、布尔津县、塔城市、额敏县、博乐市、伊宁市、尼勒克县、精河县、沙湾县、奇台县等。 |

| **资源情况** | 野生资源较丰富。药材来源于野生。 |

| **采收加工** | 秋季采收，洗净，鲜用或晒干。 |

| **功能主治** | 苦，寒。活血散瘀，消肿止血，清热解毒，祛风湿。用于风湿痹痛，肢体麻木，经闭，痈肿，瘰疬。 |

十字花科 Cruciferae 芸苔属 Brassica

芥菜
Brassica juncea (L.) Czern.

| 药 材 名 | 芥菜（药用部位：鳞茎）。

| 形态特征 | 一年生草本。高 30 ~ 150 cm，常无毛，有时幼茎及叶具刺毛，带粉霜，有辣味。茎直立，有分枝。基生叶宽卵形至倒卵形，长 15 ~ 35 cm，先端圆钝，基部楔形，大头羽裂，具 2 ~ 3 对裂片，或不裂，边缘均有缺刻或锯齿；叶柄长 3 ~ 9 cm，具小裂片；茎下部叶较小，边缘有缺刻或锯齿，有时具圆钝锯齿，不抱茎；茎上部叶窄披针形，长 2.5 ~ 5 cm，宽 4 ~ 9 mm，具不明显疏齿或全缘。总状花序顶生，花后延长；花黄色，直径 7 ~ 10 mm；花梗长 4 ~ 9 mm；萼片淡黄色，长圆状椭圆形，长 4 ~ 5 mm，直立开展；花瓣倒卵形，长 8 ~ 10 mm，宽 4 ~ 5 mm。长角果线形，长 3 ~

5.5 cm，宽 2 ~ 3.5 mm；果瓣具 1 凸出中脉；喙长 6 ~ 12 mm；果柄长 5 ~ 15 mm；种子球形，直径约 1 mm，紫褐色。花期 3 ~ 5 月，果期 5 ~ 6 月。

| **生境分布** | 栽培种。新疆各地均有栽培。

| **资源情况** | 栽培资源较丰富。药材主要来源于栽培。

| **采收加工** | 秋季采收，鲜用或晒干。

| **功能主治** | 辛，温。化痰平喘，消肿止痛，止泻，健胃提神，壮阳，理气和血。用于寒饮咳嗽，痰滞气逆，胸膈满闷，砂淋，牙龈肿烂，乳痈，痔肿，冻疮，漆疮。

| **用法用量** | 内服煎汤，12 ~ 15 g；或鲜品捣汁。外用适量，煎汤熏洗；或烧存性，研末撒。

欧洲油菜 *Brassica napus* L.

| 药 材 名 | 白芥子（药用部位：种子）。

| 形态特征 | 一年生或二年生草本。高 30 ~ 50 cm，具粉霜。茎直立，有分枝，仅幼叶散生少数刚毛。下部叶大头羽裂，长 5 ~ 25 cm，宽 2 ~ 6 cm，顶裂片卵形，长 7 ~ 9 cm，先端圆形，基部近截平，边缘具钝齿，侧裂片约 2 对，卵形，长 1.5 ~ 2.5 cm，叶柄长 2.5 ~ 6 cm，基部有裂片；中部及上部茎生叶由长圆状椭圆形渐变成披针形，基部心形，抱茎。总状花序伞房状；花直径 10 ~ 15 mm；花梗长 6 ~ 12 mm；萼片卵形，长 5 ~ 8 mm；花瓣浅黄色，倒卵形，长 10 ~ 15 mm，爪长 4 ~ 6 mm。长角果线形，长 40 ~ 80 mm；果瓣具 1 中脉；喙细，长 1 ~ 2 cm；果柄长约 2 cm；种子球形，直径约 1.5 mm，黄棕色，

近种脐处常带黑色，有网状窠穴。花期 3 ~ 4 月，果期 4 ~ 5 月。

| **生境分布** | 栽培种。新疆各地均有栽培。

| **资源情况** | 栽培资源丰富。药材来源于栽培。

| **采收加工** | 2 ~ 3 月采收，鲜用。

| **功能主治** | 辛，凉。活血散瘀，消肿。

| **用法用量** | 内服适量，煮熟；或捣汁。外用适量，煎汤洗；或捣敷。

十字花科 Cruciferae 芸薹属 Brassica

白菜

Brassica pekinensis (Lour.) Rupr.

| 药 材 名 |

白菜（药用部位：叶）。

| 形态特征 |

二年生草本。高 40 ~ 60 cm，全株无毛，有时叶下面中脉上有少数刺毛。基生叶大，倒卵状长圆形至倒卵形，长 30 ~ 60 cm，先端圆钝，边缘皱缩，波状，有时具不显明的牙齿，中脉白色，很宽，有多数粗壮的侧脉；叶柄白色，扁平，长 5 ~ 9 cm，宽 2 ~ 8 cm，边缘有具缺刻的宽薄翅；上部茎生叶长圆状卵形、长圆状披针形至长披针形，长 2.5 ~ 7 cm，先端圆钝至短急尖，全缘或有裂齿，有柄或抱茎，耳状，有粉霜。花鲜黄色，直径 1.2 ~ 1.5 cm；花梗长 4 ~ 6 mm；萼片长圆形或卵状披针形，长 4 ~ 5 mm，直立，淡绿色至黄色；花瓣倒卵形，长 7 ~ 8 mm，基部渐窄成爪。长角果较粗短，长 3 ~ 6 cm，宽约 3 mm，两侧压扁，直立；喙长 4 ~ 10 mm，宽约 1 mm，先端圆；果柄开展或上升，长 2.5 ~ 3 cm，较粗；种子球形，直径 1 ~ 1.5 mm，棕色。花期 5 月，果期 6 月。

| 生境分布 |

栽培种。新疆各地均有栽培。

| **资源情况** | 野生资源较丰富，栽培资源丰富。药材主要来源于栽培。

| **采收加工** | 一般在冬季至翌年春季采收，洗净。

| **功能主治** | 甘，微寒。养胃，清热除烦。利肠胃，解酒，利二便，止咳。

| **用法用量** | 内服煎汤；或炒食；或炝食；或煮熟；或绞汁。

十字花科 Cruciferae 亚麻荠属 Camelina

小果亚麻荠
Camelina microcarpa Andrz. ex DC.

| **药 材 名** | 亚麻荠（药用部位：全草）。

| **形态特征** | 一年生草本。高 20 ~ 60 cm，具长单毛与短分枝毛。茎直立，多在中部以上分枝，下部密被长硬毛。基生叶与下部茎生叶长圆状卵形，长 1.5 ~ 8 cm，宽 3 ~ 15（~ 20）mm，先端急尖，基部渐窄成宽柄，边缘有稀疏的微齿或无齿；中、上部茎生叶披针形，先端渐尖，基部具披针状叶耳，边缘外卷；中、下部叶被毛，以叶缘和叶脉上较明显，向上毛渐少至无毛。花序伞房状，果时伸长，长 20 ~ 30 cm；萼片长圆卵形，长 2.5 ~ 3 mm，白色的膜质边缘不达基部，内轮的基部略呈囊状；花瓣条状长圆形，长 3.3 ~ 3.8 mm，爪部不明显；花柱长 1 ~ 2 mm。短角果倒卵形至倒梨形，长 4 ~

7 mm，宽 2.5 ～ 4 mm，略压扁，有窄边；果瓣中脉基部明显，顶部不明显，两侧有网状脉纹；种子长圆状卵形，长 1 ～ 1.2 mm，棕褐色。花期 4 ～ 5 月。

| **生境分布** | 生于海拔 500 ～ 1 100 m 的林缘、山地、平原及农田。分布于新疆乌鲁木齐市及阿勒泰市、富蕴县、塔城市、伊宁县、霍城县、特克斯县、尼勒克县、阜康市、沙湾市、昭苏县等。

| **资源情况** | 野生资源较丰富。药材来源于野生。

| **功能主治** | 苦，寒。清热明目，凉血止血。用于衄血，咯血，尿血，目赤疼痛，眼底出血，高血压等。

十字花科 Cruciferae 荠属 Capsella

荠
Capsella bursapastoris (L.) Medik.

| **药 材 名** | 荠菜（药用部位：全草）。

| **形态特征** | 一年生或二年生草本。高（7～）10～50 cm，无毛或有单毛、分叉毛。茎直立，单一或从下部分枝。基生叶丛生，呈莲座状，大头羽状分裂，长可达12 cm，宽可达2.5 cm，顶裂片卵形至长圆形，长5～30 mm，宽2～20 mm，侧裂片3～8对，长圆形至卵形，长5～15 mm，先端渐尖，浅裂、有不规则粗锯齿或近全缘；叶柄长5～40 mm；茎生叶窄披针形或披针形，长5～6.5 mm，宽2～15 mm，基部箭形，抱茎，边缘有缺刻或锯齿。总状花序顶生或腋生，果期延长，达20 cm；花梗长3～8 mm；萼片长圆形，长1.5～2 mm；花瓣白色，卵形，长2～3 mm，有短爪；花柱长约0.5 mm。短角果倒三角形

或倒心状三角形，长 5 ~ 8 mm，宽 4 ~ 7 mm，扁平，无毛，先端微凹，裂瓣具网脉；果柄长 5 ~ 15 mm；种子 2 行，长椭圆形，长约 1 mm，浅褐色。花果期 4 ~ 6 月。

| **生境分布** | 生于海拔 100 ~ 1 200 m 的平原绿洲、草原带农业区的山坡农田及其附近。分布于新疆和静县、阿勒泰市、沙湾市、托里县、伊宁市、新源县、特克斯县、巩留县、昭苏县、石河子市、奇台县、玛纳斯县等。

| **资源情况** | 野生资源较丰富。药材来源于野生。

| **采收加工** | 3 ~ 5 月采收，除去枯叶及杂质，洗净，晒干。

| **功能主治** | 甘、淡，凉。清热明目，凉血止血。用于吐血，衄血，咯血，尿血，崩漏，目赤疼痛，眼底出血，高血压，赤白痢，肾炎性水肿，乳糜尿。

| **用法用量** | 内服煎汤，15 ~ 30 g，大剂量可用至 30 ~ 60 g，鲜品加倍。外用适量。

弹裂碎米荠 *Cardamine impatiens* L.

| **药 材 名** | 碎米荠（药用部位：全草）。

| **形态特征** | 一年生或二年生草本。高 20 ～ 60 cm。茎直立，不分枝或上部分枝，表面有沟棱，有少数短柔毛或无毛。羽状复叶；基生叶叶柄长 1 ～ 3 cm，边缘通常有短柔毛，基部稍扩大，有 1 对托叶状耳；小叶 2 ～ 8 对，顶生小叶卵形，长 6 ～ 13 mm，宽 4 ～ 8 mm，边缘有不整齐的钝齿状浅裂；小叶柄明显，侧生小叶与顶生小叶的叶柄相似，自上而下渐小，通常生于最下的 1 ～ 2 对近披针形，全缘，都有明显的小叶柄；茎生叶有柄，基部也有抱茎、线形、弯曲的耳，长 3 ～ 8 mm；小叶 5 ～ 8 对，卵形，与侧生小叶相似，但较小；最上部茎生叶的小叶片较狭，边缘少齿或近全缘；全部小叶散生短柔

毛或无毛，边缘均有缘毛。总状花序顶生或腋生，花多数，形小，果期花序延长；萼片 4，长椭圆形；花瓣 4，白色，狭长椭圆形，长 2 ～ 3 mm，基部稍狭；雄蕊 6，4 长 2 短，长雄蕊长 2.8 ～ 3 mm，短雄蕊长约 1.8 mm；雌蕊 1，子房柱状，花柱极短，柱头略宽于花柱。长角果线形，稍扁，长 20 ～ 28 mm；果瓣无毛，成熟时自下而上弹性开裂；种子椭圆形，长 1 ～ 3 mm，棕黄色，边缘有极狭的翅。花期 5 ～ 6 月，果期 5 ～ 7 月。

| **生境分布** | 生于海拔 150 ～ 3 500 m 的山坡、路旁、沟谷、水边或阴湿地。分布于新疆和静县、阿勒泰市、巩留县、特克斯县、策勒县等。

| **资源情况** | 野生资源较丰富。药材来源于野生。

| **采收加工** | 春季采收，鲜用或晒干。

| **功能主治** | 淡，平。活血调经，清热解毒，利尿通淋。用于妇女月经不调，痈肿，淋证。

| **用法用量** | 内服煎汤，15 ～ 30 g。外用适量，捣敷。

大叶碎米荠 *Cardamine macrophylla* Willd.

| **药 材 名** | 碎米荠（药用部位：全草）。

| **形态特征** | 多年生草本。高 30 ～ 100 cm。根茎匍匐延伸，密被纤维状的须根；茎较粗壮，圆柱形，直立，有时基部倾卧，不分枝或上部分枝，表面有沟棱。茎生叶通常 4 ～ 5，有叶柄，长 2.5 ～ 5 cm；小叶 4 ～ 5 对，顶生小叶与侧生小叶的形状及大小相似，小叶椭圆形或卵状披针形，长 4 ～ 9 cm，宽 1 ～ 2.5 cm，先端钝或短渐尖，边缘具比较整齐的锐锯齿或钝锯齿，顶生小叶基部楔形，无小叶柄，侧生小叶基部稍不等，生于最上部的 1 对小叶基部常下延，生于最下部的 1 对小叶有时具极短的柄，小叶上面毛少，下面散生短柔毛，有时两面均无毛。总状花序多花；花梗长 10 ～ 14 mm；外轮萼片淡红色，

长椭圆形，长 5 ~ 6.5 mm，边缘膜质，外面有毛或无毛，内轮萼片基部囊状；花瓣淡紫色、紫红色或白色，倒卵形，长 9 ~ 14 mm，先端圆或微凹，向基部渐狭成爪；花丝扁平；子房柱状，花柱短。长角果扁平，长 35 ~ 45 mm，宽 2 ~ 3 mm；果瓣平坦无毛，有时带紫色，花柱很短，柱头微凹；果柄直立开展，长 10 ~ 25 mm；种子椭圆形，长约 3 mm，褐色。花期 5 ~ 6 月，果期 7 ~ 8 月。

| 生境分布 | 生于山坡灌木林下、沟边、石隙中、高山草坡水湿处。分布于新疆阿尔泰山。

| 资源情况 | 野生资源较少。药材来源于野生。

| 采收加工 | 春、夏季采收，洗净，鲜用或晒干。

| 功能主治 | 甘、淡，平。清热明目，凉血止血。用于脾虚，水肿，小便不利，带下，崩漏，尿血。

| 用法用量 | 内服煎汤，9 ~ 15 g。

十字花科 Cruciferae 垂果南芥属 Catolobus

垂果南芥 *Catolobus pendulus* (L.) AlShehbaz

| **药 材 名** | 芥子（药用部位：种子）。

| **形态特征** | 二年生草本。高达 1.5 m。主根圆锥状，黄白色。茎直立，上部分枝；茎下部叶长椭圆形或倒卵形，长 3 ~ 10 cm，先端渐尖，边缘有浅锯齿，基部渐窄，叶柄长达 1 cm；茎上部叶窄长椭圆形或披针形，基部心形或箭形，抱茎，上面黄绿色或绿色。总状花序顶生或腋生，有花 10 或更多；萼片椭圆形，长 2 ~ 3 mm，被单毛、2 ~ 3 叉毛或星状毛；花瓣白色，匙形，长 3.5 ~ 4.5 mm。长角果线形，长 4 ~ 10 cm，弧曲，下垂；种子每室 1 行；果瓣常具凸起的中脉，边缘有环状翅。花期 6 ~ 8 月。

| **生境分布** | 生于海拔 1 500 ~ 3 600 m 的森林带及高山草原。分布于新疆乌鲁木

齐市及阿勒泰市、塔城市、博乐市、温泉县、阜康市、奇台县等。

| **资源情况** | 野生资源较丰富。药材来源于野生。

| **采收加工** | 秋季采收，晒干。

| **功能主治** | 辛，平。活血散瘀，消肿。用于疮痈肿毒，阴道炎，阴道毛滴虫病。

| **用法用量** | 内服煎汤，3 ~ 10 g。外用适量，煎汤熏洗。

高山离子芥

Chorispora bungeana Fisch. & C. A. Mey.

| **药 材 名** | 离子芥（药用部位：全草）。

| **形态特征** | 多年生高山草本。高 3 ~ 10 cm，茎短缩，植株具白色的疏柔毛。叶多数，基生，叶片长椭圆形，羽状深裂或全裂，裂片近卵形，全缘，先端裂片最大，背面具白色柔毛；叶柄扁平，具毛。花单生；花梗细，长 2 ~ 3 cm；萼片宽椭圆形，长 7 ~ 8 mm，宽 1.5 ~ 2 mm，背面具白色疏毛，内轮 2 萼片略大，基部呈囊状；花瓣紫色，宽倒卵形，长 1.6 ~ 2 cm，宽 6 ~ 8 mm，先端凹缺，基部具长爪。长角果念珠状，长 1 ~ 2.5 cm，先端具细而短的喙；果柄与果实近等长；种子淡褐色，椭圆形而扁，直径约 1 mm，子叶缘倚胚根。花果期 7 ~ 8 月。

| **生境分布** | 生于海拔 2 900 ~ 3 700 m 的亚高山草甸、草原。分布于新疆乌鲁木

齐市及和布克赛尔蒙古自治县、沙湾市、精河县、阜康市、尼勒克县、新源县、昭苏县等。

| **资源情况** | 野生资源一般。药材来源于野生。

| **功能主治** | 苦，寒。清热明目，凉血止血。

十字花科 Cruciferae 离子芥属 Chorispora

具萼离子芥 *Chorispora greigii* Regel

| 药 材 名 |

离子芥（药用部位：全草）。

| 形态特征 |

一年生草本。高 10 ～ 25 cm，自基部分枝，植株近无毛。叶自基部丛生，多数，叶片长椭圆形，羽状半裂至深裂，两侧裂片常交错排列，近长卵形，全缘或有疏齿，基部具柄；茎生叶少数，与基生叶同形而渐小。总状花序最长达 30 cm，花疏松排列；花梗纤细，结果时延长并增粗；萼片宽披针形或披针形，长 7 ～ 8 mm，宽 1 ～ 2 mm，内轮 2 萼片较大，基部呈囊状，边缘白色，膜质，背面被疏毛；花瓣紫色至紫红色，宽倒卵形，长 17 ～ 18 mm，先端凹缺，基部具长爪，脉纹明显。长角果念珠状，长 2 ～ 3 cm，先端具细喙；喙长 5 ～ 10 mm，基部具柄，长 2 ～ 4（～ 5）cm；种子褐色，椭圆形，子叶缘倚胚根。花果期 6 ～ 7 月。

| 生境分布 |

生于海拔 2 000 m 左右的山地草甸、山地荒漠草原。分布于新疆昭苏县、轮台县等。

| **资源情况** | 野生资源较少。药材来源于野生。

| **功能主治** | 苦，寒。清热明目，凉血止血。

十字花科 Cruciferae 离子芥属 Chorispora

西伯利亚离子芥

Chorispora sibirica (L.) DC.

| 药 材 名 | 离子芥（药用部位：全草）。

| 形态特征 | 一年生至多年生草本。高 8 ~ 30 cm，多自基部分枝，植株被稀疏单毛及腺毛。基生叶丛生，叶片披针形至椭圆形，长 2.5 ~ 10 cm，宽 1 ~ 2 cm，边缘羽状深裂至全裂，基部具柄，长 0.5 ~ 4 cm；茎生叶互生，与基生叶同形，向上渐小。总状花序顶生，花后延长；萼片长椭圆形，长 4 ~ 6 mm，边缘白色，膜质，背面具疏毛；花瓣鲜黄色，近圆形至宽卵形，长 8 ~ 12 mm，宽 2 ~ 5 mm，具脉纹，先端微凹，基部具爪。长角果圆柱形，长 1.5 ~ 2.5 cm，微向上弯曲，在种子间紧缢，呈念珠状，先端具喙；喙长 5 ~ 10 mm，与果实先端有明显界限；果柄较细，长 8 ~ 12 mm，具腺毛；种子小，宽椭

圆形而扁，褐色，无膜质边缘，子叶缘倚胚根。花果期 4 ~ 8 月。

| 生境分布 | 生于海拔 750 ~ 1 900 m 的草原地带的草原及农田撂荒地。分布于新疆哈密市及温泉县、和静县、和布克赛尔蒙古自治县、塔城市、托里县、新源县、昭苏县、巩留县、喀什市等。

| 资源情况 | 野生资源较丰富。药材来源于野生。

| 功能主治 | 苦，寒。清热明目，凉血止血。

十字花科 Cruciferae 离子芥属 Chorispora

准噶尔离子芥

Chorispora songarica Schrenk

| 药 材 名 |

离子芥（药用部位：全草）。

| 形态特征 |

一年生至多年生草本。植株具单毛、腺毛或近无毛。茎直立或近直立至开展，多数从基部分枝，茎有时短缩。叶片羽状深裂或具浅齿，有柄；茎上部的叶近无柄，多数在基部簇生。总状花序在果轴上疏展或为具单花的花葶；萼片直立，内轮 2 萼片基部呈囊状；花瓣紫色、紫红色或黄色，有时带白色，先端微凹或钝圆，基部具长爪；雄蕊 6，花丝无附属物；侧蜜腺圆锥形或半环状，中蜜腺缺。长角果近圆柱形，种子间收缩，呈念珠状或具横节，通常断裂，稀不整齐开裂，先端具喙；种子每室 1 行，椭圆形，无膜质边缘，子叶缘倚胚根。

| 生境分布 |

生于海拔 2 000 m 的草原带的草原、山坡。分布于新疆温泉县、和静县等。

| 资源情况 |

野生资源一般。药材来源于野生。

| **功能主治** | 苦，寒。清热明目，凉血止血。

十字花科 Cruciferae 离子芥属 Chorispora

离子芥

Chorispora tenella (Pall.) DC.

| 药 材 名 | 离子草（药用部位：全草）。

| 形态特征 | 一年生草本。高 5 ~ 30 cm，植株具稀疏单毛和腺毛。根纤细，侧根很少。基生叶丛生，宽披针形，长 3 ~ 8 cm，宽 5 ~ 15 mm，边缘具疏齿或羽状分裂；茎生叶披针形，较基生叶小，长 2 ~ 4 cm，宽 3 ~ 10 mm，边缘具数对凹波状浅齿或近全缘。总状花序疏展，果期延长，花淡紫色或淡蓝色；萼片披针形，长约 0.5 mm，宽不足 1 mm，具白色的膜质边缘；花瓣长 7 ~ 10 mm，宽约 1 mm，先端钝圆，下部具细爪。长角果圆柱形，长 1.5 ~ 3 cm，略向上弯曲，具横节；喙长 1 ~ 1.5 cm，向上渐尖，与果实先端的界限不明显；果柄长 3 ~ 4 mm，与果实近等粗；种子长椭圆形，褐色，子叶缘倚胚根。花果期 4 ~ 8 月。

| 生境分布 | 生于海拔 700 ～ 2 200 m 的农林区。分布于新疆呼图壁县、奎屯市、昌吉市、沙湾市、托里县、玛纳斯县、阿勒泰市、特克斯县等。

| 资源情况 | 野生资源较丰富。药材来源于野生。

| 采收加工 | 春季采收，除去泥土，晾干。

| 功能主治 | 苦，寒。清热解毒，凉血明目，消炎利水，发汗解毒，止咳，止血。

十字花科 Cruciferae 播娘蒿属 Descurainia

播娘蒿

Descurainia sophia (L.) Webb ex Prantl

| 药 材 名 | 苦葶苈（药用部位：种子）。

| 形态特征 | 一年生草本。高 20 ~ 80 cm，有毛或无毛，毛为叉状毛，以下部茎生叶的毛为多，向上渐少。茎直立，分枝多，常于下部呈淡紫色。叶 3 回羽状深裂，长 2 ~ 12（~ 15）cm，末端裂片条形或长圆形，裂片长（2 ~）3 ~ 5（~ 10）mm，宽 0.8 ~ 1.5（~ 2）mm；下部叶具柄；上部叶无柄。花序伞房状，果期伸长；萼片直立，早落，长圆状条形，背面有分叉的细柔毛；花瓣黄色，长圆状倒卵形，长 2 ~ 2.5 mm，有时稍短于萼片，具爪；雄蕊 6，比花瓣长 1/3。长角果圆筒状，长 2.5 ~ 3 cm，宽约 1 mm，无毛，稍内曲，与果柄不成 1 直线；果瓣中脉明显；果柄长 1 ~ 2 cm；种子每室 1 行，形小，多

数，长圆形，长约 1 mm，稍扁，淡红褐色，表面有细网纹。花期 4 ~ 5 月。

| 生境分布 | 生于海拔 500 ~ 1 500 m 的农业区农田及低海拔的草甸。分布于新疆乌鲁木齐市及昭苏县、阿勒泰市、富蕴县、塔城市、博乐市、霍城县、伊宁市、特克斯县、新源县、巩留县、奎屯市、沙湾市、石河子市、玛纳斯县、昌吉市、阜康市、奇台县、和静县、阿克苏市等。

| 资源情况 | 野生资源较丰富。药材来源于野生。

| 采收加工 | 夏季果实成熟时采收植株，晒干，打下种子，簸去杂质。

| 功能主治 | 辛、苦，大寒。清热明目，凉血止血，强心利尿，消肿，祛痰定喘，顺气。用于气淋，劳淋，疥癣。

| 用法用量 | 内服煎汤，6 ~ 10 g；或入丸、散剂。

十字花科 Cruciferae 线果芥属 Conringia

线果芥

Conringia planibiliqua Fisch. & C. A. Mey.

| 药 材 名 |

线果芥（药用部位：全草）。

| 形态特征 |

一年生草本。基生叶及茎下部叶倒卵形，长3 ~ 10 cm，宽1 ~ 3 cm，先端渐尖，有小尖，全缘或具不显明齿；上部叶长圆状卵形，长2 ~ 4 cm，宽7 ~ 10 mm，基部心形，耳状抱茎。总状花序伞房状，果期伸长，花直径约5 mm；花梗长，5 ~ 10 mm；萼片线形，长约3 mm；花瓣白色或带黄色，有紫色条纹，长圆形，长约5 mm，先端圆钝，基部成长爪；花柱极短，长约1 mm。长角果线形，长5 ~ 8 cm，压扁；果瓣的中脉仅在下部明显；果柄长10 ~ 12 mm；种子长圆状椭圆形，长约1.5 mm。花果期5 ~ 6 月。

| 生境分布 |

生于海拔900 ~ 1 000 m的草原带较潮湿处。分布于新疆乌鲁木齐市及尼勒克县等。

| 资源情况 |

野生资源一般。药材来源于野生。

| **功能主治** | 苦，寒。清热明目，凉血止血。

十字花科 Cruciferae 花旗杆属 *Dontostemon*

白毛花旗杆 *Dontostemon Senilis* Maxim.

| **药 材 名** | 花旗竿（药用部位：全草）。

| **形态特征** | 多年生草本。高达 25 cm。茎直立或上升，基部和上部均分枝，稀不分枝，基部木质化。中部茎生叶无柄，线形，长 1.5 ～ 3 cm，先端钝或尖，基部渐窄，全缘。萼片长圆形，长 3 ～ 3.5 mm，常被毛；花瓣淡紫色，倒卵形，长 6 ～ 8.5 mm，先端圆，基部爪长 3 ～ 3.5 mm；长雄蕊花丝长 4 ～ 5 mm，合生，短雄蕊花丝长 2 ～ 2.5 mm，花药长圆形，具细尖头；子房有 20 ～ 40 胚珠，宿存花柱长 1 ～ 3 mm，柱头稍 2 裂。长角果念珠状，长 3 ～ 5 cm，无毛，直立、上升或开展；果瓣扁平，中脉凸出；果柄开展，直立，长 3 ～ 5 mm，无毛或有疏毛；种子长圆形，长 1.5 ～ 2.5 mm，具边或窄翅，子叶

缘倚胚根。花期 5 ~ 8 月。

| **生境分布** | 生于海拔 350 ~ 2 100 m 的荒漠地带的石质干旱山坡。分布于新疆伊吾县等。

| **资源情况** | 野生资源较少。药材来源于野生。

| **采收加工** | 夏、秋季时采收，晒干，除去杂质。

| **功能主治** | 苦，寒。清热解毒，利尿。用于肾炎，尿道炎，水肿等。

| **用法用量** | 内服煎汤，10 ~ 15 g。

阿尔泰葶苈 *Draba altaica* (C. A. Mey.) Bunge

| 药 材 名 | 葶苈（药用部位：种子）。

| 形态特征 | 多年生丛生草本。高 2 ~ 7（~ 15）cm。根茎分枝多，密集，基部密具干膜质的纤维状枯叶，有光泽，上部簇生莲座状叶。花茎单一或有 1 侧枝，直立，大多具 1 ~ 2 叶，很少无叶，被长单毛、有柄叉状毛及星状分枝毛。基生叶披针形或长圆形，长 6 ~ 20 mm，宽 1 ~ 2 mm，先端渐尖，全缘或两缘各有 1 ~ 2 锯齿，基部渐窄，两面被长而硬的单毛、叉状毛，混生星状毛及分枝毛；茎生叶无柄，披针形，全缘或有 1 ~ 2 锯齿。总状花序有花 8 ~ 15，密集成头状，下面 1 ~ 2 花有时具叶状苞片；萼片长椭圆形，长 1 ~ 2 mm；花瓣白色，长倒卵状楔形，先端微凹，长 2 ~ 2.5 mm。短角果聚生成近

伞房状，椭圆形、长椭圆形或卵形，长 3 ~ 6 mm，宽 1.5 ~ 2 mm，无毛，稀有短单毛或 2 叉毛；果瓣扁平或有槽纹；种子褐色。花期 6 ~ 7 月。

| **生境分布** | 生于海拔 2 000 ~ 5 300 m 的山坡岩石边、山顶碎石上、阴坡草甸、山坡砂砾地。分布于新疆博尔塔拉蒙古自治州（博乐市、精河县、温泉县）、吉木萨尔县、乌鲁木齐市、昌吉市、和静县、策勒县、皮山县、和田市等。

| **资源情况** | 野生资源较丰富。药材来源于野生。

| **采收加工** | 一般在 4 月底至 5 月上旬采收全株，暴晒 1 ~ 2 日，待果实干后放入打谷桶或大簸箕内，用手搓揉或脚踩脱粒，除去杂质，将种子晒至全干，扬净。

| **功能主治** | 辛、苦，寒。泻肺平喘，行水消肿。用于痰涎壅肺，喘咳痰多，胸胁胀满，不得平卧，胸腹水肿，小便不利，肺原性心脏病水肿。

| **用法用量** | 内服煎汤，3 ~ 10 g。

十字花科 Cruciferae 葶苈属 Draba

毛葶苈
Draba eriopoda Turcz. ex Ledeb.

| 药 材 名 | 葶苈（药用部位：种子）。

| 形态特征 | 越冬二年生草本。高 6 ~ 40（~ 69）cm。茎直立，单一或有近直立的分枝，密被长约 1 mm 的单毛、叉状毛或星状毛，毛灰白色，常达花序梗。基生叶莲座状，披针形，先端渐尖，基部窄，全缘；茎生叶通常 14，下部的叶长卵形，上部的叶卵形，先端渐尖，基部宽，两缘各有 1 ~ 4 锯齿，上面的毛多为单毛、叉状毛，下面的毛为单毛、叉状毛和星状毛，无柄或近抱茎。总状花序有 20 ~ 50 花，密集成伞房状，花后明显，疏松；小花梗长 2 ~ 5 mm；萼片椭圆形或卵形，长约 2 mm，先端钝，背面有毛；花瓣金黄色，倒卵形，长 3 ~ 4 mm，先端微凹，基部爪短缩；雄蕊 1.8 ~ 2 mm，花药卵形；

雌蕊卵形，无毛，柱头小，花柱不发育。短角果卵形或长卵形，长 5 ~ 10 mm，宽 2.5 ~ 3 mm；果瓣薄；果柄长 3 ~ 8 mm，与果序轴成近直角开展；种子卵形，褐色。花果期 7 ~ 8 月。

| 生境分布 | 生于海拔 1 900 ~ 4 000 m 的草原带到高山草甸、垫状植被的阴湿山坡、河谷草滩。分布于新疆沙湾市、奇台县等。

| 资源情况 | 野生资源一般。药材来源于野生。

| 采收加工 | 夏季果实成熟时采收全草，晒干，打下种子，筛净杂质。

| 功能主治 | 苦、辛，寒。清热明目，凉血止血。用于痰涎壅滞，肺热咳喘，水肿，胸腹积水，小便不利，哮喘。

| 用法用量 | 内服煎汤，6 ~ 9 g。

十字花科 Cruciferae 葶苈属 *Draba*

苞序葶苈 *Draba ladyginii* Pohle

| 药 材 名 | 葶苈（药用部位：种子）。

| 形态特征 | 多年生丛生草本。高 10 ~ 30 cm。根茎分枝多，基部宿存纤维状枯叶，上部簇生莲座状叶；茎直立，单一或在上部分枝，密被叉状毛、星状毛或单毛。基生叶椭圆状披针形，长 1 ~ 1.5 cm，宽 2 ~ 2.7 mm，先端钝或渐尖，基部渐窄，全缘或每缘各有 1 锯齿，密生单毛和星状毛；茎生叶卵形或长卵形，长 4 ~ 16 mm，宽 3 ~ 4 mm，先端急尖，基部宽，无柄，每缘各有 1 ~ 3 锯齿，有单毛、星状毛或分枝毛。总状花序下部数花，具叶状苞片；花瓣白色或淡黄色，倒卵形，长约 3 mm，基部楔形，先端微凹；雄蕊长 1.8 ~ 2 mm；子房条形，无毛，花柱长 0.5 ~ 1 mm。短角果条形，长 7 ~ 12 mm，宽约 1.2 mm，无毛，

直或扭转；果柄与果序轴成直角，向上开展；种子褐色，椭圆形。花期 5 ~ 6 月，果期 7 ~ 8 月。

| **生境分布** | 生于海拔 2 900 ~ 3 000 m 的高山草原及垫状植被带。分布于新疆奇台县、昭苏县等。

| **资源情况** | 野生资源一般。药材来源于野生。

| **采收加工** | 夏季果实成熟时采收割取全草，晒干，打下种子，筛净杂质。

| **功能主治** | 苦，寒。清热明目，凉血止血，消炎，祛痰平喘。用于食物中毒。

| **用法用量** | 内服煎汤，3 ~ 10 g。

十字花科 Cruciferae 葶苈属 *Draba*

锥果葶苈
Draba lanceolata Royle

| **药 材 名** | 葶苈（药用部位：种子）。

| **形态特征** | 二年生或多年生丛生草本。高 6 ~ 35 cm。茎单一或分枝，直立，密生小分枝毛。基生叶呈莲座状丛生，狭披针形或倒披针形，长 1 ~ 2 cm，宽 3 ~ 5 mm，先端渐尖，基部狭缩，边缘有锯齿或全缘；茎生叶疏生，长卵形或宽披针形，先端渐尖，边缘有 1 ~ 4 锯齿或近全缘，无柄；全部叶密生短星状毛及分枝毛，边缘有时具单毛、分枝毛。总状花序有花 10 ~ 40，密集，结实时呈辫状伸长；小花梗短，密生分枝毛及星状毛；萼片长椭圆形，背面密生单毛、分枝毛；花瓣白色，倒卵状楔形，长 3 ~ 4 mm。短角果长圆状披针形，长 6 ~ 12 mm，宽 1.5 mm，向上开展，贴近花序轴，呈辫状排列，

紧密；果瓣密生分枝毛和星状毛；果柄较短；种子棕色。花期 6 ～ 7 月。

| **生境分布** | 生于海拔 1 100 ～ 2 100 m 的山地草甸、林缘的山坡。分布于新疆乌鲁木齐市及和静县、阿勒泰市、布尔津县、沙湾市、阜康市、奇台县等。

| **资源情况** | 野生资源较丰富。药材来源于野生。

| **采收加工** | 夏季果实成熟时采收全草，晒干，打下种子，筛净杂质。

| **功能主治** | 辛、苦，寒。泻肺平喘，行水消肿。用于痰涎壅肺，喘咳痰多，胸胁胀满，不得平卧，胸腹水肿，小便不利，肺原性心脏病水肿。

| **用法用量** | 内服煎汤，3 ～ 10 g。

十字花科 Cruciferae 葶苈属 *Draba*

葶苈
Draba nemorosa L.

| 药 材 名 | 葶苈（药用部位：种子）。

| 形态特征 | 一年生或二年生草本。高达 45 cm。茎直立，单一或分枝，被单毛、叉状毛和分枝毛，上部毛渐稀疏或无毛。莲座状基生叶长倒卵形，边缘疏生细齿或近全缘；茎生叶长卵形或卵形，先端尖，基部楔形或圆形，边缘有细齿，被单毛、叉状毛和星状毛。总状花序有 25 ~ 90 花，呈伞房状；萼片椭圆形；花瓣黄色，花后白色，倒楔形，长约 2 mm，先端凹；花药短心形；子房密生单毛，花柱几不发育，柱头小。短角果长圆形或长椭圆形，长 0.5 ~ 1 cm，被短单毛或无毛；种子椭圆形，褐色，有小疣。

| 生境分布 | 生于海拔 1 000 ~ 2 000 m 的森林带的林缘、灌丛、草地与河谷湿地。

分布于新疆阿勒泰地区，以及天山山脉等。

| **资源情况** | 野生资源较丰富。药材来源于野生。

| **采收加工** | 夏季果实成熟时采收全草，晒干，打下种子，筛净杂质。

| **功能主治** | 辛、苦，大寒。利水止喘，祛痰清热。用于水肿结气，膀胱留热，喘促，痰厥。

| **用法用量** | 内服煎汤，3 ～ 10 g。

十字花科 Cruciferae 葶苈属 Draba

喜山葶苈
Draba oreades Schrenk

| 药 材 名 | 葶苈（药用部位：全草）。

| 形态特征 | 多年生草本。高 2 ~ 10 cm。根茎分枝多。下部有鳞片状枯叶；上部叶丛生，呈莲座状，有时互生，叶片长圆形至倒披针形，长 6 ~ 25 mm，宽 2 ~ 4 mm，先端渐钝，基部楔形，全缘，有时具锯齿，下面和叶缘有单毛、叉状毛或少量不规则分枝毛，上面有时近无毛。花茎高 5 ~ 8 cm，无叶或有 1 叶，密生长单毛、叉状毛。总状花序密集成近头状，结实时疏松，但不伸长；小花梗长 1 ~ 2 mm；萼片长卵形，背面有单毛；花瓣黄色，倒卵形，长 3 ~ 5 mm；花柱长约 0.5 mm。短角果短，宽卵形，长 4 ~ 6 mm，宽 3 ~ 4 mm，先端渐尖，基部圆钝，无毛；果瓣不平；种子卵圆形，褐色。花期 6 ~ 8 月。

| **生境分布** | 生于海拔 3 000 ～ 5 000 m 的高山岩石边及高山砾石沟边的裂缝中。分布于新疆乌鲁木齐市及和静县、沙湾市、塔城市尼勒克县、新源县、玛纳斯县、奇台县、塔什库尔干塔吉克自治县、皮山县、和田县温宿县、阿克苏市、博乐市等。

| **资源情况** | 野生资源丰富。药材来源于野生。

| **采收加工** | 秋季采收，洗净，鲜用或晒干。

| **功能主治** | 苦，寒。清热明目，凉血止血，利水止喘，祛痰。消积，导滞，行气除胀，助消化，消炎，解肉食中毒。用于中焦气机不畅，腹胀，食滞胃脘，嗳腐吞酸，腹泻。

| **用法用量** | 内服煎汤，6 ～ 12 g。

十字花科 Cruciferae 葶苈属 Draba

小花葶苈 *Draba parviflora* (Regel) O. E. Schulz

| 药 材 名 | 葶苈（药用部位：全草）。

| 形态特征 | 多年生丛生草本。高 5 ~ 24 cm。根茎分枝多，短，密集，基部宿存鳞片状枯叶，上部簇生莲座状叶；茎单一，密被单毛、叉状毛和分枝毛，毛灰白色，有 3 ~ 8 叶。基生叶披针形，长 10 ~ 15 mm，宽 1 ~ 3 mm，全缘或每缘有 1 ~ 2 细齿，先端渐尖或钝，基部渐窄成柄，密被单毛、叉状毛及分枝毛；茎生叶长卵形或长椭圆形，每缘有不等的锯齿 1 ~ 3，先端渐尖，基部无柄，被与基生叶相同的毛。总状花序有 6 ~ 20 花，花小；萼片长椭圆形，长 2 ~ 2.2 mm，有单毛；花瓣白色，长倒卵形，长 3 ~ 4 mm；花柱短。短角果椭圆状披针形，长 8 ~ 11 mm，宽约 2 mm；果柄短，近直立，向先端伸展，

排列紧密。花果期 6 ~ 8 月。

| **生境分布** | 生于海拔 2 650 ~ 4 100 m 的山脚石隙中、山谷湿地、流水沟边。分布于新疆温泉县、阜康市等。

| **资源情况** | 野生资源一般。药材来源于野生。

| **采收加工** | 秋季采收，洗净，鲜用或晒干。

| **功能主治** | 苦，寒。清热明目，凉血止血，利水，镇咳祛痰，泻肺平喘，利湿消肿。

| **用法用量** | 内服煎汤，3 ~ 10 g。

十字花科 Cruciferae 葶苈属 Draba

库页岛葶苈 *Draba sachalinensis* (Schmidt) Trautv.

| **药材名** | 葶苈（药用部位：种子）。

| **形态特征** | 多年生草本。高（5 ~ ）10 ~ 14 cm。地上有匍匐的根枝茎，根状茎分枝，形成不育枝与花枝，老根状茎上常有宿存的枯叶柄。不育枝短，长 3 ~ 4 cm，节间长，叶簇生顶端，被近"丁"字形的 3 叉毛及少数的分枝毛与单毛；花葶仅基部有叶，中上部无叶，被白色单毛，毛向上渐小，下部混有小的分枝毛。叶椭圆状披针形，长 7 ~ 18 mm，宽 2 ~ 4.5 mm，先端急尖或钝，基部渐窄成带翅的柄，背面被稀疏较大的"丁"字毛，于边缘尤密。花序花时伞房状，果时伸长成总状；花梗长 5 ~ 7 mm，萼片长圆形，长 2 ~ 2.3 mm，内轮略宽于外轮；花瓣黄色，长圆状倒卵形，长约 4.2 mm，宽约

3 mm，先端钝圆，基部宽楔形；雄蕊花丝长约 2 mm，基部变宽，花药矩圆形，长 0.4 ~ 0.5 mm。果柄斜展开，长 6 ~ 10 mm；短角果椭圆形，长 4 ~ 6 mm，宽 2.2 ~ 3 mm，微膨胀；果瓣薄，中脉清楚，两端钝。种子椭圆形，长约 1 mm，黄褐色，种脐端色深。花期 6 ~ 7 月。

| 生境分布 | 生于山地林缘。分布于新疆哈巴河县、青河县、布尔津县、阿勒泰市、额敏县、裕民县等。

| 资源情况 | 野生资源一般。药材来源于野生。

| 采收加工 | 夏季果实成熟时采收全草，晒干，打下种子，筛净杂质。

| 功能主治 | 苦，寒。泻肺平喘，行水消肿。用于痰涎壅肺，喘咳痰多，胸胁胀满，不得平卧，胸腹水肿，小便不利，肺原性心脏病水肿。

| 用法用量 | 内服煎汤，3 ~ 10 g。

十字花科 Cruciferae 葶苈属 Draba

西伯利亚葶苈 *Draba sibirica* (Pall.) Thell.

| **药 材 名** | 葶苈（药用部位：全草）。

| **形态特征** | 多年生草本。主根细；根茎长 7 ～ 8 cm，下部宿存稀疏的枯叶，成
纤维状的鳞片，禾秆色。基生叶近莲座状；上部叶互生。花茎从旁抽
出，向上生长，高 8 ～ 18 cm，结实时可达 25 cm，无叶，疏生单毛。
叶披针形或长椭圆形，长 8 ～ 27 mm，宽 3 ～ 7 mm，全缘，先端渐尖，
基部缩窄，疏生紧贴叶面的单毛或叉状毛，有时无毛。总状花序有
花 6 ～ 15，密集成头状，结实时明显伸长；小花梗细，无毛，开花
时偏离花序轴；花大，萼片卵形，无毛或稍有单毛；花瓣黄色，瓣
脉色稍深，长倒卵状楔形，长 4 ～ 6 mm，先端微凹；雄蕊长约 2.5 mm，
花药心形，花丝基部扩大；雌蕊瓶状，花柱细，长约 1 mm。短角果

卵状披针形，长 4 ～ 8 mm，扁平，稍向内弯，无毛；果柄长 10 ～ 12 mm，近直角开展。花果期 5 ～ 7 月。

| **生境分布** | 生于海拔 2 650 ～ 2 900 m 的高寒荒漠、亚高山草甸带山坡。分布于新疆阿勒泰市、乌恰县、裕民县等。

| **资源情况** | 野生资源一般。药材来源于野生。

| **采收加工** | 秋季采收，洗净，鲜用或晒干。

| **功能主治** | 苦，寒。清热明目，凉血止血。用于浮肿，咳逆，喘鸣，胸膜炎，痰饮，咳喘，胀满，肺痈，小便不利等。

| **用法用量** | 内服煎汤，3 ～ 10 g。

十字花科 Cruciferae 葶苈属 Draba

狭果葶苈 Draba stenocarpa Hook. f. & Thomson

| 药 材 名 | 葶苈（药用部位：全草）。

| 形态特征 | 一年生或二年生草本。高 4 ~ 40 cm。茎直立或稍弯，单一或分枝，绿色或略带紫色，下部常密生叉状毛、星状毛和分枝毛，有叶 1 ~ 8 或稍多。基生叶莲座状，长椭圆形或倒卵形，先端稍尖，基部缩窄成柄，全缘或有 1 ~ 3 锯齿；茎生叶披针形或长卵形，长约 17 mm，宽 7 ~ 10 mm，先端渐尖，基部无柄，两缘有 1 ~ 3 锯齿，上面密生单毛，下面混生分枝毛、星状毛和叉状毛。总状花序有花 10 ~ 60，成伞房状，开花时疏松，果时明显伸长；萼片长椭圆形，长约 2 mm，背面有单毛或星状毛；花瓣黄色或淡白色，倒楔形或匙形，长 3.5 ~ 4 mm，先端微凹；雄蕊长 2 ~ 2.2 mm，花药近四方形；雌蕊长圆形或条形，

子房有毛，花柱几乎不发育。短角果条状，长 7 ~ 19 mm，宽约 2 mm，先端稍钝；果瓣薄，有毛；果柄长 3 ~ 7 mm；种子卵形，褐色。花期 6 月。

| **生境分布** | 生于海拔 2 700 ~ 5 000 m 的高山草原、草甸、森林的林缘。分布于新疆阜康市等。

| **资源情况** | 野生资源较少。药材来源于野生。

| **采收加工** | 秋季采收，洗净，鲜用或晒干。

| **功能主治** | 苦，寒。清热明目，凉血止血。用于浮肿，咳逆，喘鸣，胸膜炎，痰饮，咳喘，胀满，肺痈，小便不利等。

| **用法用量** | 内服煎汤，3 ~ 10 g。

十字花科 Cruciferae 葶苈属 Draba

微柱葶苈 *Draba turczaninowii* Pohle & N. Busch

| 药 材 名 | 葶苈（药用部位：种子）。

| 形态特征 | 多年生草本。高 8 ~ 14 cm。根状茎分枝，被宿存的鳞片状叶柄，上部有莲座状叶丛。草葶直立或稍弯曲，单一或数个生于莲座状叶丛，具 1 ~ 3 叶，被稀疏的小星状毛、分枝毛，向上毛更稀，花序轴无毛。基生叶椭圆形或倒披针形，长 1 ~ 15 mm，先端极尖，基部渐窄，全缘或有小数小齿，上面无毛被稀疏较长的单毛及较长的分枝毛，背面有较密的、较短的星状毛、分枝毛和叉状毛；茎生叶椭圆形，长 8 ~ 14 mm，宽 2 ~ 4 mm，先端急尖，基部无柄，全缘，两面被小星状毛，以先端毛长。花序花时伞房状，果时伸长成总状；花梗无毛；萼片长圆状卵形，略被单毛与分叉毛；花瓣白色，长圆

状卵形，长 3 ~ 3.5 mm，有时前端稍缺。果柄长 2 ~ 4 mm，斜向上，角果于其末端内弯或直；角果披针状长椭圆形，长 6 ~ 9 mm，宽 2 ~ 2.5 mm，果瓣两端渐尖，于种子处略鼓起，无毛；花柱长 0.3 mm。种子橘褐色，椭圆形，长约 1 mm。花期 7 月。

| **生境分布** | 生于海拔 2 600 ~ 3 700 m 的高寒荒漠、高山草甸。分布于新疆乌鲁木齐市及沙湾市、塔什库尔干塔吉克自治县、昭苏县等。

| **资源情况** | 野生资源一般。药材来源于野生。

| **采收加工** | 夏季果实成熟时采收全草，晒干，打下种子，筛净杂质。

| **功能主治** | 苦，寒。泻肺平喘，行水消肿。用于痰涎壅肺，喘咳痰多，胸胁胀满，不得平卧，胸腹水肿，小便不利，肺原性心脏病水肿。

| **用法用量** | 内服煎汤，3 ~ 10 g。

芝麻菜 *Eruca sativa* Mill.

| **药 材 名** | 芝麻菜（药用部位：种子）。

| **形态特征** | 一年生草本。高 20 ~ 90 cm。茎直立，上部常分枝，疏生硬长毛或近无毛。基生叶及下部叶大头羽状分裂或不裂，长 4 ~ 7 cm，宽 2 ~ 3 cm，顶裂片近圆形或短卵形，有细齿，侧裂片卵形或三角状卵形，全缘，仅下面脉上疏生柔毛；叶柄长 2 ~ 4 cm；上部叶无柄，具 1 ~ 3 对裂片，顶裂片卵形，侧裂片长圆形。总状花序具多数疏生的花，花直径 1 ~ 1.5 cm；花梗长 2 ~ 3 mm，具长柔毛；萼片长圆形，长 8 ~ 10 mm，带棕紫色，外面有蛛丝状长柔毛；花瓣黄色，后变白色，有紫纹，短倒卵形，长 1.5 ~ 2 cm，基部有窄线形长爪。长角果圆柱形，长 2 ~ 3 cm；果瓣无毛，有一隆起的中脉；喙剑形，

扁平，长 5 ~ 9 mm，先端尖，有 5 纵脉；果柄长 2 ~ 3 mm；种子近球形或卵形，直径 1.5 ~ 2 mm，棕色，有棱角。花期 5 ~ 6 月，果期 7 ~ 8 月。

| 生境分布 | 生于海拔 200 ~ 1 200 m 的草原地带的路边、山坡以及农田。分布于新疆乌鲁木齐市、吐鲁番市及阿勒泰市、塔城市、托里县、伊宁县、特克斯县、新源县、巩留县、沙湾市、石河子市、玛纳斯县、和静县、和田市、英吉沙县等。

| 资源情况 | 野生资源一般。药材来源于野生。

| 采收加工 | 4 ~ 6 月种子成熟时采收全草，晒干，打出种子，扬净果壳、灰渣。

| 功能主治 | 辛、苦，寒。清热明目，凉血止血，利尿逐水，降气利肺，定喘化咳。用于痰壅喘咳，水肿，腹水，肺痈，痰饮。

| 用法用量 | 内服煎汤，6 ~ 12 g；或入丸、散剂。

十字花科 Cruciferae 糖芥属 Erysimum

小花糖芥
Erysimum cheiranthoides L.

| 药 材 名 | 糖芥（药用部位：全草）。

| 形态特征 | 一年生草本。茎有棱角，具2叉毛。基生叶莲座状，无柄，平铺于地面，叶片长（1～）2～4 cm，宽1～4 mm，有2～3叉毛；叶柄长7～20 mm；茎生叶披针形或线形，长2～6 cm，宽3～9 mm，先端急尖，基部楔形，边缘具深波状疏齿或近全缘，两面具3叉毛。总状花序顶生，果期长达17 cm；萼片长圆形或线形，长2～3 mm，外面有3叉毛；花瓣浅黄色，长圆形，长4～5 mm，先端圆形或截形，下部具爪；花柱长约1 mm，柱头头状。长角果圆柱形，长2～4 cm，宽约1 mm，侧扁，稍有棱，具3叉毛；果瓣有一不明显的中脉；果柄粗，长4～6 mm；种子每室1行，卵形，长约1 mm，淡褐色。

花期 5 月，果期 6 月。

| **生境分布** | 生于海拔 500 ～ 2 000 m 的荒漠带、草原带、森林带的山坡、山谷、路旁及村旁荒地。分布于新疆塔城地区、伊犁哈萨克自治州、乌鲁木齐市及奇台县等。

| **资源情况** | 野生资源较丰富。药材来源于野生。

| **采收加工** | 4 ～ 5 月花盛期采收全草，晒干。

| **功能主治** | 辛、苦，寒。强心健体。用于心力衰竭，心悸，浮肿，脾胃不和，食积不化。

| **用法用量** | 内服煎汤，6 ～ 9 g。

阿尔泰糖芥

Erysimum flavum Kitag. subsp. *altaicum* (C. A. Mey.) Polozhij ex Doronkin

| 药 材 名 | 糖芥（药用部位：种子）。

| 形态特征 | 多年生草本。高 30 ～ 40 cm。茎直立，作波状弯曲，自基部分枝，有叶柄下延所成之棱，被 "丁" 字毛，杂有少数 3 叉 "丁" 字毛，基部有宿存的枯叶柄。基生叶窄披针状条形，长 5 ～ 12 cm，宽 1.5 ～ 3 mm，先端渐尖，基部渐窄并下延于叶柄成很窄的翅，柄长 5 ～ 7 cm，被 "丁" 字毛；茎生叶同形而渐短，长 1 ～ 3 cm。花序花时伞房状，果时极为伸长成总状；花梗长 1.5 ～ 2 mm；萼片倒卵状长圆形，长 7 ～ 8 mm，外轮略窄于内轮，边缘膜质，外轮先端略作兜状，内轮基部囊状；花瓣黄色，长约 1.5 cm，瓣片卵状广圆形，宽

约 6 mm，先端圆，基部突窄成楔形的爪；雄蕊短花丝扁，长约 4 mm，长花丝窄条状披针形，长约 8 mm，花药窄长圆形，长约 2 mm。果柄长 2 ~ 4 mm，斜展开。长角果呈扁压的四棱形，长 3 ~ 8 cm，宽约 2 mm，果瓣中脉鼓起，两端钝，于种子间略下凹；假隔膜薄，膜质，中脉清楚。种皮橘黄色，种子长圆形，长 2 ~ 2.8 mm，种脐端色深。果期 7 ~ 8 月。

| **生境分布** | 生于海拔 3 000 m 的高山草甸。分布于新疆新源县等。

| **资源情况** | 野生资源较少。药材来源于野生。

| **采收加工** | 7 ~ 9 月果实成熟时采收全株，晒干，打下种子，扬净。

| **功能主治** | 苦、辛，寒。清血热，镇咳，强心。用于虚劳发热，肺结核咳嗽。

十字花科 Cruciferae 糖芥属 Erysimum

山柳菊叶糖芥

Erysimum hieraciifolium L.

| 药 材 名 |

糖芥（药用部位：全草）。

| 形态特征 |

二年生草本。高 20 ~ 90 cm。茎直立，单一，无分枝，具 3 叉毛，杂有丁字毛。基生叶披针形或倒披针形，花期枯落；茎生叶长圆状披针形或倒披针形，长 1 ~ 1.5 cm，宽 2 ~ 3 mm，先端圆钝，有小凸尖，基部渐狭，疏生锯齿或近全缘，两面有 3 叉毛及少数 4 叉毛，叶柄长 4 ~ 10 mm，上部叶近无柄或无柄。总状花序顶生；花梗长 3 ~ 4 mm，具 3 叉毛及 2 叉丁字毛；萼片长圆形或近线形，长 3 ~ 4 mm，具 3 叉毛及丁字毛；花瓣浅黄色，倒卵形，长 8 ~ 10 mm，下部爪长约 4 mm；柱头 2 裂。长角果线形，长 4 ~ 6 cm，宽约 1 mm，有 4 棱，棱上有 3 ~ 4 叉毛，肋上近无毛；果柄长 5 ~ 6 mm，直立；种子椭圆形，长 1.5 ~ 2 mm，褐色。花期 6 ~ 7 月，果期 7 ~ 8 月。

| 生境分布 |

生于海拔 1 200 ~ 1 700 m 的森林带及草原带的林缘、河谷草甸。分布于新疆乌鲁木齐市、哈密市及阿勒泰市、布尔津县、和布克赛尔蒙古自治县、塔城市、精河县、新源县、霍城县等。

| **资源情况** | 野生资源丰富，栽培资源较少。药材来源于野生。

| **采收加工** | 秋季采收，洗净，鲜用或晒干。

| **功能主治** | 苦、辛，寒。敛肺止咳。用于虚劳咳嗽。

十字花科 Cruciferae 糖芥属 Erysimum

棱果芥

Erysimum siliculosum (M. Bieb.) DC.

| 药 材 名 |

棱果芥（药用部位：全草）。

| 形态特征 |

二年生草本。茎多分枝，具贴生丁字毛。基生叶窄线形。长 3 ~ 5 mm，宽 1.5 ~ 2 mm，先端急尖或圆钝，基部渐狭，全缘，两面密具灰色、贴生的丁字毛，叶柄长 5 ~ 15 mm；茎生叶丝状，长 5 ~ 20 mm，无柄。总状花序顶生；萼片长圆状线形，长 8 ~ 10 mm，有细毛；花瓣鲜黄色，长圆形，长 13 ~ 20 mm，先端裂至 5 ~ 8 mm，基部渐狭；花柱长 5 ~ 7 mm，伸出花外，柱头 2 裂，裂片长约 1 mm。长角果长圆形，长 6 ~ 10 mm，宽 2.5 ~ 3 mm，有 4 棱，具细的灰白色丁字毛；果瓣有龙骨状突起；果柄长 1.4 ~ 4 mm，有棱角；种子椭圆形，长约 1 mm，红棕色，稍有棱角。

| 生境分布 |

生于海拔 500 ~ 800 m 的沙地或沙丘上。分布于新疆阿勒泰市、阜康市等。

| 资源情况 |

野生资源一般。药材来源于野生。

| **功能主治** | 苦，寒。敛肺止咳。用于虚劳咳嗽。

十字花科 Cruciferae 山萮菜属 Eutrema

全缘叶山萮菜 *Eutrema integrifolium* (DC.) Bunge

| 药 材 名 | 山崳菜（药用部位：全草）。

| 形态特征 | 多年生草本。高 20 ~ 60 cm，无毛。根茎粗，横卧；茎上部分枝。基生叶具柄，长 4 ~ 14 cm，叶片宽圆形、宽卵形或卵形，长 3 ~ 7 cm，宽 2 ~ 2.5 cm，先端钝或微缺，基部心形，全缘或微缺；茎生叶披针形或窄披针形，长 3.5 ~ 5.5 cm，宽 3 ~ 30 mm，先端渐尖，基部渐窄成柄，全缘，下部叶有柄，向上柄渐短至无柄。花序呈紧密的伞房状，果期极伸长；萼片长圆形，淡黄色，常变为紫色，有宽的膜质边缘；花瓣淡黄色，长圆状倒卵形，长 3.5 ~ 4.5 mm，先端钝圆，基部具宽而短的爪。角果纺锤形，长 4 ~ 7 mm，宽 1.5 ~ 2.5 mm，水平展开，末端上翘；种子大，椭圆形至长圆形，暗褐色。花期 5 月。

| **生境分布** | 生于海拔 1 400 ～ 1 600 m 的森林带的山坡、林缘、草甸。分布于新疆霍城县、新源县、巩留县等。

| **资源情况** | 野生资源一般。药材来源于野生。

| **采收加工** | 夏、秋季采收。

| **功能主治** | 辛，寒。止痛，发汗，清血，利尿，用于神经痛，关节炎；外用于皮炎，烫伤等。

十字花科 Cruciferae 四棱荠属 Goldbachia

四棱荠
Goldbachia laevigata (M. Bieb.) DC.

| 药 材 名 | 四棱荠（药用部位：全草）。

| 形态特征 | 一年生草本。高 10 ~ 30 cm。茎由基部分枝，无毛。基生叶矩圆状倒卵形或矩圆形，长 4 ~ 15 cm，宽 5 ~ 20 mm，先端钝，基部渐狭，边缘具波状齿，叶柄扁平，长 5 ~ 20 mm；茎生叶无柄，叶片披针形，先端渐尖，基部箭形，半抱茎，边缘疏具细齿或全缘。花白色带淡紫色脉纹。短角果棒状，长 6 ~ 10 mm，四棱形，表面有网纹；喙三角形；果柄下弯；种子圆柱形，褐色。花期 6 ~ 7 月。

| 生境分布 | 生于农业区的田埂、渠边。分布于新疆乌鲁木齐市及新源县、特克斯县、巩留县、沙湾县、鄯善县、托克逊县、阿克苏市、塔什库尔

干塔吉克自治县等。

| **资源情况** | 野生资源较丰富。药材来源于野生。

| **功能主治** | 苦，寒。清热明目，凉血止血，清肠胃热。

十字花科 Cruciferae 四棱荠属 Goldbachia

螺喙荠
Goldbachia sabulosa (Kar. & Kir.) D. A. German & Al Shehbaz

| **药 材 名** | 螺喙荠（药用部位：全草）。

| **形态特征** | 一年生草本。高 15 ~ 40 cm，无毛或于果期有短柱状乳头状毛。茎直立，自中下部分枝。叶无柄，叶片长圆状条形，长 2 ~ 5 cm，宽 1 ~ 6 mm，先端急尖，基生叶与下部茎生叶有程度不等的波状齿，有的齿宽，宽齿上覆有 2 ~ 4 微齿，上部时全缘或具微齿。花序花时伞房状，果时伸长成总状；花小，花梗丝状；萼片长圆状倒卵形，长 2 ~ 2.5 mm，先端渐尖，边缘白色；花瓣长圆状条形，长于萼片 1 倍；花柱粗长。短角果四棱状卵形，长（3 ~ ）4（ ~ 5）mm，有明显的脉纹；喙镰状或螺状弯曲，扁压，有窄翅；果柄长 1 ~ 2 cm，由梗至喙有均匀的乳头状毛。种子卵圆形，悬垂。花期 5 ~ 6 月。

| **生境分布** | 生于海拔 500 ~ 600 m 的沙丘上。分布于新疆玛纳斯县、呼图壁县、阜康市等。

| **功能主治** | 清热明目，凉血止血。

十字花科 Cruciferae 香花芥属 Hesperis

北香花芥
Hesperis oblongata DC.

| 药 材 名 |

香花芥（药用部位：全草）。

| 形态特征 |

二年生草本。高 35 ~ 130 cm。茎直立，上部分枝。叶及花梗具长单毛及短单毛，杂有腺毛。茎下部叶卵状披针形，长 3 ~ 7 cm，宽 5 ~ 20 mm，先端急尖或渐尖，基部楔形，边缘有小牙齿；叶柄长 1 ~ 1.5 cm；茎生叶无柄，窄披针形，长 1.5 ~ 3.5 cm，有锯齿至近全缘。总状花序顶生或腋生；花直径约 1.5 cm，玫瑰红色或紫色；花梗长 4 ~ 12 mm；萼片椭圆形，长 5 ~ 7 mm，外面有长毛；花瓣倒卵形，长 15 ~ 20 mm，具长爪。长角果窄线形，长 4 ~ 12 mm，宽 1 ~ 2 mm，无毛或具腺毛；果柄长 8 ~ 25 mm，具腺毛；种子长圆形或圆柱状三角形，棕色。花果期 6 ~ 8 月。

| 生境分布 |

生于海拔 1 200 ~ 2 000 m 的森林带的林缘、林间空地、草甸。分布于新疆伊宁市、新源县等。

| **功能主治** | 清热明目，凉血止血。

十字花科 Cruciferae 菘蓝属 Isatis

三肋菘蓝 *Isatis costata* C. A. Mey

| 药 材 名 | 大青叶（药用部位：全草）。

| 形态特征 | 二年生草本。高 30 ~ 90 cm，无毛，稍具蜡粉。茎直立，于基部或上部分枝。基生叶匙形或倒披针形，长 3 ~ 17 cm，宽 1 ~ 4 cm，全缘或有不明显的齿，叶片下延于叶柄成翅；茎生叶披针形或卵状披针形，长 3 ~ 7 cm，宽 1 ~ 1.5 cm，有时有疏生单毛，先端渐尖，基部箭形，抱茎。圆锥花序，结果时伸长；萼片矩圆形，长约 1.5 mm；花瓣淡黄色，倒披针形，长 2.5 ~ 3 mm。短角果长圆状倒卵形，长 8 ~ 13 mm，宽 3 ~ 5 mm，先端圆形，基部圆形或宽楔形，无毛，中脉两侧各有 1 棱。种子长圆状椭圆形，长约 3 mm，淡棕色。花果期 5 ~ 7 月。

| **生境分布** | 生于林缘及草原带。分布于新疆阿勒泰市、塔城市等。

| **功能主治** | 清热明目，凉血止血。

长圆果菘蓝 *Isatis coblongata* DC.

| **药 材 名** | 板蓝根（药用部位：根）。

| **形态特征** | 二年生草本。高 30 ~ 80 cm，光滑无毛。茎直立，在上部有分枝。基生叶及下部茎生叶卵状披针形，长 2 ~ 8 cm，宽 1 ~ 1.5 cm，先端圆形，基部渐窄，全缘；中上部茎生叶披针形，长 3 ~ 14 cm，宽 0.7 ~ 2.5 cm，先端急尖，基部箭形，抱茎，全缘。圆锥花序，果时伸长；萼片长圆形，长 1 ~ 1.5 mm，直立；花瓣黄色，长圆形，长约 2 mm。短角果长圆形，长 8 ~ 17 mm，宽 2 ~ 3.5 mm，先端钝圆或短钝尖，中部以上较宽，向下渐窄；果柄细，水平开展或稍下垂，先端增粗，长 5 ~ 8 mm。种子长椭圆形，长 2 ~ 3 mm，深棕色。花果期 5 ~ 7 月。

| 生境分布 | 生于草原带及荒漠草原带的山坡。分布于新疆富蕴县、额敏县、新源县、昭苏县、阜康市、乌鲁木齐县、巴里坤哈萨克自治县等。

| 功能主治 | 清热明目，凉血止血。用于肺热外感，咳嗽，咽喉肿痛，伤寒，口腔炎，咽喉炎，扁桃体炎，鼻衄，细菌性痢疾。

十字花科 Cruciferae 菘蓝属 Isatis

舟果荠

Isatis gymnocarpa (Fisch. ex DC.) Al-Shehbaz, Moazzeni & Mumm.

| **药 材 名** | 舟果荠（药用部位：全草）。

| **形态特征** | 一年生草本。高 15 ~ 30 cm，除角果外无毛。茎光滑，常带蓝紫色，有时微带蜡粉。基生叶有柄或无柄，叶片条状倒卵形，长 2 ~ 7 cm，宽 1 ~ 2 cm，常早落；茎生叶无柄，卵状长圆形、窄披针形或窄长圆状条形，长 1 ~ 7 cm，宽 1 ~ 2.5 cm，先端钝，基部具耳，箭形或戟形，抱茎，全缘。花序花时伞房状，果时伸长成总状；花梗长 1 ~ 2 mm；萼片长圆形，长 1.2 ~ 1.5 mm，边缘白色；花瓣黄色，长约 2.5 mm。果柄长 3 ~ 5 mm；下垂，末端翘起；短角果不开裂，卵形，果翅向上折转，使果实上凹下凸，连同前端的扁三角形喙成一舟状，果瓣密被毛。种子卵状椭圆形，长约 3 mm，宽约 2 mm。

花期 4 ~ 5 月。

| **生境分布** | 生于海拔 700 ~ 1 100 m 的绿洲农区或田边草丛。分布于新疆昌吉市、玛纳斯县、精河县、乌鲁木齐县等。

| **功能主治** | 清热明目，凉血止血。

十字花科 Cruciferae 菘蓝属 Isatis

菘蓝
Isatis indigotica Fortune

| 药 材 名 | 大青叶（药用部位：全草或叶）。

| 形态特征 | 二年生草本。高 40 ~ 100 cm，光滑无毛。茎直立，上部有分枝。基生叶具柄，长椭圆形或倒披针形，长 5 ~ 15 cm，宽 1.5 ~ 4 cm，先端钝或尖，基部渐窄，全缘或稍具波状齿；茎生叶长椭圆形或长圆状披针形，长 7 ~ 15 cm，宽 1 ~ 4 cm，基部耳不明显或为圆形。圆锥花序于果时伸长；萼片宽卵形或宽披针形，长 2 ~ 2.5 mm，宽约 1 mm；花瓣黄白色，宽楔形，先端近平截，具短爪，长 3 ~ 4 mm。短角果近长圆形，长 8 ~ 18 mm，宽 2 ~ 6 mm，扁平，无毛，边缘有翅；果柄细长，微下垂，长 8 ~ 10 mm。种子长圆形，长约 3.5 mm，淡褐色。花期 4 ~ 5 月，果期 5 ~ 6 月。

| **生境分布** | 多栽培于阳光充足、土层深厚、疏松肥沃、排灌条件良好的砂质土壤。新疆各地药圃均有栽培。

| **采收加工** | 全草，夏、秋季采收，除去泥土，晒至六七成，捆成小捆，晾晒至全干。叶，夏、秋季采收，晒干。

| **功能主治** | 清热解毒，凉血消斑。

十字花科 Cruciferae 菘蓝属 Isatis

小果菘蓝
Isatis minima Bunge

| 药 材 名 | 板蓝根（药用部位：根）。

| 形态特征 | 一年生草本。高 30 ~ 50 cm，无毛。茎直立，有分枝。基生叶长圆形，先端圆形，边缘深波状或具齿；茎生叶披针形、线状披针形或线形，长 1.5 ~ 4 cm，宽 1 ~ 10 mm，基部具耳，抱茎，全缘。总状花序，花疏生；萼片长圆形，长 1 ~ 1.5 mm，疏生糙毛；花瓣黄色，长圆状卵形，长 1.5 ~ 2 mm。短角果椭圆形，长 8 ~ 13 mm，宽 1 ~ 2 mm，先端截形，微凹，基部渐窄，无翅，有 3 不规则的纵肋，有细柔毛及缘毛；果柄长 4 ~ 6 mm，先端粗，向下渐细，有白色细柔毛。种子长圆形，长约 3 mm，黄褐色。花果期 5 ~ 6 月。

| 生境分布 | 生于海拔 600 ~ 1 900 m 的草原带到荒漠带的沙丘。分布于新疆和

布克赛尔蒙古自治县等。

| **功能主治** | 清热明目，凉血止血。用于温病热毒发癍，风热感冒，咳嗽，咽喉肿痛，疮疖肿毒。

十字花科 Cruciferae 菘蓝属 Isatis

宽翅菘蓝 *Isatis violascens* Bunge

| 药 材 名 | 板蓝根（药用部位：全草或根）。

| 形态特征 | 一年生草本。高 15 ~ 40 cm，无毛。茎直立，多分枝。基生叶早落；茎生叶长卵形或长圆状卵形，长 2 ~ 7.5 cm，宽 0.5 ~ 2.5 cm，先端钝圆或渐尖，基部具耳，抱茎，全缘或有疏齿。圆锥花序疏生；萼片长圆状倒卵形，长约 1.5 mm，宽约 0.7 mm，有宽的膜质边缘；花瓣白色，长圆状倒披针形，长约 2.5 mm，宽约 0.6 mm；雌蕊无花柱，柱头鸡冠状。短角果提琴形，长 1 ~ 1.5 cm，宽 4 ~ 6 mm，先端平截或微凹，基部圆形，被单毛，周围具翅，翅与果室等宽；果枝长 6 ~ 11 mm，水平展开或下弯。种子 1，顶生胎座，椭圆形，长约 4.5 mm，宽约 2 mm，黄褐色。花果期 4 ~ 6 月。

| 生境分布 | 生于海拔约 450 m 的荒漠地带的半固定沙丘。分布于新疆玛纳斯县、阜康市等。

| 功能主治 | 清热解毒，凉血消斑，利咽止痛。

十字花科 Cruciferae 光籽芥属 Leiospora

天山条果芥

Leiospora beketovii (Krasn.) D. A. German & Al-Shehbaz

| 药 材 名 | 条果芥（药用部位：全草）。

| 形态特征 | 多年生草本。根茎极短，被宿存的灰白色枯叶柄。叶、花葶与花梗均密被有柄腺毛与白色单毛，叶基生，叶片卵形或长倒卵形，边缘呈不均匀的羽状半裂、浅裂或具疏齿，偶为全缘的披针形，叶柄与叶片等长或稍短。花葶单一，直立，果期高约 25 cm，其上花数朵；萼片暗紫色，长 10 ~ 12 mm，内轮稍宽于外轮，基部囊状，边缘均被白色膜质；花瓣青紫色或玫瑰红色，连爪长 20 ~ 23 mm，瓣片等长于爪；雄蕊花丝扁。果柄粗，近四棱形，长 1 ~ 2 cm；长角果扁，条形，长 5 ~ 9 cm，宽 3 ~ 4 mm，果瓣中脉明显。种子每室 1 行，扁平，椭圆形，长约 3 mm，深褐色，周围有薄的膜质宽翅。花期 6 月。

| 生境分布 | 生于海拔 2 500 m 的山地草甸地带的山坡、河谷。分布于新疆塔城地区等。

| 功能主治 | 清热明目，凉血止血。

十字花科 Cruciferae 独行菜属 Lepidium

独行菜 Lepidium apetalum Willd.

| 药 材 名 | 北葶苈子（药用部位：种子）。

| 形态特征 | 一年生或二年生草本。高 10 ~ 60 cm。茎直立或斜升，多分枝，密被微小的头状毛。基生叶窄匙形，长 2 ~ 5 cm，羽状浅裂或深裂，先端裂片长三角形或披针形，侧裂片披针形或条形，两面均无毛，叶柄长 1 ~ 2 cm，有的叶片下延成翅；茎生叶条形、窄披针形或披针形，长 1 ~ 4 cm，宽 0.4 ~ 1.5 cm，全缘，有的有锯齿，无柄。花序头状，果期伸长成总状，长 5 ~ 7 cm；萼片卵形，长约 1 mm，宽约 0.3 mm，外面有柔毛，具宽的膜质边缘；花瓣不存或退化成丝状；雄蕊 2 或 4；侧蜜腺锥形，不联合，中蜜腺无。短角果扁平，宽椭圆形，长约 2.5 mm，宽约 2 mm，无毛，先端微缺，上部

有短翅，无花柱；果柄长约 2 mm，有柱状毛。每室有 1 种子，种子椭圆形，长约 1 mm，棕红色。花果期 5 ~ 7 月。

| 生境分布 | 生于海拔 400 ~ 2 000 m 的山地、平原山坡、山沟及村落附近。分布于新疆吐鲁番市及青河县、吉木乃县、特克斯县、昭苏县、玛纳斯县、乌鲁木齐县、巴里坤哈萨克自治县、和硕县、库车市、喀什市、策勒县等。

| 采收加工 | 夏季果实成熟时采收全草，晒干，打下种子，除去杂质，晒干。

| 功能主治 | 祛痰定喘，泻下行水。

十字花科 Cruciferae 独行菜属 Lepidium

毛果群心菜 Lepidium appelianum Al-Shehbaz

| 药 材 名 | 群心菜（药用部位：全草）。

| 形态特征 | 多年生草本。高达 30 cm。茎直立，密被柔毛，常近基部分枝。基生叶和下部的茎生叶具柄，长圆形或披针形，长 3 ~ 6 cm，先端圆钝或锐尖，基部渐窄，边缘疏生细齿，两面被柔毛；上部茎生叶披针形或长圆形，长 1 ~ 7 cm，基部箭形，半抱茎，边缘有疏齿。总状花序组成伞房状圆锥花序；萼片长圆形，长约 2 mm，背面被柔毛；花瓣白色，长约 3.5 mm；雄蕊长于花瓣；宿存花柱长 1 ~ 2 mm。短角果卵状球形，长 4 ~ 5 mm，膨胀，不裂；果瓣脊不明显，被柔毛；种子卵圆形或椭圆形，长约 1.5 mm，棕褐色。

| 生境分布 | 生于海拔 400 ~ 1 000 m 的草原带及荒漠带的水边、田边、村庄、路旁。

分布于新疆吐鲁番市、乌鲁木齐市、哈密市及和静县、富蕴县、福海县、阿勒泰市、吉木乃县、伊宁县、沙湾市、焉耆回族自治县、尉犁县、阿克苏市、阿图什市、乌恰县、叶城县等。

| **资源情况** | 野生资源较丰富。药材来源于野生。

| **功能主治** | 苦，寒。清热明目，凉血止血。用于感冒和炎症；外用于疮疖。

十字花科 Cruciferae 独行菜属 *Lepidium*

球果群心菜 *Lepidium chalepense* L.

| **药 材 名** | 群心菜（药用部位：全草）。

| **形态特征** | 多年生草本。高 17 ~ 40 cm，下部被稀疏的短柔毛，向上渐少。茎
自基部或上部分枝。基生叶有柄，匙形或倒卵形，连柄长 4 ~ 8 cm，
宽 0.6 ~ 2 cm，全缘或有波状齿，早枯；茎生叶无柄，匙形至长圆形，
长 3 ~ 9.5 cm，宽 2 ~ 4 cm，先端钝、渐尖或有小尖头，基部渐窄
或具耳，半抱茎，全缘，具波状齿或不规则锯齿，有时叶缘具稀疏
的短单毛。总状花序顶生或腋生，形成圆锥状或伞房状花序；萼片
矩圆形，有宽的膜质边缘；花瓣白色，长 3 ~ 4 mm，宽约 1.4 mm，
瓣片倒卵形或椭圆形，具爪；雄蕊 6，伸出花瓣外；花柱长约 1.5 mm；
侧蜜腺三角形，中蜜腺锥形。短角果近球形或宽卵形，膨胀，长

4 ~ 5 mm，宽 5 ~ 6 mm；果柄长 0.6 ~ 1 cm；种子每室 1，卵形，棕褐色。花期 5 ~ 6 月，果期 7 ~ 8 月。

| 生境分布 | 生于海拔 400 ~ 1 200 m 的草原及荒漠带的河谷、路边、农田旁、林带下。分布于新疆吐鲁番市、乌鲁木齐市及阿勒泰市、新源县、巩留县、沙湾市、石河子市、昌吉市、焉耆回族自治县、尉犁县、阿图什市、乌恰县、策勒县、玛纳斯县等。

| 资源情况 | 野生资源较丰富。药材来源于野生。

| 功能主治 | 辛, 凉。清热明目, 凉血止血, 祛风湿, 强筋骨, 止血, 止痢, 润肺止咳, 化痰平喘。用于感冒和炎症；外用于疮疖。

十字花科 Cruciferae 独行菜属 Lepidium

群心菜 *Lepidium draba* L.

| **药 材 名** | 群心菜（药用部位：全草）。

| **形态特征** | 多年生草本。高 20 ~ 50 cm，有弯曲的短单毛，基部最多，向上渐少。茎直立，多分枝。基生叶有柄，倒卵状匙形，长 3 ~ 10 cm，宽 1 ~ 4 cm，边缘有波状齿，开花时枯萎；茎生叶倒卵形、长圆形至披针形，长 4 ~ 10 cm，宽 2 ~ 5 cm，先端钝，有小的锐尖头，基部心形，抱茎，边缘疏生尖锐的波状齿或近全缘，两面有柔毛。总状花序伞房状，集成圆锥花序，多分枝，果期不伸长；萼片长圆形，长约 2 mm；花瓣白色，倒卵状匙形，长约 4 mm，先端微缺，有爪；花柱长约 1.5 mm，开花的花柱比子房长。短角果卵形或近球形，长 3 ~ 4.5 mm，宽 3.5 ~ 5 mm；果瓣无毛，有明显的网脉；果

柄长 5 ~ 10 mm；种子 1，宽卵形或椭圆形，长约 2 mm，棕色，无翅。花期 5 ~ 6月，果期 7 ~ 8 月。

| **生境分布** | 生于海拔 400 ~ 1 000 m 的草原带及荒漠带的农区山坡、水渠边及田边。分布于新疆乌鲁木齐市及阿勒泰市、昭苏县、特克斯县、沙湾市、玛纳斯县等。

| **资源情况** | 野生资源一般。药材来源于野生。

| **功能主治** | 苦，寒。清热明目，凉血止血。用于感冒和炎症；外用于疮疖。

十字花科 Cruciferae 独行菜属 Lepidium

全缘独行菜 *Lepidium ferganense* Korsh.

| **药 材 名** | 葶苈子（药用部位：种子）。

| **形态特征** | 多年生草本。高 10 ~ 40 cm。茎直立，单一或数个，分枝，无毛。基生叶线形、线状长圆形或倒披针形，长 0.5 ~ 2 cm，宽 1 ~ 4 mm，先端渐尖，基部渐窄，全缘或上部具少数粗锯齿，仅具缘毛，叶柄长 5 ~ 25 mm，基部具白柔毛；茎生叶条形，向上渐小，全缘。花序花时伞房状，果时伸长成总状；萼片矩圆形或椭圆形，长约 1 mm，宽约 0.6 mm，黄绿色，具白色膜质边缘，背部被长柔毛；花瓣匙形，黄色，长约 1.6 mm，宽约 0.8 mm，雄蕊 6。短角果宽卵形或近圆形，长 2 ~ 2.5 mm，先端无翅；果柄长 5 ~ 7 mm。种子红褐色，长约 1.5 mm。花期 5 ~ 7 月。

| **生境分布** | 生于海拔 600 ～ 1 500 m 的荒漠地带的干旱山坡。分布于新疆富蕴县、阿勒泰市、乌鲁木齐县、玛纳斯县等。

| **资源情况** | 野生资源一般。药材来源于野生。

| **功能主治** | 利水平喘。

十字花科 Cruciferae 独行菜属 Lepidium

宽叶独行菜 *Lepidium latifolium* L.

| **药 材 名** | 葶苈子（药用部位：种子）。

| **形态特征** | 多年生草本。高 30 ~ 85 cm。茎直立，多分枝，基部木质化，无毛或仅基部有疏毛。叶革质，基生叶及下部茎生叶长圆形或卵形，长 3 ~ 9 cm，宽 3 ~ 4 cm，先端锐尖，基部楔形，全缘或有牙齿，叶柄长约 4 cm；茎生叶无柄，披针形、卵状披针形或宽卵形，长 2 ~ 10 cm，宽 0.5 ~ 3 cm，先端渐尖、急尖或钝圆，基部渐窄，全缘或有锯齿，被稀疏的单毛或近无毛。总状花序分枝成圆锥状；萼片宽卵形，长约 1.2 mm，宽约 0.8 mm，膜质边缘宽，背部有柔毛；花瓣白色，长约 2 mm，瓣片近圆形；雄蕊 6；侧蜜腺不联合，圆球状，中蜜腺锥形。短角果宽椭圆形或矩圆形，长约 2.5 mm，宽约

2 mm，先端无翅；花柱短或近无，柱头头状；果柄长 2 ~ 3 mm。每室有 1 种子，种子红褐色，卵形，长约 1 mm，遇水发黏。花期 5 ~ 7 月，果期 7 ~ 9 月。

| 生境分布 | 生于海拔 400 ~ 1 500 m 的农业区田边、宅旁、含盐的沙滩或低山带的冲积扇。分布于新疆哈密市、吐鲁番市及石河子市、富蕴县、阿勒泰市、和布克赛尔蒙古自治县、塔城市、察布查尔锡伯自治县、木垒哈萨克自治县、阜康市、奇台县、乌鲁木齐县、玛纳斯县、沙湾市、和硕县、和静县、博湖县、焉耆回族自治县、尉犁县、若羌县、且末县、喀什市、巴楚县、民丰县等。

| 资源情况 | 野生资源丰富。药材来源于野生。

| 功能主治 | 清热利水，祛痰平喘。

十字花科 Cruciferae 独行菜属 Lepidium

钝叶独行菜

Lepidium obtusum Basiner

| 药 材 名 | 葶苈子（药用部位：种子）。

| 形态特征 | 多年生草本。高 40 ~ 100 cm。茎直立，多分枝，无毛。叶革质，宽卵形、长圆形或宽披针形，长 1.5 ~ 9 cm，宽 0.5 ~ 4 cm，先端钝或渐尖，基部渐窄或具耳，抱茎，全缘或具疏锯齿，两面均被疏单毛，叶脉明显隆起。总状花序分枝呈圆锥状或伞房状，在果期总状花序不伸长，近头状；萼片近圆形或宽卵形，长 0.6 ~ 1 mm，宽 0.6 ~ 0.8 mm，具宽的膜质边缘，背部具柔毛，长约 1 mm；侧蜜腺三角形，不联合，中蜜腺锥形。短角果宽卵形，长、宽均约 2 mm，先端钝圆，无翅，基部心形，花柱极短；果柄长 2 ~ 4 mm，被短柔毛；每室有 1 种子，种子黄褐色，卵形，长约 1 mm，遇水发黏。花

期 7 ~ 8 月。

| **生境分布** | 生于海拔约 1 800 m 的荒漠、戈壁滩上或草原。分布于新疆哈密市及霍城县、塔城市、精河县、玛纳斯县、奇台县、和静县、阿克苏市等。

| **资源情况** | 野生资源丰富。药材来源于野生。

| **功能主治** | 利水平喘。

十字花科 Cruciferae 独行菜属 *Lepidium*

抱茎独行菜 *Lepidium perfoliatum* L.

| **药 材 名** | 葶苈子（药用部位：种子）。

| **形态特征** | 一年生或二年生草本。高 7 ～ 26 cm。茎直立，从基部分枝，下部密被单毛，中上部近无毛。基生叶长圆形，长 4 ～ 10 cm，宽 1 ～ 3.5 cm，2 ～ 3 回羽状分裂，裂片披针形或线形，被稀疏的长柔毛，叶柄长 0.5 ～ 2 cm，基部扩大成鞘状，抱茎；茎生叶无柄，宽卵形或近圆形，长 1 ～ 2.5 cm，宽 0.7 ～ 2 cm，先端急尖，基部心形，抱茎，全缘，两面均无毛。总状花序顶生或腋生；萼片黄绿色，长约 1 mm，外轮卵形，宽约 0.7 mm，内轮长圆形，宽约 0.5 mm，均具宽膜质边缘；花瓣淡黄色，窄匙形，长约 1.2 mm，宽约 0.3 mm，瓣片近圆形，基部具爪；雄蕊 6；侧蜜腺不联合，圆球状，中蜜腺小，三角形。

短角果近圆形，长 3 ~ 3.2 mm，宽 3 ~ 3.5 mm，先端有微翅；花柱短；果柄无毛，长 4 ~ 5 mm；每室有 1 种子，种子长圆形，长约 1.5 mm，宽约 1 mm，黄褐色，先端有窄翅。花期 5 ~ 7 月。

| 生境分布 | 生于海拔 600 ~ 1 200 m 的绿洲田边、路旁及干燥沙滩。分布于新疆伊犁哈萨克自治州、塔城地区、昌吉回族自治州、哈密市等。

| 资源情况 | 野生资源丰富。药材来源于野生。

| 采收加工 | 秋季采收，洗净，鲜用或晒干。

| 功能主治 | 利尿。

十字花科 Cruciferae 独行菜属 Lepidium

柱毛独行菜 *Lepidium ruderale* L.

药材名

葶苈子（药用部位：种子）。

形态特征

一年生或二年生草本。高 6 ～ 30 cm。茎直立或斜升，多分枝，密被短柱状毛。基生叶长圆形或披针形，长 2 ～ 7 cm，宽 0.5 ～ 2.5 cm，2 回羽状深裂，先端裂片披针形，侧裂片披针形、倒披针形或三角形，叶正面无毛，背面和边缘具短柱状毛，叶柄长 0.5 ～ 2 cm，基部扩大成鞘状，抱茎；茎生叶无柄，抱茎，长 1 ～ 4 cm，宽 0.3 ～ 1 cm，1 ～ 2 回羽状浅裂或深裂，有的近全缘。花序花时近头状，果时伸长成总状；萼片倒卵状披针形，长 0.6 ～ 1 mm，宽约 0.4 mm，黄绿色，有膜质边缘；花瓣无；雄蕊 2，花丝长约 1 mm，花药卵状球形，小；侧蜜腺圆球状，不联合，中蜜腺无。短角果卵圆形，长约 2 mm，宽 1.3 ～ 1.5 mm，扁平，无毛，先端有不明显的微翅；花柱极短，不超出微翅；果柄长 2 ～ 3 mm，具柱状毛；每室有 1 种子，种子长圆状卵形，长约 1 mm，黄褐色。花期 4 ～ 5 月，果期 5 ～ 7 月。

| **生境分布** | 生于海拔 700 ~ 3 300 m 的山地及各处草原人畜活动处。分布于新疆青河县、托里县、特克斯县、昭苏县、巴里坤哈萨克自治县、奇台县、阜康市、乌鲁木齐县、和硕县、和静县、库尔勒市、喀什市等。

| **资源情况** | 野生资源丰富。药材来源于野生。

| **采收加工** | 秋季采收，洗净，鲜用或晒干。

| **功能主治** | 清热利水，祛痰平喘。

十字花科 Brassicaceae 独行菜属 Lepidium

家独行菜 *Lepidium sativum* L.

| 药 材 名 | 台尔台孜（药用部位：果实）。

| 形态特征 | 一年生草本。无毛或偶有单毛。茎直立，不分枝或分枝。叶 1 ~ 2
回羽状分裂，最上部的叶不裂、全缘，裂片长圆状线形，先端渐尖，
上面有单毛；叶柄内侧具单毛。总状花序呈圆锥状；萼片直立，外
轮宽倒卵状长圆形，有宽的膜质边缘，背部具单毛；花瓣蓝紫色，
长圆状倒卵形，先端钝圆；雄蕊 6，花丝细，花药椭圆形，淡黑紫
色；侧蜜腺三角形，外侧稍相连，中蜜腺锥形；花柱短，不超出凹
陷。短角果椭圆形，扁压，中部以上具短翅，先端微凹；果柄斜
升，几贴茎；种子每室 1，偶 2，长圆形，橘红色，遇水发黏，子叶
3 裂。

| **生境分布** | 生于水源充足、排灌良好、土质疏松、土壤肥沃的砂质土地块。分布于新疆各地。

| **采收加工** | 夏、秋季果实成熟时，割取地上部分，晒干，打下种子，贮于干燥处。

| **功能主治** | 行水消肿，镇咳平喘，健脾胃。用于气虚水肿，气管炎，消化不良。

| **用法用量** | 内服煎汤，6 ~ 15 g。外用适量，捣敷；或研末调敷。

十字花科 Cruciferae 念珠芥属 Neotorularia

蚓果芥

Neotorularia humilis (C. A. Mey.) Hedge & J. Léonard

| **药 材 名** | 蚓果芥（药用部位：全草）。

| **形态特征** | 多年生草。高 5 ~ 30 cm，被 2 叉毛，并杂有 3 叉毛，有的在叶上
以 3 叉毛为主。茎自基部分枝，有的基部有残存叶柄。基生叶窄卵
形，早枯；下部的茎生叶变化较大，叶片宽匙形至窄长卵形，长
5 ~ 30 mm，宽 1 ~ 6 mm，先端钝圆，基部渐窄，近无柄，全缘或
具 2 ~ 3 对明显或不明显的钝齿；中、上部的茎生叶呈条形；最上
部数叶常入花序而成苞片。花序呈紧密的伞房状，果期伸长；萼片
长圆形，长 1.5 ~ 2.5 mm，外轮萼片较内轮萼片窄，有的在背面先
端隆起，内轮萼片有时在基部略呈囊状，均有膜质边缘；花瓣倒卵
形或宽楔形，白色，长 2 ~ 3 mm，先端近截形或微缺，基部渐窄成

爪；子房有毛，花柱短，柱头2浅裂。长角果筒状，长8～20（～30）mm，略呈念珠状，两端渐细，直或略曲，或呈"之"字形弯曲；果瓣被2叉毛；果柄长3～6mm；种子长圆形，长约1mm，橘红色。花期4～6月。

| **生境分布** | 生于海拔1 000～4 200 m的荒漠草原到高山荒漠草原。分布于新疆和硕县、库车市、温宿县、拜城县、塔什库尔干塔吉克自治县、和田市、且末县等。

| **资源情况** | 野生资源较丰富。药材来源于野生。

| **采收加工** | 8～9月采收，洗净晒干。

| **功能主治** | 辛，温。清热明目，凉血止血。用于消化不良，食肉中毒。

| **用法用量** | 内服煎汤，6～9 g。

甘新念珠芥

Neotorularia korolkowii (Regel & Schmalh.) Hedge & J. Léonard

| 药 材 名 |

念珠芥（药用部位：全草或花、果实）。

| 形态特征 |

一年生或二年生草本。高10 ~ 25(~ 30)cm，密被分枝毛或杂有单毛，有时毛较少。茎于基部分枝，稍斜上升或铺散而后上升。基生叶大，有长柄，叶片长圆状披针形，长2 ~ 5（~ 9）cm，宽4 ~ 6（~ 12）mm，先端急尖，基部渐窄成柄，边缘有不规则的波状至长圆形裂片；茎生叶叶柄向上渐短至无，叶片长圆状卵形，长1 ~ 3.5（~ 9）cm，宽2 ~ 6（~ 12）mm，其他同基生叶。花序花时伞房状，果时伸长成总状；萼片长圆形，长2 ~ 3 mm，内轮基部略成囊状；花瓣白色，干后土黄色，倒卵形，长4 ~ 6 mm，先端平截或微缺，基部渐窄。果柄长3 ~ 6 mm，略弧曲或末端卷曲，成熟后在种子间略缢缩。种子长圆形，长约1 mm，黄褐色。花期5 ~ 6月。

| 生境分布 |

生于海拔500 ~ 1 500 m 的荒漠带绿洲、草原带到森林带下缘的广大地区。分布于新疆塔城市、博乐市、新源县、巩留县、特克斯县、沙湾市、玛纳斯县、乌鲁木齐县、和静县、拜城县、策勒县等。

| 资源情况 |　野生资源丰富。药材来源于野生。

| 功能主治 |　清热止咳，祛风镇痛，凉血解毒，杀虫。用于风疹，泄泻。

十字花科 Cruciferae 球果荠属 Neslia

球果荠 *Neslia paniculata* (L.) Desv.

药材名

球果荠（药用部位：全草）。

形态特征

一年生草本。高 20 ~ 85 cm，有稍硬的 2 ~ 3 叉毛。基生叶早枯，具柄，长 1 ~ 2 cm，叶片长圆形，长 5 ~ 7（~ 12）cm，宽 1 ~ 2（~ 2.5）cm，先端急尖，基部渐窄成柄，全缘或具疏齿；茎生叶无柄，叶片长圆状披针形，由下向上渐小，长 2 ~ 8（~ 12）cm，宽 2 ~ 18（~ 22）mm，先端渐尖，基部箭形，具耳，抱茎，全缘或具疏齿。花序花时伞房状，果时伸长成总状；花梗长 2 ~ 3 mm；萼片长圆状卵形，长约 1.8 mm，宽 0.75 ~ 1 mm；花瓣黄色，倒卵形，长 2 ~ 2.5 mm，宽约 0.8 mm，先端钝圆，基部具爪。果实球形，宽大于长，宽 2 ~ 2.5 mm，长 1.75 ~ 2.25 mm，不开裂，表面蜂窝状；喙长约 1 mm，喙基略收缩，宿存，柱头不裂；果柄长 10 ~ 15 mm，斜上升，宿存，果实于先端脱落。种子 1，红褐色，卵形。花期 5 ~ 6 月。

生境分布

生于海拔 1 500 ~ 2 000 m 的山地草甸的农

田、草丛。分布于新疆哈巴河县、尼勒克县、昭苏县、巩留县等。

| 资源情况 | 野生资源一般。药材来源于野生。

| 功能主治 | 清热明目，凉血止血。

羽裂条果芥 *Parrya pinnatifida* Kar. & Kir.

| **药 材 名** | 条果芥（药用部位：全草）。

| **形态特征** | 多年生草本。高 10 ～ 50 cm，全株无毛。地下根茎斜伸，被残留的枯叶柄。叶全部基生，长 4 ～ 6 cm，宽 7 ～ 14 mm，羽状全裂，裂片稀疏，小三角形或长圆形，互生或近互生，大小一致或偶有小裂片间生，叶轴具翅。花葶单生或数个丛生，被短柱状毛，花序分枝成圆锥状；萼片直立，淡紫色，长约 8 mm，有白色膜质边缘，内轮窄长圆形，宽约 3 mm，基部略成囊状，外轮线形，宽 1 ～ 1.2 mm；花瓣蓝紫色，干后黄白色，有深色脉纹，倒卵状长圆形，长约 2 cm，宽约 6 mm，顶端钝，基部渐窄成爪，爪长等于瓣片；花丝向基部渐宽，分别长 5 mm、5.5 ～ 6 mm，花药长 1.5 mm。长角果条

形，长 4 ~ 5 cm，宽约 4 mm；果瓣扁平，中脉清楚，侧脉可见，两端钝或急尖；假隔膜白色，半透明。种子每室 1 行，扁平，近圆形，长约 2.5 mm（不计翅），黑褐色，周围有白色翅，以远种脐端为宽，有橘黄色窄边。花期 5 ~ 6 月。

| **生境分布** | 生于海拔 2 900 ~ 3 200 m 的山地草甸草原。分布于新疆哈密市及乌恰县等。

| **资源情况** | 野生资源较少。药材来源于野生。

| **功能主治** | 清热明目，凉血止血。

十字花科 Cruciferae 条果芥属 Parrya

垫状条果芥

Parrya pulvinata Popov ex N. Busch

| **药 材 名** | 条果芥（药用部位：全草）。

| **形态特征** | 多年生草本。高 5 ~ 20 cm。根粗壮，根茎短，被宿存的白色枯叶柄，上有莲座状叶丛。叶基生，稍肉质，叶片披针形、长圆形或倒卵形，连柄长 2 ~ 6（~ 15）cm，宽 2 ~ 10 mm，先端渐尖，全缘，基部渐窄成柄，并下延于叶柄两侧成窄翅，到基部时变宽，沿叶柄两侧、叶缘有白色睫毛，毛为扁平单毛。花葶具数花，有时被白色长单毛；花梗长 1 ~ 3 mm，密被白色单毛；萼片直立，条形，长 8 ~ 10 mm，紫色或黑紫色，密被展开或下倾的白色单毛，边缘被白色膜质，内轮宽于外轮，基部囊状；花瓣蓝紫色，干时淡黄色，长 25 ~ 28 mm，宽约 15 mm，瓣片倒心形，具明显的深色脉纹，

先端微缺，基部凸窄成爪，爪等长于瓣片；雄蕊花丝扁，膜质，向基部渐宽，分别长约 1.3 cm、1.6 cm，明显长出萼片，花药线形，长约 5 mm，基部略叉开；子房线形，长约 9 mm。果柄粗，长 7 ~ 17 mm；角果扁平，直或镰状弯曲，条形，长 3 ~ 8 cm，宽 5 ~ 6 mm；果瓣中脉显著，两端渐尖；假隔膜厚，于种子处下凹；花柱长 2 ~ 3 mm。种子扁平，黑褐色，长圆形或椭圆形，连翅长 5 ~ 6 mm，宽 4 ~ 4.5 mm，翅内圈黄色，外围白色，外圈宽。花期 7 ~ 8 月，果期 8 ~ 9 月。

| 生境分布 | 生于海拔 1 260 ~ 5 445 m 的高山甸状植被、高山草原等处。分布于新疆乌鲁木齐县、阜康市、和静县等。

| 资源情况 | 野生资源一般。药材来源于野生。

| 采收加工 | 秋季采收，洗净，鲜用或晒干。

| 功能主治 | 清热明目，凉血止血。

十字花科 Cruciferae · 萝卜属 Raphanus

萝卜

Raphanus sativus L.

| 药 材 名 | 莱菔子（药用部位：全草或种子）。

| 形态特征 | 一年生或两年生草本。高 20 ~ 100 cm，无毛，稍具蜡粉。直根肉质，长圆形、球形或圆锥形。茎直立，分枝。基生叶和下部茎生叶大头羽状半裂，长 5 ~ 30 cm，宽 3 ~ 8 cm，侧裂片 4 ~ 6 对，长圆形，有钝齿，疏生粗毛，上部叶长圆形，有锯齿或近全缘。总状花序顶生及腋生，花时伞房状，果时伸长成总状；花梗长 5 ~ 15 mm；萼片直立，长圆状倒卵形，长 7 ~ 11 mm，不相等，外轮窄，宽 1.2 ~ 1.5 mm，背侧先端隆起，内轮宽约 3 mm，基部略呈囊状，均具膜质边缘，向先端渐窄；花瓣白色或红色，具紫色脉纹，爪长 0.5 ~ 1 cm；雄蕊 6，花丝扁，均长约 7 mm，花药窄长圆形，长约

2 mm。果柄长 1 ~ 1.5 mm；长角果圆柱状，长 3 ~ 6 cm，宽 3 ~ 10 mm，在种子间缢成念珠状，中间具海绵质横隔；喙长 1 ~ 1.5 cm。种子 1 ~ 6，球形，微扁，长约 3 mm，红棕色，有细网纹。花期 5 ~ 6 月。

| **生境分布** | 栽培种。新疆有分布。新疆各地均有栽培。

| **资源情况** | 栽培资源丰富。药材来源于栽培。

| **采收加工** | 春播春萝卜播种后 50 ~ 60 天采收，夏萝卜生长快，播种后 45 ~ 60 天采收，秋冬萝卜播种后 70 ~ 100 天采收。

| **功能主治** | 消积滞，化痰热，下气，宽中，除燥生津，清热解毒，利便，止咳化痰。用于食积胀满，咳嗽失音，肺痨咯血，呕吐反酸。

十字花科 Cruciferae 蔊菜属 Rorippa

欧亚蔊菜 *Rorippa sylvestris* (L.) Besser

| 药 材 名 | 蔊菜（药用部位：全草）。

| 形态特征 | 一年生、二年生至多年生草本。高 30 ~ 60 cm，植株无毛。茎单一或于基部分枝，直立或铺散。叶羽状全裂，下部茎生叶有柄，连柄长 7 ~ 8 cm，叶柄基部变宽，抱茎，裂片披针形或窄长圆形，先端裂片稍大，两侧各具 2 ~ 3 锯齿，向上叶渐小，裂片变窄、变长，全缘或近全缘。花序顶生或腋生，花时伞房状，果时伸长成总状，总体呈圆锥状；花梗细长，长 5 ~ 10 mm；萼片淡黄色，长椭圆形，长 2 ~ 2.5 mm，边缘白色膜质；花瓣黄色，宽匙形，长 4 ~ 4.5 mm，宽约 1.5 mm，先端圆形，基部具爪，脉纹色较深；雄蕊 6，短花丝细，长 2.5 ~ 2.6 mm，长花丝扁平，向下渐宽，长 2.7 ~ 3 mm，花

药长圆形，长约 1 mm，基部略叉开；子房柱状，花柱短，柱头大。果柄纤细，长 8 ~ 12 mm，近水平展开；长角果未成熟时线状圆柱形。

| **生境分布** | 生于农区的田边、水渠边。分布于新疆伊宁县等。

| **资源情况** | 野生资源较少。药材来源于野生。

| **功能主治** | 清热明目，凉血止血。

十字花科 Cruciferae 白芥属 Sinapis

白芥 *Sinapis alba* L.

| 药 材 名 |

白芥子（药用部位：种子）。

| 形态特征 |

一年生草本。高 60（~ 100）cm。茎直立，有分枝，被稀疏的水平展开或下倾的单毛，有棱槽。下部茎生叶大头羽状裂，长 5 ~ 15 cm，宽 2 ~ 6 cm，先端裂片宽卵形，长 3.5 ~ 6 cm，宽 3.5 ~ 4.5 cm，常 3裂，侧裂片长 1.5 ~ 2.5 cm，宽 5 ~ 15 cm，二者先端均钝圆，边缘有不规则的粗锯齿，基部和叶轴会合，两面粗糙，有柔毛或近无毛，以叶脉上为多，叶柄长 1 ~ 1.5 cm；上部叶卵形或长圆状卵形，长 2 ~ 4.5 cm，边缘有缺刻状裂齿，被毛同下部叶，叶柄长 3 ~ 10 mm。总状花序花时伞房状；花梗长 5 ~ 14 mm，展开或稍外折；萼片长圆形或长圆状卵形，长 4 ~ 5 mm，前端有膜质边缘；花瓣淡黄色，长圆状倒卵形，长 7 ~ 8 mm，前端钝，基部渐窄成爪；雄蕊、花丝均扁，分别长约 2.2 mm、4.2 mm，花药长圆形，长约 1.5 mm，基部略叉开；侧蜜腺内侧联合，中蜜腺新月形。长角果近圆柱形，长 1.2 ~ 1.5 cm（不计喙），宽 3 ~ 4 mm；喙稍扁压，剑形，长 6 ~ 15 mm，常弯曲，先端渐细，有 1 种子或无；柱头头状，常 2 浅裂；果瓣有 3 ～ 7 脉，先端急尖，基部钝，被扁平的白色单毛；假隔膜革质，不透明，淡黄色。种子球形，直径约 2 mm，黄棕色，有细窝穴。花果期 6 ～ 8 月。

| **生境分布** | 栽培种。新疆伊犁哈萨克自治州及石河子市等有栽培。

| **资源情况** | 栽培资源丰富。药材来源于栽培。

| **采收加工** | 夏季采收。

| **功能主治** | 止咳平喘，温中散寒，止痒。用于受寒引起的咳嗽气喘，脘腹寒痛；外用于白癜风。

十字花科 Cruciferae 大蒜芥属 Sisymbrium

大蒜芥 *Sisymbrium altissimum* L.

| 药 材 名 |

大蒜芥（药用部位：全草）。

| 形态特征 |

一年生或二年生草本。高 20 ~ 80 cm。茎下部及叶均散生长单毛，上部近无毛。茎直立，上部分枝。基生叶及下部茎生叶有柄，叶片长 8 ~ 16 cm，宽 3 ~ 6 cm，羽状全裂或深裂，裂片长圆状卵形至卵圆状三角形，全缘或具不规则的波状齿；中上部茎生叶长 2 ~ 12 cm，羽状全裂，裂片条形。花序顶生，花时伞房状，果时伸长成总状；萼片长圆状披针形，长 4 ~ 5 mm，宽 1 ~ 1.5 mm，外轮先端兜状；花瓣黄色，后变为白色，长圆状倒卵形，长 4 ~ 6 mm，宽 1 ~ 1.5 mm。果柄长 8 ~ 10 mm，斜展开，与角果近等粗；长角果近四棱状，长 8 ~ 10 cm，直或微曲；花柱近无。种子长圆形，长 1 ~ 1.2 mm，淡黄褐色。花期 4 ~ 5 月。

| 生境分布 |

生于海拔 600 ~ 1 500 m 的荒漠草原的草甸、荒地、路边。分布于新疆伊犁哈萨克自治州及温泉县等。

| **资源情况** | 野生资源丰富。药材来源于野生。

| **功能主治** | 清热明目，凉血止血。

十字花科 Cruciferae 大蒜芥属 Sisymbrium

垂果大蒜芥
Sisymbrium heteromallum C. A. Mey.

| 药 材 名 | 大蒜芥（药用部位：全草）。

| 形态特征 | 一年生或二年生草本。高 30 ～ 90 cm。茎直立，不分枝或分枝，具疏毛。基生叶羽状深裂或全裂，叶片长 5 ～ 15 cm，先端裂片大，长圆状三角形或长圆状披针形，渐尖，基部常与侧裂片汇合，全缘或具齿，侧裂片 2 ～ 6 对，长圆状椭圆形或卵状披针形，下面中脉有微毛，叶柄长 2 ～ 5 cm；上部叶无柄，羽状浅裂，裂片披针形或宽条形。花序花时伞房状，果时伸长成总状；花梗长 3 ～ 10 mm；萼片淡黄色，长圆形，长 2 ～ 3 mm，内轮基部略呈囊状；花瓣黄色，长圆形，长 3 ～ 4 mm，先端圆，具爪；雄蕊花丝窄披针形。果柄长 1 ～ 1.5 cm；长角果线形，长 4 ～ 8 cm，宽约 1 mm，常下垂；果瓣

略隆起。种子长圆形，长约 1 mm，黄棕色。花期 4 ～ 5 月。

| **生境分布** | 生于海拔 900 ～ 3 000 m 的森林带的林下、林缘、灌丛、河谷及亚高山草甸。分布于新疆阜康市、乌鲁木齐县、昭苏县、和静县等。

| **资源情况** | 野生资源一般。药材来源于野生。

| **功能主治** | 清热明目，凉血止血。

十字花科 Cruciferae 大蒜芥属 Sisymbrium

新疆大蒜芥

Sisymbrium loeselii L.

| **药 材 名** | 大蒜芥（药用部位：全草）。

| **形态特征** | 一年生草本。高 20 ~ 100 cm，具长单毛，茎上部毛稀疏或近无。茎直立，多于中部分枝。叶片羽状深裂至全裂，中下部茎生叶先端裂片较大，三角状长圆形或菱形，两侧具波状齿或小齿，侧裂片倒锯齿状，裂片向顶侧具不规则小齿，向基侧无齿；上部叶先端裂片渐次变长，呈长圆状条形，其他特征同中下部茎生叶，叶上有毛或否，有毛时柄上毛多。花序花时伞房状，果时伸长成总状；萼片长圆形，长 3 ~ 4 mm，多于背侧有 1 长单毛，有时无毛或有时毛较多；花瓣黄色，长圆形至椭圆形，长 5.5 ~ 7 mm，瓣片等长于瓣爪。果柄长 6 ~ 10 mm，斜向上展开，末端内曲或否；角果圆筒状，具棱，

长 2 ~ 3.5 cm，无毛，略弯曲。种子椭圆状长圆形，长 0.8 ~ 1 mm，淡橙黄色。花期 5 ~ 8 月。

| **生境分布** | 生于海拔 500 ~ 1 500 m 的荒漠带绿洲及草原带田野。分布于新疆北部等。

| **资源情况** | 野生资源丰富。药材来源于野生。

| **功能主治** | 清热明目，凉血止血。

芹叶荠

Smelowskia calycina (Stephan ex Willd.) C. A. Mey.

| 药 材 名 | 芹叶荠（药用部位：全草）。

| 形态特征 | 多年生草本。高5～30 cm，被丛卷毛与长单毛。根茎粗长，近地面处分枝,植株呈密丛状,基部被残存叶柄。茎生叶具柄，长3～5 cm，叶片长圆形，长5～10 cm，宽6～12 mm，2回羽状裂，第一回羽状深裂，羽片长椭圆形，互生，第二回3裂或单侧具大齿；茎生叶向上渐小，叶柄渐短，叶片2回羽状裂，第一回裂片条状长圆形，上部叶1回羽状裂或不裂，裂片均为长圆形。花序花时伞房状，果时伸长成总状；萼片淡黄色，长圆状椭圆形，长约3 mm，宽约1.5 mm，边缘白色膜质，外轮先端隆起，内轮基部略成囊状，被白色单毛；花瓣白色，长圆状倒卵形，长4.5～6 mm，宽1.5～2.5 mm，

先端圆，基部渐窄成爪。果柄长 8 ~ 13 mm，被白色单毛；短角果四棱状长圆形，长 4 ~ 8 mm；果瓣龙骨状，中脉明显，侧脉隐约可见，两端渐细，末端钝尖；假隔膜白色，半透明。种子淡红棕色，长圆状卵形，长约 1.25 mm。花期 7 ~ 8 月。

| **生境分布** | 生于海拔 3 000 ~ 4 000 m 的亚高山草甸。分布于新疆塔什库尔干塔吉克自治县等。

| **资源情况** | 野生资源较少。药材来源于野生。

| **功能主治** | 清热明目，凉血止血。

十字花科 Cruciferae 芹叶荠属 Smelowskia

藏荠

Smelowskia tibetica (Thomson) Lipsky

| 药 材 名 | 藏芥（药用部位：全草）。

| 形态特征 | 多年生草本。全株有单毛及分叉毛。茎铺散，基部多分枝，长 5 ～ 15 cm。叶线状长圆形，长 6 ～ 25 cm，羽状全裂，裂片 4 ～ 6 对，长圆形，长 5 ～ 10 mm，宽 3 ～ 5 mm，先端急尖，基部楔形，全缘或具缺刻；基生叶有柄，上部叶近无柄或无柄。总状花序下部花有一羽状分裂的叶状苞片，上部花的苞片小或缺，花生于苞片腋部，直径约 3 mm；萼片长圆状椭圆形，长约 2 mm；花瓣白色，倒卵形，长 3 ～ 4 mm，基部具爪；花柱极短。短角果长圆形，长约 1 cm，宽 3 ～ 5 mm，压扁，稍有毛或无毛，有一明显的中脉；果柄长 2 ～ 3 mm；种子多数，卵形，长约 1 mm，棕色。

| **生境分布** | 生于海拔 2 000 ~ 4 000 m 的高山或亚高山草原、草甸及垫状植被中。分布于新疆乌鲁木齐市及奇台县、阜康市、玛纳斯县、和静县、库车市、温宿县、叶城县、塔什库尔干塔吉克自治县、民丰县、策勒县、和田市、皮山县等。

| **资源情况** | 野生资源较丰富。药材来源于野生。

| **采收加工** | 夏季采收，洗净，鲜用或晒干。

| **功能主治** | 甘，平。清热明目，凉血止血。用于肾结核尿血，肺结核，感冒发热，肾炎性水肿，肠炎等。

| **用法用量** | 内服煎汤，15 ~ 25 g。

十字花科 Cruciferae 棒果芥属 Sterigmostemum

黄花棒果芥 *Sterigmostemum sulfureum* (Banks et SolmJd.) Boom.

| 药 材 名 |

棒果芥（药用部位：全草）。

| 形态特征 |

多年生草本。高 15 ~ 20 cm，全株密被分
枝毛及腺毛，植物呈灰绿色。根粗。茎直立，
分枝，基部有残留的枯叶柄。基生叶矩圆形
至条形，长 4 ~ 7 cm，宽 5 ~ 15 mm，先端钝，
基部渐窄成柄，全缘或具波状齿，或羽状裂，
裂片条形，常斜向上；茎上无叶或有叶，有
时叶披针形，全缘，无柄。花序花时伞房状，
果时伸长成总状；花梗长 1 ~ 3 mm；萼片
条形，长 6.5 ~ 8 mm，宽 1.25 ~ 1.5 mm，
边缘白色膜质，近先端处分枝毛减少而腺毛
增多；花瓣黄色或淡黄色，长 1.5 ~ 1.7 cm；
瓣片椭圆形或卵形，先端圆，基部渐窄成爪，
爪长于瓣片；雄蕊短，花丝细，长 5 ~ 7 mm，
长花丝扁平，联合，长 8 ~ 11 mm，上部
1 ~ 1.5 mm 分离，花药披针状条形，长
2.5 ~ 3 mm；雌蕊胎座下部毛少，花柱长为
子房之半，柱头 2 深裂。果柄斜上升或水平
展开，长约 5 mm；长角果直或弧曲，圆柱
形或稍带棱，长 4 ~ 4.5 cm，向上渐细，喙
长 2 ~ 3 mm，向上渐细；柱头 2 深裂，裂
片长约 2 cm，上部叉开。种子每室 1 行，

淡褐色，窄长圆形，长约 2 mm。花期 4 ~ 6 月。

| **生境分布** | 生于荒漠及荒漠草原的碎石山坡。分布于新疆巴里坤哈萨克自治县等。

| **功能主治** | 清热明目，凉血止血。

十字花科 Cruciferae ▌曙南芥属 Stevenia

燥原荠

Stevenia canescens (DC.) D. A. German

| 药 材 名 | 燥原荠（药用部位：全株）。

| 形态特征 | 半灌木。基部木质化，高 5 ～ 30（～ 40）cm，密被短的星状毛、分枝毛或分叉毛，植株灰绿色。茎直立或基部稍铺散而上部直立，近地面处分枝。叶密生，条形或条状披针形，长 7 ～ 15 mm，宽 0.7 ～ 1（～ 1.2）mm，先端急尖，全缘。花序伞房状，果期极伸长；花梗长约 3.5 mm；外轮萼片宽于内轮萼片，灰绿色或淡紫色，长 1.5 ～ 2（～ 3）mm，边缘白色，有星状缘毛；花瓣白色，宽倒卵形，长 3 ～ 5 mm，宽 2 ～ 3.5 mm，先端钝圆，基部渐窄成爪；子房密被短的星状毛，花柱长，宿存，长约 2 mm，柱头头状。短角果卵形，长 3 ～ 4（～ 5）mm，宽 2 ～ 3 mm；果柄长 2 ～ 5 mm；种子每室

1，悬垂于室顶，长圆卵形，长约 2 mm，深棕色。花期 6 ~ 8 月。

| **生境分布** | 生于海拔 1 000 ~ 2 200 m 的草原带的草原、干山坡以及荒漠带。分布于新疆吉木乃县、和布克赛尔蒙古自治县等。

| **资源情况** | 野生资源一般。药材来源于野生。

| **功能主治** | 苦，寒。清热明目，凉血止血。用于痢疾，水肿，淋病，乳糜尿，吐血，便血，月经过多，目赤肿痛等。

十字花科 Cruciferae 涩芥属 *Strigosella*

涩芥
Strigosella africana (L.) Botsch.

| 药 材 名 | 涩芥（药用部位：全草或根茎）。

| 形态特征 | 一年生草本。高 5 ～ 35 cm，被分枝毛与少数单毛。茎直立或近直立，多分枝，有细棱。叶具柄，长 5 ～ 10 mm，有时近无柄，叶片长圆形或椭圆形，长 1.5 ～ 8 cm，宽 5 ～ 18 mm，先端急尖，基部楔形，边缘有波状齿或全缘。总状花序，排列疏松，果时特长；花梗短，不及 1 mm；萼片线状长圆形，长 4 ～ 5 mm，内轮基部略成囊状，外轮先端略作兜状；花瓣淡紫色或粉红色，窄倒卵状长圆形，长 8 ～ 9 mm，先端截形或钝圆，基部渐窄成爪；雄蕊花丝扁，分别长约 2.8 mm、4 mm，花药长圆形，前端有小尖头，基部略叉开；子房圆筒形，花柱近无，柱头长锥形，显著。果柄加粗，长 1 ～ 2 mm；

长角果细线状圆柱形，长 3.5 ~ 7 cm，宽 1 ~ 2 mm，直或弯曲。种子每室 1 行，长圆形，长约 1 mm，浅棕色。花期 5 ~ 6 月。

| **生境分布** | 生于农田。分布于新疆青河县、霍城县、特克斯县、新源县、巩留县、乌鲁木齐县、米东区、巴里坤哈萨克自治县、阿克苏市、策勒县等。

| **资源情况** | 野生资源丰富。药材来源于野生。

| **功能主治** | 清热明目，凉血止血，收敛。

十字花科 Cruciferae 涩芥属 Strigosella

刚毛涩芥 *Strigosella hispida* (Litv.) Botsch.

| 药 材 名 | 涩荠（药用部位：全草）。

| 形态特征 | 一年生草本。高 20 ~ 30 cm，全株密生细长硬单毛及分枝毛。茎自基部有多数分枝。基生叶具柄，柄长 5 ~ 15 mm，叶片长圆形，长 1.5 ~ 4 cm，宽 5 ~ 14 mm，先端钝或急尖，边缘疏生锯齿或波状齿，基部楔形，两面有分叉毛；叶向上渐小。总状花序顶生，果时极为伸长；花梗长 1 ~ 2 mm；萼片窄长圆形，长 3 ~ 4 mm，前半部边缘白色膜质，内轮基部略成囊状；花瓣紫红色，倒披针形，长 5 ~ 6 mm，具爪，脉纹略显；雄蕊花丝细，分别长约 3 mm、3.5 mm，花药线形，长约 1 mm。果柄粗，长约 1 mm；长角果线形，长 3.5 ~ 5.5 cm，劲直或略向后弯曲，与果轴夹角大，有的近水平展开；果瓣扁平，

先端钝，基部圆形，中脉不显，被分叉毛与长硬单毛；胎座外侧面宽，几为果瓣的一半；柱头圆锥状，长约 1 mm。种子多数，暗橘黄色，长圆形，长约 1 mm；种脐端有小黑点；种柄丝状，白色，长为种子的一半或更长。花期 6 ～ 9 月。

| 生境分布 | 生于旱田中。分布于新疆玛纳斯县、木垒哈萨克自治县、尉犁县、阿克苏市、且末县、库车市等。

| 资源情况 | 野生资源丰富。药材来源于野生。

| 采收加工 | 秋季采收，洗净，鲜用或晒干。

| 功能主治 | 清热解毒，消肿止痛，明目，凉血止血，润肺止咳，化痰平喘。

四齿芥

Tetracme quadricornis (Stephan) Bunge

| **药 材 名** | 四齿芥（药用部位：全草）。

| **形态特征** | 一年生草本。高 5 ~ 8（~ 20）cm，全株密被 2 回分枝毛，杂有稀疏单毛，以叶缘最多。茎直立，分枝，叶窄长圆形，长 2 ~ 3 cm，宽 3 ~ 4 mm，前端钝或急尖，基部楔形，全缘。花序花时伞房状，果时伸长成总状；花梗不明显；萼片长圆形，长约 1 mm，背部隆起，密被分枝毛与单毛，白色边缘窄；花瓣白色，线形，略短于萼片；雄蕊 6，花丝披针形，长 0.4 ~ 0.5 mm，花药长圆形，长约 0.2 mm，基部略叉开；雌蕊子房长圆形，无花柱，周周有 4 小突起，绿色，无毛。果柄稍细于果实，长约 1.5 mm，毛多于果实；长角果向外微弧曲，长 6 ~ 7.5 mm，微扁压，两端圆，背部有微小的分枝毛，中部

以下有稀疏的分枝或不分枝毛，前端有4角状附属物，向外展开；假隔膜麦黄色；无花柱。种子每室1行，淡黄褐色，长圆形，长约1 mm，种脐端略暗。花期4 ~ 5 月。

| 生境分布 | 生于海拔350 ~ 1 000 m 的荒漠及草原地带的戈壁、沙丘、田边。分布于新疆富蕴县、巩留县、乌苏市、沙湾市、石河子市、玛纳斯县、呼图壁县、乌鲁木齐县、乌恰县等。

| 资源情况 | 野生资源丰富。药材来源于野生。

| 功能主治 | 清热明目，凉血止血。

十字花科 Cruciferae 四齿芥属 Tetracme

弯角四齿芥 Tetracme recurvata Bunge

| **药 材 名** | 四齿芥（药用部位：全草）。

| **形态特征** | 一年生草本。高 10 ~ 15（~ 35）cm，被 2 回分枝毛及单毛，植物呈灰绿色。茎直立，分枝，分枝斜向上展开。叶具柄，长约 2 mm，向上渐短，叶片窄长圆形，基生叶长 3 ~ 4 cm，向上渐小，先端钝或急尖，基部渐窄成柄，边缘具疏齿或钝齿。花序花时伞房状，果时伸长成总状；花梗长 1 ~ 1.25 mm；萼片宽卵形长约 4 mm，外轮宽于内轮，边缘膜质，窄；花瓣白色，长圆形或宽卵形，长约 1.5 mm，先端钝，基部渐窄成宽短的爪；雄蕊花丝向基部渐宽，分别长约 0.5 mm、1 mm，花药卵圆形到长圆形；侧蜜腺不联合或极浅的联合，窄长圆形，横卧于短雄蕊两侧，中蜜腺三角形，位于长雄蕊外侧；

子房长圆形，上端有 4 棱状突起，花柱可见。果柄长约 2 mm；角果多向外弯曲成倒"U"形，亦可略曲或直，稍扁压，长 8 ~ 12 mm；果瓣扁平，半透明，中脉清晰，两端钝，被较稀疏的分枝毛；近先端两侧各有 1 角状附属物，近水平展开或向后弧曲，长 4 ~ 5 mm；胎座框于角果裂开后仅基部宿存；假隔膜近无，仅有残存片段。种子每室 1，暗橘黄色，长圆形，长 1.6 ~ 1.8 mm。花期 4 ~ 6 月。

| **生境分布** | 生于海拔 200 ~ 450 m 的平原地带的沙地、沙丘。分布于新疆阜康市、呼图壁县、玛纳斯县、沙湾市、精河县等。

| **资源情况** | 野生资源丰富。药材来源于野生。

| **功能主治** | 清热明目，凉血止血。

十字花科 Cruciferae 菥蓂属 Thlaspi

菥蓂 *Thlaspi arvense* L.

| **药 材 名** | 菥蓂子（药用部位：种子）。

| **形态特征** | 一年生草本。高 18 ~ 41 cm，无毛。茎直立，通常不分枝，或仅中上部分枝，具棱。基生叶长圆状倒卵形、倒披针形或披针形，长 4 ~ 5 cm，宽 1 ~ 1.5 cm，基部箭形，抱茎，全缘或有疏齿。总状花序顶生；萼片卵形，长约 2 mm，黄绿色，具宽的膜质边缘；花瓣白色，长圆状倒卵形，长 2 ~ 2.5 mm；雄蕊 6，花药卵球形；侧蜜腺不联合，三角形，中蜜腺宽三角形。短角果近圆形，长约 1.5 cm，宽约 1.4 cm，扁平，周围具宽约 3 mm 的翅，花柱两侧无翅而下凹。种子每室 6 ~ 8，倒卵形，长约 1.5 mm，稍扁平，黄褐色，有指纹状条纹。花期 4 ~ 5 月，果期 5 ~ 7 月。

| **生境分布** | 生于海拔 400 ～ 1 200 m 的平原农区的田中、田地旁或草甸。分布于新疆博尔塔拉蒙古自治州、伊犁哈萨克自治州、哈密市、吐鲁番市及阿勒泰市、塔城市、昌吉市、阿克苏市、喀什市、库尔勒市、阿图什市等。新疆各地药圃均有栽培。

| **资源情况** | 野生资源丰富。药材来源于野生。

| **功能主治** | 止咳祛痰，平喘，解热发汗，利肝明目，健胃止血。

十字花科 Cruciferae 旗杆芥属 Turritis

旗杆芥
Turritis glabra L.

| 药 材 名 | 旗杆芥（药用部位：全草）。

| 形态特征 | 二年生草本。高 30 ~ 80 cm。茎单 1，直立，基部密被单毛，上部光滑无毛。基生叶具柄，叶倒披针形至长圆形，长 2 ~ 8 cm，宽 8 ~ 25 mm，两面被单毛及分叉毛，先端渐尖，边缘具波状齿，基部渐窄成柄，柄基部变宽；茎生叶无柄，长 5 ~ 12 cm，宽 1.5 ~ 3 cm，基部戟形或箭形，抱茎，先端渐尖，全缘或具疏齿，光滑无毛，被白粉。花序顶生或腋生，花时伞房状，果时伸长成总状；花梗长 3 ~ 7 mm；萼片宽披针形，长 3 ~ 5 mm，宽 1 ~ 2 mm，内轮基部略成囊状；花瓣淡黄色，长倒卵状椭圆形，长 6 ~ 8 mm，宽约 1.5 mm，先端圆，基部渐窄或具短爪，脉纹显著；雄蕊 6，花丝近相等，花药长圆形；

侧蜜腺外侧联合，内端向两侧延伸，与长雄蕊外侧的波状中蜜腺相联合。果柄细，长 1 ~ 1.5 cm，几与果序轴相贴或略斜展；角果柱状四棱形，长 5 ~ 10 cm，宽 1 ~ 2 mm，稍扁压；果瓣中脉清楚，先端急尖，基部钝；假隔膜白色膜质，凹凸不平。种子每室 2 行，长圆形或卵形，长约 1 mm，扁压，褐色，沿扁压轮廓有深褐色斑纹，种脐端子叶侧有 1 窄厚边。花期 5 月。

| **生境分布** | 生于海拔 900 ~ 2 100 m 的荒漠带、草原带的农区附近、林缘河谷。分布于新疆青河县、阿勒泰市、塔城市、托里县、昭苏县、玛纳斯县、乌鲁木齐县、阜康市等。

| **资源情况** | 野生资源丰富。药材来源于野生。

| **功能主治** | 清热解毒。

景天科 Crassulaceae 八宝属 *Hylotelephium*

圆叶八宝 *Hylotelephium ewersii* (Ledeb.) H. Ohba

| 药 材 名 | 八宝（药用部位：全草）。

| 形态特征 | 多年生草本。根茎木质，分枝；根细，绳索状。茎多数，近基部木质而分枝，紫棕色，上升，高 5 ~ 25 cm，无毛。叶对生，宽卵形或几圆形，长 1.5 ~ 2 cm，宽与长几相等，先端渐尖，钝，全缘或有不明显的牙齿，无柄，叶常有褐色斑点。聚伞花序呈伞形，花密集；萼片 5，披针形，长 2 mm，分离；花瓣 5，紫红色，卵状披针形，长 5 mm，急尖；雄蕊 10，比花瓣短，花丝浅红色，花药紫色；鳞片 5，卵状长圆形，长 0.5 mm。蓇葖果 5，直立，长 3 ~ 4 mm，有短喙，基部狭。种子披针形，长 0.5 mm，褐色。花期 7 ~ 8 月。

| 生境分布 | 生于海拔 400 ~ 4 200 m 的山坡石缝、林下石质坡地、山谷石崖或

河沟水边。分布于新疆阿勒泰市、布尔津县、哈巴河县、木垒哈萨克自治县、奇台县、阜康市、米东区、乌鲁木齐县、玛纳斯县、石河子市、和布克赛尔蒙古自治县、塔城市、托里县、乌苏市、精河县、博乐市、温泉县、霍城县、尼勒克县、新源县、特克斯县、昭苏县、巩留县、伊吾县、巴里坤哈萨克自治县、鄯善县、和硕县、和静县、拜城县、温宿县、阿克陶县、乌恰县、塔什库尔干塔吉克自治县等。

| **资源情况** | 野生资源丰富。药材来源于野生。

| **功能主治** | 清热解毒，止血。用于丹毒。

景天科 Crassulaceae 八宝属 Hylotelephium

紫八宝

Hylotelephium telephium (L.) H. Ohba

| 药 材 名 | 八宝（药用部位：全草）。

| 形态特征 | 多年生草本。块根多数，纺锤状。茎直立，单生或少数聚生，高
16 ~ 70 cm。叶互生，卵状长圆形至长圆形，长 2 ~ 7 cm，宽（0.4 ~ ）
1 ~ 3 cm，先端急尖，钝，上部叶无柄，基部圆，下部叶基部楔形，
边缘有不整齐的牙齿。花序伞房状，花密生；花梗长 4 mm；萼片 5，
卵状披针形，长 2 mm，先端尖，基部合生；花瓣 5，紫红色，长圆
状披针形，长 5 ~ 6 mm，急尖，自中部向外反折；雄蕊 10，与花瓣
稍等长；鳞片 5，线状匙形，长 1 mm，先端稍宽；心皮 5，直立，
椭圆状披针形，长 6 mm，两端渐狭，花柱短。种子小，卵状椭圆形，
长 1 mm，褐色。花期 7 ~ 8 月，果期 9 月。

| **生境分布** | 生于海拔 1 300 ～ 2 200 m 的碎石质山坡、森林草地或山谷阴湿处。分布于新疆布尔津县、哈巴河县等。

| **资源情况** | 野生资源较少。药材来源于野生。

| **功能主治** | 清热解毒，止血。用于丹毒。

景天科 Crassulaceae 瓦松属 Orostachys

黄花瓦松 *Orostachys spinosa* (L.) Sweet

| 药 材 名 | 瓦松（药用部位：全草）。

| 形态特征 | 二年生草本。第一年有莲座丛，密被叶；莲座叶长圆形，先端有白色半圆形软骨质的附属物，先端有长 2 ~ 4 mm 的软骨质刺尖。花茎高 10 ~ 30 cm。叶互生，宽线形至倒披针形，长 1 ~ 3 cm，宽 2 ~ 5 mm，先端渐尖，有软骨质的刺，基部无柄。穗状或总状花序顶生，狭长，长 5 ~ 20 cm；花梗长 1 mm 或无；苞片披针形至长圆形，长达 4 mm，有刺尖；萼片 5，卵状长圆形，长 2 ~ 3 mm，先端渐尖，有刺状尖头，有红色斑点；花瓣 5，黄绿色，卵状披针形，长 5 ~ 7 mm，宽 1.5 mm，在基部 1 mm 处合生，先端渐尖；雄蕊 10，较花瓣稍长，花药黄色；鳞片 5，近正方形，长 0.7 mm。蓇葖果 5，椭圆状披针形，

长 5 ~ 6 mm，基部狭，有短喙。种子长圆状卵形，长约 1 mm。花期 7 ~ 8 月，果期 9 月。

| 生境分布 | 生于海拔 640 ~ 2 300 m 的干旱石质山坡或山顶石缝中。分布于新疆青河县、福海县、阿勒泰市、布尔津县、哈巴河县、奇台县、乌鲁木齐县、玛纳斯县、和布克赛尔蒙古自治县、塔城市、托里县、沙湾市、乌苏市、博乐市、温泉县、霍城县、新源县、巴里坤哈萨克自治县等。

| 资源情况 | 野生资源丰富。药材来源于野生。

| 功能主治 | 清热解毒，凉血止血，消肿。用于丹毒。

景天科 Crassulaceae 瓦松属 Orostachys

小苞瓦松 *Orostachys thyrsiflora* Fisch.

药材名

瓦松（药用部位：全草或根）。

形态特征

二年生草本。第一年有莲座丛，莲座叶短，淡绿色，线状长圆形，先端渐变成软骨质附属物，长 1.5 ～ 2 mm，急尖，先端有短尖头，有细齿或全缘；第二年花茎自莲座中央伸出，高 5 ～ 20 cm。茎生叶线状长圆形，长 4 ～ 7 mm，宽 1 ～ 1.5 mm，先端急尖，有软骨质尖头。总状花序长 4 ～ 14 cm；苞片卵状长圆形，渐尖，比花短；花梗长 2 mm；萼片 5，三角状卵形，长 1.5 mm，宽 2 mm，急尖；花瓣 5，白色或淡红色，长圆形，长 5 mm，宽 1.5 mm，基部稍合生；雄蕊 10，与花瓣等长或稍短，花药紫色；鳞片 5，近正方形至近长方形，长 0.5 mm；心皮 5，狭披针状长圆形，长 5 mm，花柱长 1.5 ～ 2 mm。蓇葖果 5，直立。种子卵形，细小。花期 7 ～ 8 月，果期 8 ～ 9 月。

生境分布

生于海拔 600 ～ 4 100 m 的干旱石质山坡、山顶石缝、山前荒漠草原或河谷阶地。分布于新疆吉木萨尔县、阜康市、乌鲁木齐县、昌吉市、和布克赛尔蒙古自治县、察布查尔锡伯自治县、特克斯县、巴里坤哈萨克自治县、鄯善县、和静县、拜城县、温宿县、柯坪县、阿合奇县、乌恰县、叶城县、塔什库尔干塔吉克自治县等。

| **资源情况** | 野生资源丰富。药材来源于野生。

| **功能主治** | 清热解毒，凉血止血，消肿。用于丹毒。

景天科 Crassulaceae 费菜属 Phedimus

费菜 *Phedimus aizoon* (L.) 't Hart.

| 药 材 名 |

景天三七（药用部位：全草）。

| 形态特征 |

多年生草本。根茎短粗。茎 1 ~ 3，高
20 ~ 50 cm，直立，无毛，不分枝。叶互生，
狭披针形、椭圆状披针形至卵状倒披针形，
长 3.5 ~ 8 cm，宽 1.2 ~ 2 cm，先端渐尖，
基部楔形，边缘有不整齐的锯齿；叶坚实，
近革质。聚伞花序有多花，水平分枝，平展，
下托以苞叶；萼片 5，线形，肉质，不等长，
长 3 ~ 5 mm，先端钝；花瓣 5，黄色，长
圆形至椭圆状披针形，长 6 ~ 10 mm，有短
尖；雄蕊 10，较花瓣短；鳞片 5，近正方形，
长 0.3 mm；心皮 5，卵状长圆形，基部合生，
腹面凸出，花柱长钻形。蓇葖果呈星芒状排
列，长 7 mm。种子椭圆形，长约 1 mm。花
期 6 ~ 7 月，果期 8 ~ 9 月。

| 生境分布 |

生于海拔 1 350 m 左右的山坡背阴处。新疆
各地均有栽培。

| 资源情况 |

栽培种。药材来源于栽培。

| **功能主治** | 散瘀止血，宁心安神，解毒。

景天科 Crassulaceae 费菜属 Phedimus

杂交费菜 *Phedimus hybridus* (L.) 't Hart

| 药 材 名 | 景天（药用部位：全草）。

| 形态特征 | 多年生草本。根茎长，分枝，木质，绳索状，蔓生。茎斜升，匍匐茎生根；不育枝短；花枝高达 30 cm。叶互生，匙状椭圆形至倒卵形，长 1.5 ~ 3 cm，宽 1 ~ 2 cm，先端钝，基部楔形，边缘有钝锯齿。花序聚伞状，顶生；萼片 5，线形或长圆形，不等长，长 4 ~ 8 mm；花瓣 5，黄色，披针形，长 8 ~ 10 mm，宽 4 mm；雄蕊 10，与花瓣等长或稍短，花药橙黄色；鳞片小，横宽；心皮 5，黄绿色，稍开展，花柱细长。蓇葖果椭圆形，长 8 ~ 10 mm，成熟后呈星芒状开展，基部合生。种子小，椭圆形。花期 6 ~ 7 月，果期 8 ~ 10 月。

| 生境分布 | 生于海拔 730 ~ 2 700 m 的山沟水边、山坡石缝、碎石质草地、山

谷背阴处。分布于新疆青河县、富蕴县、福海县、阿勒泰市、布尔津县、哈巴河县、吉木乃县、阜康市、米东区、和布克赛尔蒙古自治县、塔城市、裕民县、托里县、博乐市、温泉县、霍城县、察布查尔锡伯自治县、尼勒克县等。

资源情况　野生资源丰富。药材来源于野生。

功能主治　清热解毒，止血。用于丹毒。

景天科 Crassulaceae 红景天属 Rhodiola

圆丛红景天
Rhodiola coccinea (Royle) Boriss.

| 药 材 名 | 红景天（药用部位：全草或根）。

| 形态特征 | 多年生草本。主根粗壮。根茎粗壮，分枝，灰褐色，先端被宽三角形鳞片，棕褐色，长约 5 mm，宽 6 ~ 8 mm，宿存老茎多数，不变黑，直立。花茎高 5 ~ 15 cm，直径 1.5 ~ 2 mm，直立或弯曲。叶互生，肉质，长 5 ~ 6 mm，宽 0.6 mm，无柄，披针形，全缘，先端钝。伞房花序直径 1 cm，少花，密集；雌雄异株；花梗短；萼片 4 ~ 5，稍短于花瓣，长圆形，先端钝，红色；花瓣 4 ~ 5，长约 4 mm，长卵圆形，先端钝，红色；雄蕊 10，稀 8，短于花瓣，花药圆形，黄色，花丝红色；鳞片 4 ~ 5，近长方形，长约 1.3 mm。蓇葖果卵形或长圆状卵形，红色，具很短的向外弯的喙。种子长圆形，长 1 ~ 1.5 mm，

褐色。花期 6 ～ 7 月。

| **生境分布** | 生于海拔 2 660 ～ 4 850 m 的高山石质山坡、岩石缝、山沟或河滩草甸。分布于新疆和静县、若羌县、且末县、库车市、拜城县、乌恰县、叶城县、塔什库尔干塔吉克自治县、策勒县等。

| **资源情况** | 野生资源丰富。药材来源于野生。

| **功能主治** | 益气活血，通脉平喘。

景天科 Crassulaceae 红景天属 Rhodiola

长鳞红景天

Rhodiola gelida Schrenk., Fischer & C. A. Meyer

| **药 材 名** | 红景天（药用部位：全草或根）。

| **形态特征** | 多年生草本。主根粗壮，垂直。根茎粗，多分枝，长2～7cm，直径5～8mm，先端被鳞片，鳞片三角状卵形，钝尖，长5～7mm，宽4mm。老花茎残存，变黑色，新花茎麦秆色，高3～5（～10）cm，直径1mm，弯曲。叶互生，卵状长圆形，边缘有细牙齿或几全缘，长8～10mm，宽2～5mm。花序具多花，密集，高1～1.5cm，宽1～2cm；雌雄异株，花4基数，稀5基数；花梗短于花，长4～5mm；萼片4～5，线状披针形或长圆形，长3mm，先端稍钝，黄色；花瓣4～5，线状披针形或长圆形，长4mm，宽1.7mm，先端稍钝，有短尖头，黄色；雄蕊8，稀10，长4～5mm，与花瓣对生，

稍长于花瓣，黄色，基部与花瓣合生；鳞片 4 ~ 5，宽线形至狭长方形或梯形，长为宽的 3 倍，长 1.2 ~ 1.8 mm，宽 0.4 ~ 0.6 mm，先端有不整齐的缺刻；心皮 4 ~ 5，长圆形，长 5 ~ 6 mm，基部合生，花柱短，稍外弯，柱头盘状。蓇葖果红色。种子卵形，长 0.6 mm，两端有翅，褐色。花期 6 ~ 7 月，果期 8 月。

| 生境分布 | 生于海拔 2 600 ~ 3 700 m 的高山河谷石缝或山顶草甸。分布于新疆奇台县、阜康市、乌鲁木齐县、塔城市、沙湾市、察布查尔锡伯自治县、昭苏县、和静县等。

| 资源情况 | 野生资源一般。药材来源于野生。

| 功能主治 | 益气活血，通脉平喘。

喀什红景天
Rhodiola kashgarica Boriss.

| 药 材 名 | 红景天（药用部位：全草或根）。

| 形态特征 | 多年生草本。主根细，灰色，绳索状；根茎多分枝，直径 0.5 ~ 1 cm，先端被鳞片，鳞片三角形，长 2 ~ 5 mm，宽 3 ~ 5 mm。老花茎宿存，花茎多数，弯曲，高 3 ~ 5（~ 10）cm，直径 0.5 ~ 1 mm，老花茎灰色。叶互生，几水平开展，长圆形或线状披针形，长 3 ~ 10 mm，宽 1 ~ 2 mm，先端钝，全缘。花序伞房状或近头状，少花，长 4 ~ 6 mm，宽 5 ~ 10 mm；雌雄异株；花梗短，果时稍伸长；花 4 基数，稀 5 基数；萼片 4 ~ 5，黄色，线形，长 2 ~ 3 mm，先端急尖；花瓣 4 ~ 5，金黄色，长圆状披针形，长 3 ~ 4 mm，上部稍狭，钝；雄蕊 8，稀 10，较花瓣稍短或稍长，花丝、花药黄色；鳞片 4 ~ 5，近正方形

或稍伸长。蓇葖果卵形，长 3 ~ 4 mm，有短而外弯的喙。种子披针形，长达 1.5 mm，褐色。花期 6 ~ 7 月。

| **生境分布** | 生于海拔 2 600 ~ 3 200 m 的多石质山坡。分布于新疆乌恰县、阿克陶县、塔什库尔干塔吉克自治县等。

| **资源情况** | 野生资源较少。药材来源于野生。

| **功能主治** | 益气活血，通脉平喘。

| **附　注** | 喀什红景天为新疆 I 级重点保护野生植物。

景天科 Crassulaceae 红景天属 Rhodiola

狭叶红景天

Rhodiola kirilowii (Regel) Maxim.

| 药 材 名 |

红景天（药用部位：全草或根）。

| 形态特征 |

多年生草本。根粗，垂直。根茎粗壮，直径
1.5 cm，先端被鳞片，鳞片三角形，先端急
尖，长 4 mm，基部宽 2 mm。花茎少数，通
常 12，高（15 ~）40 ~ 50（~ 60）cm，
有时可达 90 cm，直径 4 ~ 6 mm，密被叶。
叶互生，线形至线状披针形，长 4 ~ 6 cm，
宽 2 ~ 5 mm，先端急尖，边缘有疏锯齿，
稀几全缘，基部较宽，无柄。聚伞花序伞房
状，密集多花，花序宽 7 ~ 10 cm；花单性，
雌雄异株；花 4 ~ 5 基数，雄花短于花梗，
雌花长于花梗；萼片 4 ~ 5，线形，先端急尖，
短于花瓣；花瓣 4 ~ 5，线状披针形，绿黄
色；雄蕊在雄花中与花瓣等长或稍长，花丝、
花药黄色；心皮在雌花中与花瓣等长；鳞片
4 ~ 5，长方形，长为宽的 2 倍，先端具缺
刻或钝。蓇葖果 4 ~ 5，长 4 ~ 5 mm，直立，
绿色，具短喙。种子卵形，长 2 mm。花期 6 ~ 7
月，果期 7 ~ 8 月。

| 生境分布 |

生于海拔 1 700 ~ 3 000 m 的石质山坡、山

崖石缝、森林阳坡、山谷水边或山顶碎石堆。分布于新疆哈密市及富蕴县、阿勒泰市、布尔津县、奇台县、阜康市、乌鲁木齐县、玛纳斯县、沙湾市、精河县、博乐市、温泉县、霍城县、察布查尔锡伯自治县、尼勒克县、新源县、巩留县、昭苏县、和静县、塔什库尔干塔吉克自治县等。

| 资源情况 | 野生资源一般。药材来源于野生。

| 功能主治 | 益气活血，通脉平喘。

| 附　　注 | 狭叶红景天为新疆 I 级重点保护野生植物。

景天科 Crassulaceae 红景天属 Rhodiola

黄萼红景天
Rhodiola litwinowii Boriss.

| 药 材 名 | 红景天（药用部位：全草或根）。

| 形态特征 | 多年生草本。主根粗长，长达 30 cm，上部直径约 2 cm。根茎粗壮，分枝多，长 3 ~ 4 cm，直径 1 ~ 2 cm，先端被鳞片，鳞片卵状三角形，长、宽均 1 ~ 1.5 cm。老花茎少数，花茎多数，直立，高 10 ~ 17 cm，直径 2 ~ 4 mm，微具槽，直立，密生叶。叶互生，椭圆形，长 1 ~ 1.5 cm，宽 3 ~ 5 mm，先端稍钝，边缘在上部具不整齐的钝锯齿，基部楔形，具短叶柄，叶上面淡绿色，干后变黄绿色。花序密集，多花，长 1 ~ 1.5 cm，宽 2 ~ 2.5 cm，有叶；花梗与花等长或稍短于花；花黄色，4 ~ 5 基数；雌雄异株；花小，长 4 mm；萼片 4 ~ 5，披针形，先端稍钝，短于花瓣，黄色；花瓣 4 ~ 5，披针形，长 4 mm，先端

稍钝，黄色；雄蕊 8 或 10，长 4 mm，花丝、花药均为黄色；鳞片 4 ~ 5，正方形，先端全缘。蓇葖果 4 ~ 5，长达 8 mm，上部渐狭成喙，喙长，丝状，长 1 ~ 1.5 mm。种子长圆状披针形，长 1.5 ~ 2 mm，褐色。花期 6 ~ 8 月，果期 7 ~ 9 月。

| 生境分布 | 生于海拔 2 700 ~ 4 050 m 的高山石坡、石缝或山顶冰碛石间。分布于新疆库车市、拜城县、温宿县、塔什库尔干塔吉克自治县等。

| 资源情况 | 野生资源较少。药材来源于野生。

| 功能主治 | 益气活血，通脉平喘。

景天科 Crassulaceae 红景天属 Rhodiola

帕米尔红景天

Rhodiola pamiroalaica Boriss.

| 药 材 名 | 红景天（药用部位：全草）。

| 形态特征 | 多年生草本。主根粗壮。根茎粗，木质，直径 1.5 ~ 3 cm，先端有鳞片，鳞片三角状披针形，长 4 ~ 8 mm，宽 1.5 ~ 6 mm。老花茎宿存，花茎多数，弯曲，高 10 ~ 20（~ 30）cm，直径 2 mm，下部有沟。叶互生，稀疏，线形或线状披针形至披针形，长 7 ~ 15 mm，宽 1.5 ~ 2 mm，全缘，先端稍急尖，无柄。伞房花序圆锥状，花多数，密集，稀花少数而疏散，花序长 5 ~ 10 mm，宽 10 ~ 20 mm，具苞片；花梗与花等长或稍短；花 5 基数，稀 6 基数；雌雄异株；萼片 5 ~ 6，绿黄色，披针形或线形，长 2 mm，先端钝；花瓣 5 ~ 6，淡黄色，披针形或线形，长 4 mm，先端钝；雄蕊 10，稀 12，较花

瓣短，花丝淡黄色，花药黄色，圆形；鳞片 5 ～ 6，楔状四方形或近正方形，先端全缘或微具缺刻。蓇葖果 5，稀 6，长圆形，长 4 ～ 6 mm，喙丝状，直立，长约 1 mm，成熟时喙有时外弯。种子披针形，长约 2 mm，宽约 0.5 mm，褐色。花期 6 ～ 7 月，果期 6 ～ 8 月。

| **生境分布** | 生于海拔 2 400 ～ 4 100 m 的石质山坡或河谷石缝中。分布于新疆拜城县、温宿县、塔什库尔干塔吉克自治县等。

| **资源情况** | 野生资源较少。药材来源于野生。

| **功能主治** | 益气活血，通脉平喘。

| **附　　注** | 帕米尔红景天为新疆 II 级重点保护野生植物。

景天科 Crassulaceae 红景天属 Rhodiola

四裂红景天
Rhodiola quadrifida (Pall.) Fisch. & C. A. Mey.

| 药 材 名 | 红景天（药用部位：全草或根）。

| 形态特征 | 多年生草本。主根粗壮，伸长，长达 18 cm。根茎直径 1 ～ 3 cm，分枝，黑褐色，先端被鳞片，鳞片三角状，棕褐色，长、宽均为 4 mm。老花茎宿存，多数，常超过 100，变为黑色或紫红色，纤细，毛发状；新花茎稻秆色，细，直径 0.5 ～ 1 mm，直立，高 3 ～ 10（～ 15）cm。叶密生，互生，无柄，线形，全缘，长 5 ～ 8（～ 12）mm，宽 1 mm，先端急尖。花序伞房状，花少数，宽 1.2 ～ 1.5 cm；花梗与花等长或稍短；雌雄异株，花 4 基数；萼片 4，线状披针形，长 3 mm，宽 0.7 mm，绿色，先端钝；花瓣 4，长圆状倒卵形，长 4 mm，宽 1 mm，黄色，有时先端变为红色，干后变为淡绿色，

钝；雄蕊 8，与花瓣等长或稍长，花丝、花药均为黄色；鳞片 4，近长方形，长 1.5 ~ 1.8 mm，宽 0.7 mm。蓇葖果 4，披针形，长约 5 mm，直立，喙短，外弯或直立，成熟后暗红色。种子长圆形，长 2 mm，褐色，有翅。花期 5 ~ 6 月，果期 7 ~ 8 月。

| 生境分布 | 生于海拔 2 300 ~ 3 700 m 的高山草甸草原、岩石缝、针叶林下或碎石质山坡。分布于新疆青河县、福海县、布尔津县、哈巴河县、吉木乃县、奇台县、阜康市、米东区、乌鲁木齐县、昌吉市、沙湾市、乌苏市、尼勒克县、新源县、巩留县、特克斯县、昭苏县、伊吾县、鄯善县、和硕县、和静县、库车市、拜城县等。

| 资源情况 | 野生资源丰富。药材来源于野生。

| 功能主治 | 益气活血，通脉平喘。

景天科 Crassulaceae 瓦莲属 Rosularia

卵叶瓦莲 *Rosularia platyphylla* (Schrenk) A. Berger

| 药 材 名 | 瓦莲（药用部位：全草）。

| 形态特征 | 多年生草本。根茎粗壮，肥厚，圆卵形，有少数分枝。花茎 1 ~ 4，高 5 ~ 10 cm，斜升，不分枝，被短毛，自莲座丛一侧的叶腋中生出；莲座丛直径 5 ~ 10 cm。基生叶扁平，菱状倒卵形或匙形，长 1.5 ~ 4 cm，宽 1.2 ~ 2 cm，先端钝或有微缺，或钝急尖，基部有时渐狭，有缘毛，两面有短柔毛；茎生叶疏生，互生，无柄，长圆形至线形，长 1 ~ 1.5 cm，宽 4 ~ 5 mm，有缘毛，两面有短毛。聚伞花序伞房状，短，被短腺毛，具多花；花梗比花冠短；苞片小，线状长圆形；萼片 5，卵形，长 3 mm；花冠白色，长 5 ~ 7 mm，管部长约 2.5 mm，裂片卵形，反折；雄蕊 10，比花冠短。蓇葖果卵

状长圆形，长 6 mm，喙线形，长 1.5 ～ 2 mm。种子长圆状卵形，褐色。花期 6 ～ 7 月，果期 8 月。

| **生境分布** | 生于海拔 1 200 ～ 2 700 m 的山沟石缝或石质坡地。分布于新疆吐鲁番市及米东区、乌鲁木齐县、玛纳斯县、石河子市、托里县、沙湾市、霍城县、尼勒克县、巩留县、特克斯县、昭苏县、和静县、库车市、拜城县、温宿县等。

| **资源情况** | 野生资源丰富。药材来源于野生。

| **功能主治** | 凉血活血，消肿解毒，清热透疹。

虎耳草科 Saxifragaceae 岩白菜属 Bergenia

厚叶岩白菜 *Bergenia crassifolia* (L.) Fritsch

| **药材名** | 岩白菜（药用部位：全草或块根、种子、根茎）。

| **形态特征** | 多年生草本。高 15 ～ 30 cm。根茎粗壮，具残枯托叶鞘。茎短粗，无分枝。叶基生，革质，厚，圆形、椭圆形或倒卵形，长 5 ～ 12.5 cm，宽 3.0 ～ 9.5 cm，先端钝圆，边缘呈波状齿，基部常楔形，稀浅心形，两面具腺状小窝点，无毛；叶柄长 3 ～ 9 cm。花葶仅上部具无柄或短柄腺毛。聚伞花序圆锥状，长 3.5 ～ 13 cm；花梗长 2 ～ 5 mm；花托杯状，外被疏生近无柄腺毛；萼片 5，革质，倒卵形至三角状阔倒卵形，先端钝或微凹，背面疏生近无柄腺毛；花瓣 5，紫红色，椭圆形至阔卵形，先端微凹，基部具短爪；雄蕊 10；心皮 2，子房卵球形，花柱 2。蒴果，2 瓣裂。种子黑色，具棱。果期 6 ～ 9 月。

| **生境分布** | 生于海拔 1 000 ～ 2 600 m 的高山带岩石缝隙、西伯利亚落叶松林下、河谷针阔叶混交林的林缘。分布于新疆富蕴县、福海县、阿勒泰市、布尔津县、哈巴河县等。

| **资源情况** | 野生资源一般。药材来源于栽培。

| **功能主治** | 补虚止血，止咳定喘。用于头晕，咳嗽，哮喘，吐血，咯血。

裸茎金腰

Chrysosplenium nudicaule Bunge

| 药 材 名 | 裸茎金腰（药用部位：全草）。

| 形态特征 | 多年生草本。高 4.5 ~ 10 cm。茎不分枝，被疏褐色柔毛或具乳头状突起。茎生叶常无或 1 ~ 2，具柄；基生叶 1 ~ 2，叶柄长 1 ~ 7.5 cm，叶片革质，肾形，长 7 ~ 9 mm，宽 10 ~ 13 mm，边缘具 7 ~ 15 扁圆形齿，齿间弯缺处具褐色柔毛或乳头状突起。花序聚伞状，密集成半球状，具花 7 ~ 10；苞片革质，肾形至阔卵形，长 3 ~ 8.5 mm，宽 2.8 ~ 10.3 mm，边缘具 3 ~ 10 浅圆齿，背面无毛；萼片花期直立，多少相叠接，先端钝圆，弯缺处具褐色柔毛及乳头状突起；雄蕊 8，长 0.9 ~ 1.1 mm，花药黄色；子房半下位，花柱长 0.6 ~ 0.8 mm。蒴果长 4 ~ 5 mm，2 裂瓣等长，具喙。种子卵圆形，长 1.2 ~ 1.5 mm，

暗红褐色，两端尖，具光泽。花果期 6 ～ 8 月。

| **生境分布** | 生于海拔 2 400 ～ 3 600 m 的高山草甸、亚高山草甸、高山沼泽边及山坡潮湿岩石缝隙。分布于新疆玛纳斯县、石河子市、沙湾市、昭苏县、温宿县等。

| **资源情况** | 野生资源较少。药材来源于野生。

| **功能主治** | 清热解毒，凉血祛风。用于风疹。

虎耳草科 Saxifragaceae 梅花草属 Parnassia

双叶梅花草 *Parnassia bifolia* Nekr.

| 药 材 名 |

梅花草（药用部位：全草）。

| 形态特征 |

多年生草本。高 10 ~ 50 cm，细弱。根茎长圆柱状或块状，其下生出多数纤维状根，其上有少数膜质鳞片。基生叶 2 ~ 7，有时呈莲座状，具长柄；叶片长圆卵形或卵形，长 1.5 ~ 3.5 cm，宽 1 ~ 2.1 cm，先端圆钝，有时具急尖头，基部微心形或近截形，全缘，上面深绿色，基部有明显 5 ~ 7 下陷脉，向上逐渐消失，下面淡绿色，有显著突起 5（~ 7）脉，两面密被紫褐色小点；叶柄长 3 ~ 7 cm，扁平，两侧有窄翼，逐渐变为膜质，常有不明显斑点；托叶膜质，灰白色，贴生于叶柄，边有褐色流苏状毛，早落。茎 1，稀 2，不分枝，近中部或偏下有 2 互生叶，与基生叶同形，长（6 ~）10 ~ 29 mm，宽（5 ~）15 mm，有明显 3 ~ 5 脉，并有不明显褐色小点，基部常有 2 ~ 3 锈褐色附属物，无柄或有极短的柄。花单生于茎顶，直径 2 ~ 2.9 cm；萼筒管陀螺状；萼片披针形，长 7 ~ 9 mm，宽 2 ~ 2.5 mm，先端渐尖，有 5（~ 7）脉，被紫褐色小点；花瓣白色，直立，匙形，长约 1.8 cm，宽约 8 mm，先端圆，

基部楔形，有长约 2 mm 的爪，全缘；雄蕊 5，花丝长 5 ~ 6 mm，扁平，向基部逐渐加宽，花药椭圆形，长约 1.5 mm，顶生；退化雄蕊 5，深褐色，全长约 5 mm，具长约 1.5 mm、宽约 1 mm 的柄，头部长 3 ~ 3.5 mm，宽约 2 mm，先端 2 裂，裂片披针形或长圆形，长 1.5 ~ 2 mm，先端尖或圆；子房卵圆形，花柱极短，柱头 3 裂，裂片圆而开展。蒴果褐色，3 裂。种子多数，褐色，长约 1 mm，有光泽。花期 7 ~ 8 月，果期 8 月。

| **生境分布** | 生于海拔 1 700 ~ 2 900 m 的云杉林下和林缘草地、亚高山草甸及山坡阴湿草地。分布于新疆沙湾市、石河子市、玛纳斯县、乌鲁木齐县、阜康市、奇台县、木垒哈萨克自治县、伊吾县、尼勒克县、特克斯县、昭苏县、新源县等。

| **资源情况** | 野生资源丰富。药材来源于野生。

| **功能主治** | 清热凉血，解毒消肿，止咳化痰。用于黄疸性肝炎，细菌性痢疾，咽喉肿痛，脉管炎，疮痈肿毒，咳嗽痰多。

虎耳草科 Saxifragaceae 梅花草属 *Parnassia*

新疆梅花草
Parnassia laxmannii Pall. ex Schult.

| 药 材 名 | 单叶梅花草（药用部位：全草）。

| 形态特征 | 多年生草本。基生叶具长柄，全缘；花茎中下部仅具1叶，无柄半抱茎。花单生于茎顶；萼片裂至中部，光滑无腺体及毛；花瓣5，白色或淡黄色；退化雄蕊3裂，中间的裂片具有腺体；雌蕊1室，多胚珠，柱头2裂。蒴果。种子多数。花果期7～8月。

| 生境分布 | 生于海拔1 600～3 000 m的云杉林下、林间草地、高山及亚高山草甸、山谷溪边及山谷阴湿草地。分布于新疆青河县、阿勒泰市、布尔津县、哈巴河县、吉木乃县、奇台县、乌鲁木齐县、和布克赛尔蒙古自治县、霍城县、巩留县、特克斯县、昭苏县、和硕县、和静县、库车市、温宿县、阿克苏市、阿克陶县、塔什库尔干塔吉克自治县等。

| **资源情况** | 野生资源丰富。药材来源于野生。

| **功能主治** | 清热凉血, 解毒消肿, 止咳化痰。用于黄疸性肝炎, 细菌性痢疾, 咽喉肿痛, 脉管炎, 疮痈肿毒, 咳嗽痰多。

虎耳草科 Saxifragaceae　梅花草属 Parnassia

细叉梅花草

Parnassia oreophila Hance

| 药 材 名 | 　细叉梅花草（药用部位：全草）。

| 形态特征 | 　多年生小草本。高 17 ~ 30 cm。根茎粗壮，形状不定，常呈长圆形或块状，其上有残存褐色鳞片，周围长出丛密细长的根。基生叶 2 ~ 8，具柄；叶片卵状长圆形或三角状卵形，长 2 ~ 3.5 cm，宽 1 ~ 1.8 cm，先端圆，有时带短尖头，基部常截形或微心形，有时下延于叶柄，全缘，上面深绿色，下面色淡，有 3 ~ 5 明显突起的脉；叶柄长 2 ~ 5（ ~ 10）cm，扁平，两侧均为窄膜质；托叶膜质，边有疏生褐色流苏状毛，早落。茎（1 ~ ）2 ~ 9 或更多，在中部或中部以下具 1 叶（苞叶），茎生叶卵状长圆形，长 2.5 ~ 4.5 cm，宽 1 ~ 2.5 cm，先端急尖，在基部常有数条锈褐色的附属物，较早脱落，无柄，半

抱茎。花单生于茎顶，直径 2 ~ 3 cm；萼筒钟状；萼片披针形，长 6 ~ 7 mm，宽约 2 mm，先端钝，全缘，具明显 3 脉；花瓣白色，宽匙形或倒卵状长圆形，长 1 ~ 1.5 cm，宽 6 ~ 8 mm，先端圆，基部渐窄成长约 2 mm 的爪，有 5 紫褐色的脉；雄蕊 5，长约 6.5 mm，向基部逐渐加长，花药长圆形，长约 1.5 mm，顶生；退化雄蕊 5，全长约 5 mm，与花丝近等长，具长 1 ~ 1.5 mm、宽约 1.5 mm 的柄，头部长约 4 mm，宽约 1.8 mm，先端 3 深裂达 2/3，稀稍超过中裂，裂片长可达 3.2 mm，先端平；子房半下位，长卵球形，花柱短，长约 1 mm，柱头 3 裂，裂片长圆形，长约 1 mm，花后开展。蒴果长卵球形，直径 5 ~ 7 mm。种子多数，沿整个缝线着生，褐色，有光泽。花期 7 ~ 8 月，果期 9 月。

| 生境分布 |　生于海拔 840 ~ 3 800 m 的云杉林缘湿草地、河谷草甸、河漫滩山谷溪边。分布于新疆阿勒泰市、霍城县、伊宁县、昭苏县、阿克陶县、莎车县、叶城县、塔什库尔干塔吉克自治县等。

| 资源情况 |　野生资源丰富。药材来源于野生。

| 功能主治 |　清热凉血，解毒消肿，止咳化痰。用于黄疸性肝炎，细菌性痢疾，咽喉肿痛，脉管炎，疮痈肿毒，咳嗽痰多。

虎耳草科 Saxifragaceae 梅花草属 Parnassia

梅花草 *Parnassia palustris* L.

| 药 材 名 |

梅花草（药用部位：全草）。

| 形态特征 |

多年生草本。高达 50 cm。基生叶丛生，卵圆形至心形，长 1 ~ 3 cm，宽 1.5 ~ 3.5 cm，先端尖，基部心形，全缘，叶柄长；花茎中部生 1 叶，无柄，基部抱茎，与基生叶同形。花单一，顶生，白色至淡黄色，直径 2 ~ 3.5 cm，形似梅花；萼片 5，长椭圆形；花瓣 5，卵状圆形；雄蕊 5，退化雄蕊中上部呈丝状分裂，裂瓣先端有头状腺体；花柱短，先端 4 裂。蒴果卵圆形，上部 4 裂。种子多数。

| 生境分布 |

生于海拔 1 000 ~ 3 100 m 的山坡湿草地、山地草甸、河谷阶地、河漫滩、山溪河边及沼泽地。分布于新疆哈巴河县、布尔津县、阿勒泰市、福海县、富蕴县、青河县、塔城市、托里县、乌苏市、温泉县、博乐市、精河县、昌吉市、乌鲁木齐县、奇台县、伊吾县、特克斯县、昭苏县、和静县、拜城县等。

| **资源情况** | 野生资源丰富。药材来源于野生。

| **采收加工** | 夏季花开时采收，晒干。

| **功能主治** | 清热凉血，解毒消肿，止咳化痰。用于黄疸性肝炎，细菌性痢疾，咽喉肿痛，脉管炎，疮痈肿毒，咳嗽痰多。

虎耳草科 Saxifragaceae 茶藨子属 Ribes

阿尔泰醋栗 *Ribes aciculare* Sm.

| 药 材 名 | 醋栗（药用部位：果实）。

| 形态特征 | 落叶小灌木。高1 m或稍高。老枝较平滑，黑色至深灰色或灰黑色，小枝灰褐色至棕色，无毛，叶下部的节上着生3 ~ 7轮状排列的针状刺，刺长可达1 cm，节间具疏密不等的细针刺；芽长圆形，长4 ~ 6 mm，先端急尖，具数枚干膜质鳞片，外面无毛。叶近圆形或宽卵圆形，长1.5 ~ 3 cm，宽3 ~ 5 cm，基部截形至心形，两面无毛，无腺体，稀仅于叶片下面基部脉腋间具少数柔毛，掌状3 ~ 5裂，裂片先端钝或微急尖，顶生裂片与侧生裂片近等长，边缘具粗锐锯齿；叶柄长达3 cm，无毛或仅沿槽有疏柔毛。花两性，常单生于叶腋，稀2 ~ 3组成短总状花序；花序轴长1 ~ 1.2 cm，无毛或具

疏腺毛；花梗长 3 ~ 6 mm，无毛，稀具疏腺毛；苞片卵形或长卵形，长 2 ~ 3.5 mm，无毛，有时边缘具疏短腺毛，有 3 脉；花萼绿白色、带黄色或粉红色，外面无毛；萼筒宽钟形，长 4 ~ 6 mm，宽几与长相等，萼片长圆形或匙形，长 5 ~ 6 mm，宽 2 ~ 3.5 mm，先端圆钝，稀微急尖，花期向外反折，果期开展或直立；花瓣倒卵形，长 2 ~ 3.5 mm，宽几与长相等，先端圆钝，白色；花托内部无毛；雄蕊稍长于花瓣，花丝白色，花药卵状椭圆形；子房光滑无毛，稀具疏腺毛，花柱几与雄蕊等长，常分裂至近中部，无毛。果实圆球形，直径 12 ~ 15 mm，光滑无毛，稀具疏腺毛，幼时绿黄色，成熟时红色。花期 5 ~ 6 月，果期 7 ~ 8 月。

| **生境分布** | 生于海拔 1 100 ~ 3 200 m 的山地灌丛、河谷、石质山坡、山地草甸及低山沟。分布于新疆哈巴河县、布尔津县、阿勒泰市、富蕴县、青河县、额敏县、托里县、巴里坤哈萨克自治县、乌恰县等。

| **资源情况** | 野生资源一般。药材来源于野生。

| **采收加工** | 7 ~ 8 月采收。

| **功能主治** | 解毒。用于感冒。

虎耳草科 Saxifragaceae 茶藨子属 Ribes

臭茶藨
Ribes graveolens Bunge

| 药 材 名 |

茶藨子（药用部位：果实、根皮）。

| 形 态 特 征 |

低矮落叶灌木。小枝条具黄色腺体。叶互生，肾圆形，背面密被白色绒毛及黄色腺体。总状花序下垂或开展，较短小，长（3 ~）5 ~ 8 cm，具花（4 ~）8 ~ 20 或更多；花绿色或黄白色，稀红色；萼筒盆形、钟形或钟状短圆筒形；花柱不裂或先端 2 浅裂；叶下面、花萼、子房和果实被黄色腺体，稀无腺体。果实红色。花果期 7 ~ 9 月。

| 生 境 分 布 |

生于海拔 1 400 ~ 2 400 m 的云杉林、落叶松林下及林间空地、山谷阴湿坡地及河边。分布于新疆青河县、富蕴县、福海县、阿勒泰市、布尔津县、哈巴河县、温泉县等。

| 资 源 情 况 |

野生资源一般。药材来源于野生。

| 采 收 加 工 |

秋季采收。

| **功能主治** | 果实，滋补强壮。根皮，舒筋，活血。用于高血压，高脂血症，贫血等。

虎耳草科 Saxifragaceae 茶藨子属 Ribes

圆叶茶藨子

Ribes heterotrichum C. A. Mey.

药材名

茶藨子（药用部位：果实、根皮）。

形态特征

落叶矮灌木。枝粗壮，小枝灰色或灰褐色，皮稍呈条状剥裂，嫩枝棕褐色，具棱角，被疏无，老时毛脱离，无腺毛，无刺；芽长卵圆形，长 5 ~ 8 mm，先端急尖，具数枚棕褐色鳞片。叶圆形或近圆形，长、宽均 1 ~ 3 cm，基部宽楔形至截形，两面无毛或仅沿叶缘稍具睫毛，稀被少数黏质腺体，掌状 3 裂，稀 5 浅裂，裂片先端圆钝，顶生裂片与侧生裂片近等长或稍长于侧生裂片，边缘有粗钝锯齿；叶柄长 5 ~ 10 mm，疏生柔毛。花单性，雌雄异株；总状花序直立，雄花序长 2 ~ 5 cm，雌花序稍短，长 2 ~ 3 cm，具花 6 ~ 10；花序轴和花梗具短柔毛或混生稀疏的短腺毛；花梗长 2 ~ 3 mm；苞片卵状披针形或长圆形，长 4 ~ 5 mm，宽 1 ~ 1.8 mm，先端急尖，边缘有稀疏的短腺毛，具单脉；花萼紫红色或褐红色，近辐状，外面无毛或微具柔毛；萼筒浅杯形，长 1.5 ~ 2.2 mm，宽稍大于长，萼片卵圆形，长 2 ~ 2.5 mm，宽 1.6 ~ 2 mm，先端圆钝，直立；花瓣小，近扇形，先端圆钝或呈截状圆形；雄蕊稍长于花瓣，花丝比花药稍长，雌花的雄蕊败育，花药无花粉；子房无毛，雄花无子房；花柱先端 2 裂。果实球形，直径 4 ~ 6 mm，红色或红黄色，无柔毛，无腺毛。花期 6 ~ 8 月。

| 生境分布 | 生于海拔 850 ~ 1 700 m 的中山带或亚高山带的山谷灌丛、石质阳坡、山地草甸及落叶松林下。分布于新疆乌鲁木齐市及青河县、富蕴县、福海县、阿勒泰市、布尔津县、哈巴河县、木垒哈萨克自治县、奇台县、玛纳斯县、和布克赛尔蒙古自治县、额敏县、塔城市、裕民县、托里县、伊宁市、特克斯县、巴里坤哈萨克自治县等。

| 资源情况 | 野生资源丰富。药材来源于野生。

| 采收加工 | 秋季采收。

| 功能主治 | 果实，滋补强壮。根皮，舒筋，活血。用于高血压，高脂血症，贫血等。

虎耳草科 Saxifragaceae 茶藨子属 Ribes

天山茶藨子 *Ribes meyeri* Maxim.

| 药 材 名 | 茶藨子（药用部位：果实、根皮）。

| 形态特征 | 落叶灌木。高 1 ~ 2 m。小枝灰棕色或浅褐色，皮呈长条状剥离，嫩枝带黄色或浅红色，无毛或稍具短柔毛，稀混生少数短腺毛，无刺；芽小，卵圆形或长圆形，长 2.5 ~ 4.5 mm，宽 1 ~ 2.5 mm，先端急尖，具数枚褐色鳞片，外面无毛或微具短柔毛。叶近圆形，长 3 ~ 7 cm，宽几与长相等，基部浅心形，稀截形，两面无毛，稀于下面脉腋间稍有短柔毛，掌状 5 裂，稀 3 浅裂，裂片三角形或卵状三角形，先端急尖或稍钝，顶生裂片比侧生裂片稍长或近等长于侧生裂片，边缘具粗锯齿；叶柄长 2.5 ~ 4 cm，无毛，近基部具疏腺毛。花两性，开花时直径 3.5 ~ 5（~ 6）mm；总状花序长 3 ~ 5（~ 6）cm，

下垂，具花 7 ～ 17，花排列紧密；花序轴和花梗具短柔毛或几无毛；花梗长 1 ～ 2.5 mm；苞片卵圆形，长 1 ～ 2 mm，宽几与长相等，先端急尖或微钝，微具短柔毛；花萼紫红色或浅褐色，具紫红色斑点和条纹，外面无毛，萼筒钟状短圆筒形，长 2 ～ 3 mm，宽 2.5 ～ 3.5 mm，萼片匙形或倒卵圆形，长 2.5 ～ 3.5 mm，宽 2 ～ 3 mm，先端圆钝，边缘具睫毛，花后直立；花瓣狭楔形或近线形，长 1 ～ 1.5 mm，先端圆钝，微有睫毛或无毛，下面无突出体；雄蕊稍长于花瓣，着生在低于花瓣处，花丝丝状，花药卵圆形，白色；子房无毛，花柱长于雄蕊，先端 2 裂。果实圆形，直径 7 ～ 8 mm，紫黑色，具光泽，无毛。花果期 6 ～ 8 月。

| 生境分布 | 生于海拔 1 400 ～ 3 900 m 的山坡疏林内、沟边、云杉林下或背阴山坡路边灌丛中。分布于新疆乌鲁木齐市及青河县、阿勒泰市、布尔津县、哈巴河县、木垒哈萨克自治县、阜康市、石河子市、沙湾市、托里县、霍城县、巩留县、昭苏县、阿克陶县、乌恰县、叶城县等。

| 资源情况 | 野生资源丰富。药材来源于野生。

| 采收加工 | 秋季采收。

| 功能主治 | 果实，滋补强壮。根皮，舒筋，活血。用于感冒，月经不调，高脂血症，赤白痢，关节炎，肾炎，维生素缺乏症。

黑果茶藨 *Ribes nigrum* L.

药材名

茶藨子（药用部位：果实、根皮）。

形态特征

落叶直立灌木。高 1 ~ 2 m。小枝暗灰色或灰褐色，无毛，皮通常不裂；幼枝褐色或棕褐色，具疏密不等的短柔毛，被黄色腺体，无刺。芽长卵圆形或椭圆形，长（3 ~）4 ~ 7 mm，宽 2 ~ 4 mm，先端急尖，具数枚黄褐色或棕色鳞片，被短柔毛和黄色腺体。叶近圆形，长 4 ~ 9 cm，宽 4.5 ~ 11 cm，基部心形，上面暗绿色，幼时微具短柔毛，老时脱落，下面被短柔毛和黄色腺体，掌状 3 ~ 5 浅裂，裂片宽三角形，先端急尖，顶生裂片稍长于侧生裂片，边缘具不规则粗锐锯齿；叶柄长 1 ~ 4 cm，具短柔毛，偶疏生腺体，有时基部具少数羽状毛。花两性，开花时直径 5 ~ 7 mm；总状花序长 3 ~ 5（~ 8）cm，下垂或呈弧形，具花 4 ~ 12；花序轴和花梗具短柔毛或混生稀疏的黄色腺体；花梗长 2 ~ 5 mm；苞片小，披针形或卵圆形，长 1 ~ 2 mm，先端急尖，具短柔毛；花萼浅黄绿色或浅粉红色，具短柔毛和黄色腺体，萼筒近钟形，长 1.5 ~ 2.5 mm，宽 2 ~ 4 mm，萼片舌形，长 3 ~ 4 mm，宽

1.5 ～ 2 mm，先端圆钝，开展或反折；花瓣卵圆形或卵状椭圆形，长 2 ～ 3 mm，宽 1 ～ 1.5 mm，先端圆钝；雄蕊与花瓣近等长，花药卵圆形，具蜜腺；子房疏生短柔毛和腺体；花柱稍短于雄蕊，先端 2 浅裂，稀不裂。果实近圆形，直径 8 ～ 10（～ 14）mm，成熟时黑色，疏生腺体。花期 5 ～ 6 月，果期 7 ～ 8 月。

| **生境分布** | 生于海拔 1 300 ～ 3 900 m 的山谷底云杉林下、林缘，山谷溪沟岸阴湿坡及亚高山草甸。分布于新疆乌鲁木齐市及布尔津县、阿勒泰市、哈巴河县、青河县、福海县、奇台县、温泉县、伊宁市、昭苏县、特克斯县、伊吾县、塔什库尔干塔吉克自治县等。

| **采收加工** | 秋季采收。

| **功能主治** | 果实，滋补强壮。根皮，舒筋，活血。用于高血压，高脂血症，贫血等。

虎耳草科 Saxifragaceae 茶藨子属 Ribes

石生茶藨子
Ribes saxatile Pall.

| 药 材 名 | 茶藨子（药用部位：果实、根皮）。

| 形态特征 | 落叶低矮灌木。高 0.5 ~ 1 m。枝灰棕色，皮呈纵向长条状剥裂；幼枝棕色或棕褐色，微具短柔毛或无毛，叶下部的节上常具 1 对小刺，节间具稀疏的针状细刺或无刺；芽长卵圆形，长 3 ~ 5 mm，先端急尖，幼时微具柔毛，老时无毛。叶倒卵圆形，长 1 ~ 2.5 cm，宽与长几相等，基部楔形，上面灰绿色，下面色较浅，老时仅沿叶缘具细短柔毛或下面微具短柔毛，上半部掌状 3 浅裂，裂片先端钝或微尖，顶生裂片稍长于侧生裂片，边缘具粗钝锯齿；叶柄长 1 ~ 2 cm，无毛。花单性，雌雄异株，组成总状花序；雄花序长 3 ~ 6 cm，直立；雌花序长 3 ~ 5 cm，具花 10 余，结果时长达

6 cm；花序轴和花梗具短柔毛，老时毛渐脱落；花梗长 2 ~ 3 mm；苞片长圆形或舌形，长 4 ~ 6 mm，宽 1 ~ 1.5 mm，先端钝或微尖，边缘有细短柔毛，具单脉；花萼浅绿色，外面无毛，萼筒盆形或浅杯形，长 1.5 ~ 2 mm，宽大于长，萼片舌形或倒卵圆形，长 2 ~ 3 mm，先端圆钝，向外反折；花瓣小，扇形，先端平截；雄蕊与花瓣近等长，雌花的雄蕊花丝极短，花药无花粉；子房光滑无毛，雄花的子房退化；花柱先端 2 裂。果实球形，直径 5 ~ 7 mm，成熟时暗红色，无毛。花果期 6 ~ 8 月。

| 生境分布 | 生于海拔 1 100 ~ 1 300 m 的干旱山坡灌丛中及岩石坡地。分布于新疆阿勒泰市、额敏县、特克斯县等。

| 资源情况 | 野生资源较少。药材来源于野生。

| 功能主治 | 果实，滋补强壮。根皮，舒筋，活血。

虎耳草科 Saxifragaceae 虎耳草属 Saxifraga

零余虎耳草 *Saxifraga cernua* L.

| 药 材 名 | 虎耳草（药用部位：地上部分）。

| 形态特征 | 多年生草本。高 5 ~ 28 cm。茎被腺柔毛；叶腋部具珠芽，有时生匍匐枝。基生叶具长柄，叶片肾形，长 0.7 ~ 1.5 cm，宽 0.9 ~ 1.8 cm，常掌状 5 ~ 7 浅裂，两面及叶缘均具腺毛；茎下部叶与基生叶同形，向上渐变小，叶片由浅裂渐变为全缘，叶柄亦渐短。单花生于茎顶或枝先端，聚伞花序具 3 ~ 5 花；苞腋具珠芽；花梗、花萼背面及边缘具腺毛；花瓣白色或淡黄色，倒卵形，先端微凹或钝，基部渐狭，具爪，具 3 ~ 7（~ 10）脉；雄蕊长 4 ~ 5.5 mm，花丝钻形；雌蕊 2 心皮中下部合生，子房近上位，卵球形，花柱 2，长 1 ~ 2 mm。花果期 7 ~ 9 月。

| 生境分布 | 生于海拔 2 100 ～ 4 500 m 的林下、灌丛、草甸和阴湿岩隙中。分布于新疆木垒哈萨克自治县、奇台县、乌鲁木齐县、玛纳斯县、和布克赛尔蒙古自治县、昭苏县、温泉县、巴里坤哈萨克自治县、和硕县、阿克陶县、塔什库尔干塔吉克自治县等。

| 资源情况 | 野生资源丰富。药材来源于野生。

| 采收加工 | 夏季采收，鲜用或晒干。

| 功能主治 | 祛风，清热，解毒。

███ 虎耳草科 ███ Saxifragaceae ███ 虎耳草属 ███ Saxifraga

山羊臭虎耳草 Saxifraga hirculus L.

| 药 材 名 | 山羊臭虎耳草（药用部位：地上部分）。

| 形态特征 | 多年生草本。高 6.5 ~ 20 cm。茎疏被褐色卷曲柔毛，叶腋毛较密，茎基无匍匐枝条。基生叶具长柄，叶披针形、椭圆形或长圆状卵形，长 1.1 ~ 2.2 cm，宽 3 ~ 10 mm，两面无毛，疏生缘毛或无毛，叶柄长 1.2 ~ 2.2 cm，基部稍扩大；茎生叶向上渐小，叶柄渐短至无柄，叶披针形至长圆形，长 0.4 ~ 2.4 cm，宽 1 ~ 6 mm，两面无毛，叶缘具褐色卷曲长柔毛。单花顶生或 2 ~ 4 花组成聚伞花序；花梗长 0.9 ~ 1.3 cm，被褐色卷曲柔毛；萼片直立至反曲，长 3 ~ 6.1 mm，宽 1.5 ~ 3.5 mm，先端急尖或钝，背面被褐色卷曲柔毛；花瓣黄色，腹面偶有红色斑点，椭圆形或倒卵形至狭卵形，长 0.79 ~ 1.03 cm，

宽 3 ~ 7 mm，基部具爪，具 7 ~ 11（~ 17）脉，具 2 痂体；雄蕊长 4 ~ 5.5 mm，花丝钻形；子房近上位，卵球形，长 2 ~ 5 mm，花柱 2，长 1 ~ 1.8 mm。花期 6 ~ 7 月，果期 7 ~ 9 月。

| 生境分布 | 生于海拔 2 300 ~ 4 200 m 的高山沼泽草甸、亚高山草甸、山谷流水溪边、山坡阴湿草地及山坡砾石堆或林下。分布于新疆青河县、阿勒泰市、奇台县、玛纳斯县、石河子市、塔城市、沙湾市、尼勒克县、新源县、巩留县、昭苏县、和硕县、和静县、塔什库尔干塔吉克自治县、策勒县、乌鲁木齐县、焉耆回族自治县等。

| 资源情况 | 野生资源丰富。药材来源于野生。

| 采收加工 | 夏季采收，鲜用或晒干。

| 功能主治 | 祛风，清热，解毒。

虎耳草科 Saxifragaceae 虎耳草属 Saxifraga

斑点亭阁草 *Saxifraga punctata* L.

药材名

虎耳草（药用部位：全草）。

形态特征

多年生草本。高 22 ～ 33 cm。茎疏生腺柔毛。叶均基生，具长柄；叶片肾状，长 1 ～ 5.5 cm，宽 1.8 ～ 6.5 cm，叶缘具齿，腹面和叶缘具腺状睫毛和柔毛。聚伞花序圆锥状，花 30 ～ 50，花葶和花梗疏生柔毛和腺毛；花萼紫色，5 深裂，反卷，单脉，无毛；花瓣白色或淡紫红色，常有橙色斑点，先端钝或微凹，基部狭窄成爪，单脉；雄蕊 10，短于花瓣，花丝棒状；子房 2 心皮，下部合生，近上位，阔卵形。蒴果 2 果瓣基部合生。花期 6 ～ 7 月，果期 7 ～ 8 月。

生境分布

生于海拔 1 300 ～ 2 000 m 的山地林缘及谷地溪边。分布于新疆巴里坤哈萨克自治县、哈巴河县等。

资源情况

野生资源较少。药材来源于野生。

| **采收加工** | 全年均可采收。

| **功能主治** | 解毒消肿。用于湿热留滞肌表，湿疹，火毒热盛所致的痈疡疮疖。

虎耳草科 Saxifragaceae 虎耳草属 Saxifraga

球茎虎耳草 Saxifraga sibrica L.

| **药 材 名** | 球茎虎耳草（药用部位：地上部分）。

| **形态特征** | 多年生草本。高 6.5 ~ 25 cm，具鳞状球茎。茎下部密被腺柔毛。茎生叶疏少，柄短；基生叶具长柄，叶片肾形，长 0.6 ~ 2 cm，宽 1 ~ 2.7 cm，5 ~ 9 浅裂，两面及叶缘具腺柔毛或疏生短柔毛。聚伞花序伞房状，长 2 ~ 17 cm，花 2 ~ 13，稀单生，被腺柔毛；萼片直立，披针形至长圆形，背面和边缘具腺柔毛，3 ~ 5 脉；花瓣白色，倒卵形至狭倒卵形，基部渐狭成爪状，3 ~ 8 脉；雄蕊 2.5 ~ 5.5 mm，花丝钻形；2 心皮中下部合生，子房卵球形，花柱 2，柱头小。花期 6 ~ 8 月，果期 7 ~ 10 月。

| **生境分布** | 生于海拔 1 500 ~ 3 500 m 的高山岩石缝隙、山地阴坡及山谷灌丛、

草地。分布于新疆哈密市及石河子市、青河县、富蕴县、阿勒泰市、布尔津县、奇台县、阜康市、乌鲁木齐县、玛纳斯县、沙湾市、塔城市、博乐市、温泉县、察布查尔锡伯自治县、尼勒克县、新源县、昭苏县、巴里坤哈萨克自治县、和硕县、喀什市等。

| **资源情况** | 野生资源丰富。药材来源于野生。

| **采收加工** | 夏季采收，鲜用或晒干。

| **功能主治** | 祛风，清热，解毒。

虎耳草科 Saxifragaceae 虎耳草属 Saxifraga

山地虎耳草 Saxifraga sinomontana J. T. Pan & Gornall

| 药 材 名 |

虎耳草（药用部位：全草）。

| 形态特征 |

多年生丛生草本。高 4.5 ~ 35 cm。茎疏被褐色卷曲柔毛。基生叶发达，具柄，叶片椭圆形至条状长椭圆形，长 0.5 ~ 3.4 cm，宽 1.5 ~ 5 mm，无毛，叶柄长 0.7 ~ 4.5 cm，基部扩展，边缘具褐色卷曲长柔毛；茎生叶披针形至条形，长 0.9 ~ 2.5 cm，宽 1.5 ~ 5.5 mm，背面和叶缘疏被褐色长柔毛或两面均无毛。聚伞形花序具 2 ~ 8 花，稀单花；花梗长 0.4 ~ 1.8 cm，被褐色卷曲柔毛；萼片直立，矩圆形，先端钝圆，两面无毛或背面被柔毛，边缘具卷曲长柔毛，5 ~ 8 脉于先端不汇合；花瓣黄色，先端急尖或钝圆，基部具长 0.2 ~ 0.7 mm 的爪，8 ~ 9 脉，基部侧脉旁具 2 痂体；雄蕊长 4 mm，花丝钻形；子房近上位，长 3 ~ 5 mm，花柱 2。花期 6 ~ 8 月，果期 7 ~ 9 月。

| 生境分布 |

生于海拔 3 900 ~ 4 700 m 的高山草甸、石隙及高山沼泽地。分布于新疆阿克陶县、叶城县、塔什库尔干塔吉克自治县等。

| **资源情况** | 野生资源较少。药材来源于野生。

| **功能主治** | 清热解毒，平肝潜阳。用于肝胆湿热，脾胃湿热，痈肿疮毒。

虎耳草科 Saxifragaceae　虎耳草属 Saxifraga

大花虎耳草
Saxifraga stenophylla Royle

| 药 材 名 | 虎耳草（药用部位：全草）。

| 形态特征 | 多年生草本。高 5 ～ 17.5 cm。茎不分枝，密被腺毛（腺头黑褐色，球形）；茎基具长丝状无叶匍匐枝，长 4 ～ 12 cm，多少被腺体。基生叶密集成莲座状，革质，狭椭圆形至近匙形，长 7.5 ～ 13 mm，宽 2 ～ 4.5 mm，先端及边缘具软骨质芒（先端具腺体），两面多少被腺毛。花 2 ～ 3 组成聚伞花序；花梗长 6 ～ 14 mm，密被腺毛；萼片花期直立，稍肉质，卵形至披针形，先端具短尖头，背面及边缘具黑褐色腺毛，5 ～ 9 脉于先端汇合或半汇合；花瓣黄色，椭圆形或倒卵形，长 8 ～ 12 mm，宽 4.5 ～ 7.5 mm，8 ～ 11 脉，先端钝，基部无爪，无痂体；雄蕊长 4 ～ 5.7 mm，花丝钻形；子房近上位，

椭圆状球形，长 2.5 ～ 3.5 mm，花柱长约 1.5 mm。花期 7 ～ 8 月，果期 8 ～ 9 月。

| **生境分布** | 生于海拔 2 700 ～ 4 800 m 的高山草甸、高山灌丛。分布于新疆温泉县等。

| **资源情况** | 野生资源较少。药材来源于野生。

| **采收加工** | 夏季采收，鲜用或晒干。

| **功能主治** | 清热解毒，凉血止血，除湿消肿。

二球悬铃木 *Platanus acerifolia* (Aiton) Willd.

| 药 材 名 | 悬铃果（药用部位：全株或果实）。

| 形态特征 | 落叶大乔木。高约30 m。树皮光滑，大片块状脱落。嫩枝密生灰黄色绒毛；老枝秃净，红褐色。叶阔卵形，宽12 ~ 25 cm，长10 ~ 24 cm，上、下两面嫩时有灰黄色毛被，下面的毛被更厚密，后变秃净，仅在背脉腋内有毛；基部截形或微心形，上部掌状5裂，有时3裂或7裂；中央裂片阔三角形，宽与长约相等；裂片全缘或有1 ~ 2粗大锯齿；掌状脉3，稀为5，常离基部数毫米或为基出；叶柄长3 ~ 10 cm，密生黄褐色毛被；托叶中等大，长1 ~ 1.5 cm，基部鞘状，上部开裂。花通常4数；雄花的萼片卵形，被毛；花瓣矩圆形，长为萼片的2倍；雄蕊比花瓣长，盾形药隔有毛。果枝有

头状果序 1 ~ 2，稀为 3，常下垂；头状果序直径约 2.5 cm，宿存花柱长 2 ~ 3 mm，刺状，坚果之间无突出的绒毛或有极短的毛。花果期 6 ~ 10 月。

| **生境分布** | 栽培种。新疆伊宁市、和田市有栽培。

| **资源情况** | 栽培资源较少。药材来源于栽培。

| **功能主治** | 祛风除湿，活血散瘀。